# A Ponte Para o Sempre

## OBRAS O AUTOR

O DOM DE VOAR
ILUSÕES
LONGE É UM LUGAR QUE NÃO EXISTE
O PARAÍSO É UMA QUESTÃO PESSOAL
A PONTE PARA O SEMPRE

RICHARD BACH

# A Ponte Para o Sempre

Um romance de amor

Tradução de

A. B. PINHEIRO DE LEMOS

6ª EDIÇÃO

EDITORA RECORD

Título original norte-americano
THE BRIDGE ACROSS FOREVER



Para Leslie

que me ensinou a voar

Direitos de publicação exclusiva em língua portuguesa no Brasil
adquiridos pela
DISTRIBUIDORA RECORD DE SERVIÇOS DE IMPRENSA S.A.
Rua Argentina 171 — 20921 Rio de Janeiro, RJ — Tel.: 580-3668
que se reserva a propriedade literária desta tradução

Impresso no Brasil

PEDIDOS PELO REEMBOLSO POSTAL
Caixa Postal 23.052 — Rio de Janeiro, RJ — 20922

PRODUZIDA COM FILMES FORNECIDOS PELO EDITOR
IMPRESSÃO E ACABAMENTO:
GRÁFICA EDITORA PRIMOR Ltda.
Rodov. Pres. Dutra, 2611
Tel.: 371-6622
Rio de Janeiro - Brasil

— como você e eu somos afortunados, num lar
que é intemporal: nós, que descemos
das fragrantes montanhas de neve eterna agora

para brincar com mistérios como o nascimento
e a morte um dia (ou talvez ainda menos)

*e.e. cummings*

*Este livro é autobiográfico. Contudo, alguns nomes e outros detalhes que podem levar a uma identificação foram trocados, a fim de proteger a privacidade dos indivíduos envolvidos.*

PENSAMOS às vezes que não restou um só dragão. Não há mais qualquer bravo cavaleiro, nem uma única princesa a planar por florestas secretas, encantando cervos e borboletas com seu sorriso.

Pensamos às vezes que a nossa era está além das fronteiras, além das aventuras. Que o destino já passou do horizonte, as sombras reluzentes já desfilaram há muito tempo e se foram para sempre.

É um prazer estar enganado. Princesas e cavaleiros, encantamentos e dragões, mistério e aventuras... não apenas existem aqui e agora, mas também continuam a ser tudo o que já existiu neste mundo!

Em nosso século, mudaram de roupagem, como não podia deixar de ser. Os dragões ostentam hoje a vestimenta do governo, o terno do fracasso e a túnica do desastre. Os demônios da sociedade guincham, turbilhonam sobre nós, se nos atrevermos a virar à direita em esquinas em que nos mandaram virar à esquerda. As aparências se tornaram tão insidiosas que princesas e cavaleiros podem se esconder uns dos outros, podem se esconder até de si mesmos.

Contudo, os mestres da realidade ainda nos encontram em sonhos para dizer que nunca perdemos o escudo de que precisamos contra os dragões, que uma descarga de fogo azul nos envolve agora, a fim de que possamos mudar o mundo como desejarmos. A intuição sussurra a verdade: não somos poeira, somos magia!

Esta é uma história sobre um cavaleiro que estava morrendo e a princesa que salvou sua vida. É uma história sobre beleza, bestas, encantamentos e fortalezas, sobre as forças da morte que parecem e as forças da vida que são. É uma história sobre a aventura que, na minha opinião, mais importa, em qualquer era.

O que se encontra neste livro aconteceu de fato, quase da maneira como foi escrito. Tomei algumas liberdades com a cronologia, algumas pessoas no livro são compostas, a maioria dos nomes é fictícia. Mas eu não poderia inventar o resto, mesmo que tentasse; a verdade não seria bastante plausível se fosse ficção.

Assim como os leitores percebem o que está por trás das máscaras dos escritores, vocês compreenderão o que me levou a pôr estas palavras no papel. Mas, às vezes, quando a luz é favorável, os escritores também podem ver por trás das máscaras dos leitores. Sob essa luz, talvez eu encontre você e seu amor caminhando em algum lugar por estas páginas, junto comigo e meu amor.

Richard Bach

# um

ELA ESTARÁ aqui hoje.

Olhei da carlinga para baixo, através do vento e da rajada da hélice, através de um quilômetro de outono, para o meu campo de feno alugado, para o cartaz de SHOW-AÉREO-A-3-DÓLARES no portão aberto.

Os dois lados do caminho, em torno do cartaz, estavam apinhados de carros. Devia haver pelo menos 60 e uma multidão comparável. Ela podia estar ali naquele momento, acabara de chegar. Sorri ao pensar nisso. Ela podia estar ali!

Pus o motor em marcha lenta, levantei ainda mais o nariz do biplano Fleet, deixei as asas estolarem. Depois, empurrei o leme de direção inteiramente para a esquerda e puxei o manche.

A terra verde, plantação de milho e soja, fazendas e campinas serenas ao meio-dia, o fundo caiu e tudo explodiu no turbilhão de um parafuso, o que parecia do solo uma velha máquina voadora que subitamente escapava ao controle.

O nariz virou para baixo, o mundo girando vertiginosamente num tornado colorido, envolvendo cada vez mais depressa os meus óculos de proteção.

Há quanto tempo venho sentindo a sua falta, minha querida companheira, pensei, minha amada dama, adorável e mística? E hoje, finalmente, a coincidência a trará a Russell, Iowa, pegando-a pela mão, levando-a ao campo lá embaixo. Você se aproximará da beira da multidão, sem entender direito o motivo, curiosa em observar uma página da história ainda viva, cores brilhantes girando no ar.

O aparelho continuou a descer, girando ruidosamente, os controles se virando contra mim, por 300 metros, o tornado mais intenso e mais barulhento a cada segundo.

Girar... até... Agora.

Empurrei o manche para a frente, saí para a direita e pisei firmemente no pedal do leme de direção da direita. A mancha indistinta passou a girar ainda mais depressa, uma, duas vezes, depois o parafuso cessou e o mergulho se tornou reto, o mais depressa possível.

Ela estará aqui hoje, pensei, porque também se sente solitária. Porque já aprendeu tudo o que deseja aprender sozinha. Porque há uma pessoa no mundo a quem ela está sendo levada a conhecer e essa pessoa pilota este avião agora.

Uma curva fechada, o motor desligado, a hélice parada... e planando para baixo, flutuando silenciosamente para a terra, deslizando para parar diante da multidão.

Eu a reconhecerei quando a avistar, pensei, numa expectativa intensa. Eu a reconhecerei imediatamente.

Havia homens e mulheres em torno do avião, famílias com cestos de piquenique, garotos em bicicleta, observando. E dois cachorros perto dos garotos.

Saí da carlinga e corri os olhos pelas pessoas. Gostei delas. E depois ouvi minha própria voz, estranhamente desligada, ao mesmo tempo em que a procurava pela multidão:

— *Russell do ar, pessoal! Vejam tudo flutuando lá em cima, sobre os campos de Iowa! A última oportunidade antes da neve! Subam pelo ar, onde apenas os pássaros e os anjos voam...*

Umas poucas pessoas riram e aplaudiram, esperando que alguém fosse o primeiro. Alguns rostos desconfiados, transbordando de indagações; alguns rostos ansiosos e aventureiros; alguns rostos bonitos também, divertidos, intrigados. Mas não se encontrava em parte alguma o rosto que eu procurava.

— Tem certeza de que é seguro? — perguntou uma mulher. — Depois do que vi, não sei se você é um condutor de confiança.

Bronzeada, olhos castanhos claros, ela queria obviamente ser convencida.

— É o mais seguro possível, madame, tão suave quanto a penugem do cardo. O Fleet aqui está voando desde 24 de dezembro de 1928... e provavelmente dará para mais um vôo antes de cair aos pedaços.

Ela piscou os olhos, aturdida.

— Estou brincando, é claro — apressei-me em acrescentar. — Posso lhe garantir que ele continuará a voar por muito tempo depois que você e eu já tivermos desaparecido.

— Acho que já esperei por muito tempo — murmurou ela. — Sempre quis voar numa coisa dessas...

— Pois vai adorar.

Girei a hélice para acionar o motor, mostrei a ela como subir para a carlinga, ajudei-a a prender o cinto de segurança.

Impossível, pensei. Ela não está aqui. Mas isso não é possível.

A cada dia a certeza de que hoje-é-o-dia, a cada dia a constatação do engano!

O primeiro passeio foi sucedido por 30 outros, antes que o sol se pusesse. Voei e falei até que todos voltaram a suas casas para jantar, às suas noites uns com os outros, deixando-me sozinho.

Sozinho.

Ela é ficção?

Silêncio.

Um minuto antes da água ferver, tirei a chaleira da fogueira de acampamento, preparei o chocolate quente, mexi com uma haste de feno. Franzi o rosto, falando a mim mesmo:

— Sou um tolo ao procurá-la aqui.

Espetei o pão de canela da semana passada num graveto e tostei sobre as brasas da fogueira.

Que aventura, pensei, perambulando pela década de 1970 com um velho biplano! Houvera um tempo em que estava cheio de pontos de interrogação. Agora é tão conhecido e seguro que é como viver num livro de recortes. Depois do centésimo parafuso, posso repetir o ato de olhos fechados. Depois de procurar pela milésima multidão, começo a duvidar que a alma-irmã possa aparecer em plantações de feno.

Há bastante dinheiro em promover passeios aéreos, nunca passarei fome. Mas também não estou aprendendo nada de novo, apenas deixando o tempo passar.

A última coisa que aprendera de verdade fora há dois verões. Vira um biplano branco e dourado da Travel Air pousar num campo, outro espetáculo itinerante. E conhecera Donald Shimoda, Messias aposentado, ex-Salvador do Mundo. Ficáramos amigos e nos últimos meses de sua vida ele me revelara alguns dos segredos do seu estranho chamado.

O diário que escrevi durante aquela temporada transformara-se num livro, enviado a um editor e publicado há não muito tempo. Eu praticara muito bem a maioria de suas lições e por isso os novos testes eram realmente raros. Mas eu ainda não conseguira resolver o problema da alma-irmã.

Ouvi um estalido baixo perto da cauda do Fleet; passos furtivos sobre o feno. Pararam quando me virei para escutar, depois tornaram a se adiantar, lentamente, espreitando-me. Esquadrinhei a escuridão.

— Quem está aí?

Uma pantera? Um leopardo? Não em Iowa. Não havia leopardos em Iowa desde...

Outro lento passo noturno. Só pode ser... *Um lobo cinzento americano!*

Mergulhei para a caixa de ferramentas, peguei uma faca, uma chave inglesa. Mas já era tarde demais. Naquele instante, contornando a roda do avião, surgiu uma máscara de bandido, preta e branca, olhos brilhantes me estudando, o focinho peludo farejando inquisitivamente o cesto de comida.

Não era um lobo.

— Ora, ora... como vai...

Ri do meu coração, disparado, fingi que estava apenas guardando a chave inglesa.

Filhotes de guaxinim, capturados e criados como bichinhos de estimação no Meio-Oeste, são libertados quando chegam a um ano de idade. Mas continuam a procurar a companhia humana.

*Não há nada de errado em se esgueirar pelos campos, parando depois do anoitecer para indagar a alguém acampado se tem alguma coisa doce para mordiscar, enquanto a noite passa lentamente, não é mesmo?*

— Não tenha medo... venha até aqui, meu pequeno companheiro. Está com fome?

*Qualquer coisa doce serviria, uma barra de chocolate ou...* marshmallow? O guaxinim ergueu-se sobre as patas traseiras por um momento, o focinho se contraindo, farejando o ar impregnado pelo cheiro de comida. Olhou para mim. O *resto do* marshmallow, *se não vai comer, seria ótimo.* Peguei o saco, despejei uma pilha das coisas brancas e macias sobre o meu saco de dormir.

— Aqui está... pode vir...

Acomodando-se ruidosamente para saborear a sobremesa, o miniurso enfiou os pedaços de *marshmallow* na boca, mastigando-os com evidente satisfação.

O bicho recusou meu pão de fabricação doméstica depois de meia mordida, terminou o *marshmallow*, comeu quase todo o pão de mel, bebeu a água que despejei numa panela. Depois, ficou sentado por algum tempo a observar o fogo, finalmente farejou, indicando que já era hora de seguir viagem.

— Obrigado pela visita, companheiro.

Os olhos pretos se fixaram solenemente nos meus.

*Obrigado pela comida. Você não é um humano dos piores. Tornarei a vê-lo amanhã de noite. Aquele primeiro pão é horrível.*

A criatura peluda se afastou, a cauda listrada desaparecendo nas sombras, os passos se tornando cada vez mais distantes através do campo, deixando-me sozinho com meus pensamentos e meu anseio por minha dama.

Tudo sempre acaba nela.

Ela não é impossível, pensei. Não é demais acalentar essa esperança!

O que me diria Donald Shimoda se estivesse sentado aqui esta noite, sob a asa, ao saber que ainda não a encontrei?

Diria alguma coisa simples, com toda certeza. O mais estranho em seus segredos era o fato de todos serem simples.

E se eu lhe contasse que fracassara na busca? Ele estudaria o seu pão de canela à procura de inspiração, passaria os dedos pelos cabelos pretos e diria:

— Voando com o vento, Richard, de cidade em cidade. Já lhe ocorreu que isso não é uma maneira de encontrá-la, mas sim de perdê-la?

Muito simples. E depois ele esperaria em silêncio pela minha resposta. Ao que eu responderia, se ele estivesse aqui:

— Muito bem, voar sobre os horizontes não é a maneira. Desisto. Mas então me diga: como posso encontrá-la?

Ele estreitaria os olhos, contrariado por eu fazer-lhe a pergunta, ao invés de a mim mesmo.

— Sente-se feliz? Está fazendo neste momento o que mais deseja no mundo?

O hábito me levaria a responder claro que estou, claro que levo a minha vida da maneira como me apraz.

Mas, no frio da noite, a mesma pergunta me levaria a perceber que alguma coisa mudara. Estou fazendo neste momento o que mais quero?

— *Não!*

— Mas que surpresa! — diria Shimoda. — O que acha que isso pode significar?

Pisquei os olhos, soltei a imaginação e falei em voz alta:

— Ora, significa que tenho apenas perambulado! E neste momento estou olhando para a minha última fogueira de acampamento; o garoto de Russell, ao crepúsculo, foi o último passageiro que levei pelo ar!

Tentei dizer de novo:

— Tenho apenas perambulado.

Um choque lento e suave. Uma profusão de indagações.

Saboreei por um momento a minha nova ignorância, mexi-a com a língua. O que farei? O que acontecerá comigo?

Depois da segurança da ocupação de perambular com meu avião de cidade em cidade, um prazer novo e surpreendente aflorou, envolvendo-me como uma onda fria das profundezas. Eu não sabia o que fazer!

Quando uma porta se fecha, costumam dizer, outra se abre. Posso ver a porta que acaba de fechar. Tem escrita a palavra PERAMBULAÇÃO e por trás se encontram os caixotes de aventuras que me mudaram de quem eu era para quem sou. E agora é tempo de seguir em frente. Onde está a porta que acaba de se abrir?

Se eu fosse uma alma avançada naquele momento, pensei, não Shimoda, mas um eu avançado, o que diria a mim mesmo? Um momento transcorreu e compreendi o que diria:

— Olhe para tudo que se encontra ao seu redor neste momento e indague, Richard: *"O que há de errado com essa imagem?"*

Olhei ao redor na escuridão. O céu não estava errado. O que pode haver de errado com estrelas explodindo em diamantes a mil anos-luz de distância, enquanto eu observava os fogos de artifício de um lugar seguro? O que há de errado com um avião tão forte e fiel como o Fleet, sempre pronto para decolar e seguir para qualquer lugar que eu quisesse? Nada de errado.

O que está errado é apenas uma coisa: *Ela não se encontra comigo!* E tomarei agora uma providência para mudar isso!

Devagar, Richard, pensei. Seja diferente desta vez: por favor, nada de pressa! Por favor. Pense, primeiro. Com todo cuidado.

E tenha certeza. Havia outra indagação na escuridão, que eu não formulara a Donald Shimoda, que ele não respondera.

Por que as pessoas mais adiantadas, cujos ensinamentos, distorcidos em religiões, perduram por séculos, por que essas pessoas têm sempre de ser sozinhas?

Por que jamais encontramos maridos e mulheres radiantes, milagrosamente iguais, partilhando suas aventuras e seu amor? Esses poucos que tanto admiramos são cercados por discípulos e curiosos, são pressionados pelos que buscam cura e orientação. Mas com que freqüência encontramos suas almas-irmãs, amantes gloriosos e deslumbrantes, sempre ao lado? Algumas vezes? Raramente?

Engoli em seco, a garganta subitamente ressequida.

Nunca.

As pessoas mais avançadas, refleti, são justamente as mais solitárias!

O céu desfilava lentamente lá por cima, indiferente.

Esses homens perfeitos não têm almas-irmãs por terem se projetado além das necessidades humanas?

Não houve resposta da azul Vega, cintilando em sua coroa de estrelas.

A conquista da perfeição não seria um problema meu por muitas vidas, mas tais pessoas supostamente nos indicam o caminho. Eles teriam dito que devemos esquecer as almas-irmãs porque elas não existem?

Os grilos responderam suavemente: É possível, é possível.

E contra esse muro de pedra minha noite se chocou em seu final. Se é o que eles dizem, resmunguei para mim mesmo, então estão enganados.

E me perguntei se ela concordaria, onde quer que se encontrasse naquele momento. Eles estão enganados, minha querida desconhecida?

Onde quer que estivesse, ela não respondeu.

Quando a geada se derreteu das asas, na manhã seguinte, eu já estava preparado, a caixa de ferramentas, o cesto de comida e o fogareiro arrumados impecavelmente no banco da frente, a coberta abaixada e o cinto de segurança apertado. Deixara para o guaxinim o que sobrara do cereal do desjejum.

O sono me proporcionara a resposta: Os perfeitos e avançados podem sugerir, podem insinuar qualquer coisa que quiserem, mas sou eu quem decide o que fazer. E decidi que não levarei o resto de minha vida sozinho.

Pus as luvas, girei a hélice, liguei o motor pela última vez, acomodei-me na carlinga.

O que eu faria se a visse agora, caminhando pelo campo? Num tolo impulso, sentindo um estranho calafrio na nuca, virei-me para olhar.

O campo estava vazio.

O Fleet alçou vôo, virou para leste, foi pousar no Aeroporto de Kankakee, em Illinois. Vendi o avião no mesmo dia, por 11 mil dólares à vista, guardei o dinheiro no saco de dormir.

Sozinho, pus a mão na hélice por um longo minuto, agradeci ao biplano e despedi-me, depois deixei rapidamente o hangar, sem olhar para trás.

Em terra, rico e sem lar. Saí pelas ruas de um planeta de quatro bilhões e 500 milhões de habitantes, começando a procurar em tempo integral, a partir daquele momento, a mulher que, segundo as melhores pessoas que já viveram, não existia.

# dois

TUDO O QUE *encanta, também guia e protege. Intensamente obcecados por qualquer coisa que amamos — barcos, aviões, idéias — uma avalanche de magia aplana o caminho pela frente, nivela regras, razões, divergências, permite-nos transpor abismos, medos, dúvidas. Sem a força desse amor...*

— O que está escrevendo?

Ela me fitou com uma expressão de perplexidade, como se nunca tivesse visto alguém usar uma caneta e um bloco de anotações, viajando para o sul de ônibus, a caminho da Flórida. Se alguém interrompe minha privacidade com perguntas, respondo às vezes sem explicar, querendo intimidar a pessoa ao silêncio:

— Estou escrevendo uma carta ao homem que fui há 20 anos: *Coisas que Eu Gostaria de Saber Quando Era Você.*

Apesar da minha contrariedade, não havia como negar que o rosto dela era agradável de se contemplar, iluminado pela curiosidade e a bravura para satisfazê-la. Olhos castanhos profundos, os cabelos bem escovados parecendo uma cascata escura.

— Leia para mim — disse ela, sem se deixar intimidar.

Foi o que fiz, o último parágrafo, até o ponto em que fora interrompido.

— Isso é verdade?

— Pense numa coisa que tenha amado. Gostar não conta. O que uma paixão obsessiva e incontrolável...

— Cavalos — respondeu ela prontamente. — Eu adorava cavalos.

— E quando estava com os cavalos o mundo não tinha uma cor diferente das outras ocasiões?

Ela sorriu.

— Tem razão. Fui a rainha do sul do Ohio. Mamãe tinha de me laçar e arrancar da sela para que eu fosse para casa. Medo? Não eu! Tinha aquele cavalo enorme por baixo de mim... Sandy... que era meu amigo. Ninguém me faria mal enquanto ele estivesse ali. Eu amava cavalos. Amava Sandy.

Pensei que ela tivesse parado de falar, mas logo acrescentou, depois de uma breve pausa:

— Não me sinto assim agora em relação a qualquer coisa.

Não respondi. Ela mergulhou em seu tempo particular, em companhia de Sandy. Concentrei-me na carta.

*Sem a força desse amor, somos barcos parados nos mares do tédio e são mortíferos...*

— Como vai despachar uma carta para 20 anos atrás?

— Não sei — respondi, terminando a frase na página. Mas não seria terrível se aprendêssemos como enviar alguma coisa de volta ao passado e nada tivéssemos para remeter? Por isso, achei que era melhor aprontar primeiro a remessa. E depois me preocuparei com a maneira de despachar.

Quantas vezes eu dissera a mim mesmo: é uma pena não ter sabido disso aos 10 anos... e se aprendesse aos 12 anos, que desperdício compreender 20 anos depois!

— Para onde está indo? — perguntou ela.

— Geograficamente?

— Isso mesmo.

— Para longe do inverno. Para o sul. Para o coração da Flórida.

— O que tem na Flórida?

— Não sei. Vou encontrar com uma amiga e não sei direito aonde ela está.

— Pois vai encontrá-la.

Não pude conter uma risada e fitei-a.

— Sabe exatamente o que está dizendo?

— Claro.

— Então explique, por favor.

— Não.

Ela sorriu misteriosamente. Os olhos brilhavam tão escuros que quase se tornaram pretos. A pele era lisa, ligeiramente bronzeada, sem vincos, sem qualquer marca que insinuasse quem era; tão jovem que ainda não terminara de construir seu rosto.

— Então é não — respondi, retribuindo o sorriso.

O ônibus avançava velozmente pela rodovia interestadual, as fazendas desfilando pela janela, aquarelas em cores de outono. O biplano poderia pousar nesse campo, pensei. Havia fios telefônicos altos na beira da estrada, mas o Fleet passaria por baixo.

Quem era aquela desconhecida ao meu lado? Seria um sorriso cósmico dos meus temores, uma coincidência enviada para derreter minha dúvida? Era possível. Qualquer coisa era possível. Ela podia ser Shimoda disfarçado.

— Você gosta de voar? — indaguei, casualmente.

— Eu estaria neste ônibus se gostasse? Só de pensar me sinto nervosa. Aviões! — Ela estremeceu, sacudiu a cabeça. — Detesto voar.

Abrindo a bolsa, ela meteu a mão no interior.

— Importa-se que eu fume?

Encolhi-me todo, por reflexo.

— Se eu me importo? Um *cigarro*? Por favor! — Tentei explicar, para não ferir seus sentimentos. — Vai soprar fumaça em nosso pequeno setor de ar? E obrigar a mim, que não lhe fiz mal algum, a respirar a fumaça?

Se ela fosse Shimoda, saberia o que eu pensava do fumo. As palavras deixaram-na paralisada por um longo momento, até que finalmente murmurou:

— Desculpe...

Pegando a bolsa, transferiu-se para um banco distante. Estava magoada e furiosa.

Era uma pena. Aqueles olhos escuros...

Tornei a levantar a caneta, a fim de escrever para aquele garoto perdido no passado. O que poderia dizer-lhe a respeito da descoberta de uma alma-irmã? A caneta ficou esperando, por cima do papel.

Eu fora criado numa casa com uma cerca ao redor, um pequeno portão branco, dois buracos redondos e baixos, a fim de que o cachorro pudesse olhar a rua. Uma noite, a lua alta, voltando tarde da escola de dança, parei de repente, com a mão no portão, falei tão baixo, para mim mesmo e a mulher que amaria, que nem mesmo o cachorro poderia ouvir:

— Não sei onde você se encontra, mas neste momento está vivendo em algum lugar deste mundo. E um dia nós dois tocaremos neste portão em que ponho a mão agora. Sua mão pousará sobre esta mesma madeira! E depois entraremos, com um futuro e um passado, seremos um para o outro como ninguém jamais foi. Não sei explicar, mas não podemos nos encontrar agora. Algum dia, porém, nossas perguntas serão respostas, estaremos envolvidos em algo tão maravilhoso... e cada passo que dou é um passo a mais na ponte que devemos atravessar para nos encontrar. Sem esperar muito tempo? Por favor?

Uma grande parte da minha infância está esquecida, mas aquele momento no portão permaneceu, palavra por palavra.

O que posso dizer a respeito dela? Caro Dick: Quer saber de uma coisa? Vinte anos passaram e ainda estou sozinho.

Baixei o bloco de anotações e olhei pela janela, mas sem ver. A esta altura, certamente, meu subconsciente incansável já tem respostas para ele. Para mim.

Eram muitas as desculpas. É difícil encontrar a mulher certa, Richard. Você não é mais tão flexível como antes, já passou do estágio da mente aberta. As coisas em que preferiu acreditar, as coisas pelas quais morreria, são apenas engraçadas para a maioria das pessoas. Ou completamente doidas.

Minha dama, pensei, precisará ter descoberto por conta própria as mesmas respostas que encontrei, que este mundo não é sequer remotamente o que parece, que tudo o que mantemos em nossos pensamentos se torna verdade em nossas vidas, que os milagres não são milagrosos. Ela e eu nunca nos daremos bem se não... Pisquei os olhos, aturdido. *Ela terá de ser exatamente como eu*!

Muito mais bonita fisicamente do que eu, é claro, pois amo a beleza. Mas terá de partilhar meus preconceitos, assim como minhas paixões. Eu não poderia me imaginar vivendo com uma mulher que deixa uma esteira de fumaça e cinzas por toda parte. Se precisa de festas e coquetéis para ser feliz, se necessita de tóxicos, se tem medo de aviões ou de qualquer outra coisa, se não for extremamente autoconfiante, se carecer de gosto pela aventura, se não rir das coisas bobas a que chamo de humor, não daria certo. Se ela não quisesse partilhar o dinheiro quando tivermos e as fantasias quando não o tivermos... se não gostar de guaxinins... Ora, ora, Richard, não será fácil. Sem todas as coisas indicadas e muito mais, é melhor você continuar sozinho!

No final do bloco, enquanto rodávamos em alta velocidade pela Interestadual 65, entre Louisville e Birmingham, por 500 quilômentros, fiz uma lista: A *Mulher Perfeita*. Já estava desanimado na nona página. Cada linha que eu descrevia era importante, cada linha era indispensável. Contudo, ninguém poderia atender... eu próprio não seria capaz de atender àqueles padrões!

Um arroubo de objetividade se insinuou cruelmente em minha cabeça: estou arruinado como um companheiro, antes mesmo de atingir um estágio avançado da alma... e quanto mais avanço, pior fica.

*Quanto mais esclarecidos nos tornamos, mais se torna impossível sermos correspondidos por qualquer outra pessoa, em qualquer lugar. Quanto mais aprendemos, mais devemos concluir que é melhor vivermos sozinhos.*

Escrevi isso tão depressa quanto podia. No espaço em branco, ao final da última página, acrescentei, quase sem perceber: *Até mesmo eu.*

Mas mudar minha lista? Posso dizer que está errada? Não tem problema se ela fuma, detesta aviões ou gosta de tomar uma dose de cocaína de vez em quando?

Não, isso não está certo.

O pôr-do-sol estava no meu lado do ônibus, agora há sombra por toda parte. Eu sabia que lá fora, na escuridão, havia pequenas fazendas triangulares, campos poligonais em que nem mesmo o Fleet poderia aterrissar.

*Você nunca recebe um desejo sem também*
*receber a capacidade de torná-lo realidade.*

Onde estaria agora O *Manual do Messias*? Provavelmente ainda escondido na moita em que eu o jogara no dia da morte de Shimoda. Com suas páginas que se abriam justamente para aquilo que o leitor mais precisava saber. Eu o chamara certa ocasião de livro mágico e Shimoda se irritara. E dissera que se pode obter as respostas em qualquer lugar, até mesmo num jornal do ano passado. Feche os olhos, mantenha a pergunta na mente, toque em qualquer coisa escrita e lá estará a resposta.

A coisa impressa mais próxima no ônibus era a minha cópia desconjuntada do livro que eu escrevera sobre Shimoda, a prova de página que constitui a última oportunidade que os editores concedem aos escritores de lembrar que diesel se escreve com um *e* depois do *i*. Eu queria garantir que fosse o único livro na história da língua inglesa a terminar com uma vírgula.

Pus o livro no colo, fechei os olhos e indaguei: Como encontrarei a mulher mais querida e mais perfeita para mim? Mantive a indagação brilhando firme na mente, abri o livro, baixei um dedo e depois olhei.

Página 114. Meu dedo pousara na palavra "trazer". *Para trazer qualquer coisa à sua vida, imagine que já está lá.*

Uma pedra de gelo me escorreu pelas costas. Era algo que não praticava há muito tempo. Esquecera como funciona bem.

Olhei para a janela, que se transformara em espelho noturno pela luz no interior do ônibus, procurando por um reflexo do que ela poderia ser. O vidro estava vazio. Eu nunca vira uma alma-irmã. Não podia imaginar como imaginá-la. Eu deveria ter no pensamento uma imagem física, como se ela fosse um objeto? Tanto de altura, cabelos pretos e compridos, olhos cor do mar, cor do céu, encantamento, uma beleza a mudar a cada hora?

Ou imaginar qualidades? Imaginação exuberante, intuição de uma centena de vidas lembradas, honestidade cristalina e uma determinação firme e intrépida? Como visualizar essas coisas?

Hoje é fácil visualizá-las; naquela ocasião não era. Imagens faiscaram e desapareceram, embora eu soubesse que tinha de manter as imagens nítidas, a fim de fazê-las aparecer vivas ao meu redor.

Tentei e tentei divisá-la, mas só havia sombras, fantasmas aflorando lentamente em minha zona de pensamento. Eu, que era capaz de visualizar os menores detalhes de qualquer coisa que me atrevesse a imaginar, não podia agora imaginar sequer vagamente a pessoa que eu queria que fosse a mais importante em minha vida.

Tentei vê-la mais uma vez, imaginá-la ali.

Nada. Luzes de um espelho quebrado, sombras em movimento. Absolutamente nada.

Não posso ver quem é ela!

Acabei desistindo.

Pode-se apostar numa coisa em relação aos poderes psíquicos: quando se precisa, eles saíram para jantar.

Mal eu adormecera no ônibus, exausto da viagem e do esforço para vê-la, quando uma voz mental me despertou com um sobressalto:

— EI, RICHARD! Se isso o fará sentir-se melhor, então preste atenção. Sua mulher específica no mundo inteiro? Sua alma-irmã? *Você já a conhece!*

# três

SALTEI DO ônibus às 8:40 da manhã, no meio da Flórida, faminto.

Dinheiro não era problema para alguém que levava tanto em seu saco de dormir. O que me perturbava era outra coisa: o que acontece agora? Aqui está a aprazível e quente Flórida. E não apenas não há qualquer alma-irmã a esperar no ponto de ônibus, como não há amigo, não há lar, não há absolutamente nada.

O aviso no café em que entrei dizia que se reservava o direito de recusar servir qualquer pessoa.

Qualquer um se reserva o direito de fazer absolutamente qualquer coisa que desejar, pensei. Por que avisos para informar isso?

Faz com que você pareça assustado. Por que está assustado? Desordeiros aparecem por aqui, quebram tudo? Pistoleiros do crime organizado? Neste pequeno café?

O garçom olhou para mim e depois para o meu saco de dormir. Meu casaco de brim tinha um pequeno rasgão na manga e a linha do remendo que eu fizera estava se soltando; o saco de dormir tinha algumas manchas de graxa e óleo do motor do Fleet. Compreendi que ele pensava se não seria um momento de se recusar a servir. Sorri em cumprimento, murmurando:

— Como estão as coisas por aqui?

— Tudo bem. — O lugar estava quase vazio. Ele concluiu que eu era aceitável. — Café?

Café como desjejum? Essa não! Uma porcaria amarga... moem de casca de árvore ou algo parecido.

— Não, obrigado. Que tal um pedaço daquela torta de limão, esquentada por meio minuto no microonda? E um copo de leite.

— Está bem.

Houvera um tempo em que eu pediria *bacon* ou salsicha para a refeição, mas não ultimamente. Quanto mais eu acreditava na indestrutibilidade da vida, menos queria ser cúmplice até mesmo de mortes ilusórias. Se um porco em um milhão podia ter a oportunidade para uma vida contemplativa, ao invés de ser abatido para o meu café da manhã, valia a pena me abster de carne. E por isso eu ficava na torta de limão quente.

Saboreei a torta e olhei através da janela para a cidade. Era provável que encontrasse o meu amor naquele lugar? Não, não era provável. Nenhum lugar é provável, uma chance em bilhões.

Como era possível que eu já a conhecesse?

Segundo as almas mais sábias, conhecemos a todos em toda parte, sem termos encontrado pessoalmente... o que não serve de conforto quando se está tentando limitar a busca.

— Oi, moça. Lembra-se de mim? Como a percepção não é limitada pelo espaço ou tempo, deve recordar que somos velhos amigos...

Não era uma apresentação aceitável, pensei. A maioria das mulheres sabe que existem algumas pessoas estranhas no mundo com as quais se deve ter cautela e essa seria inequivocamente uma apresentação estranha.

Relembrei todas as mulheres que conhecera, voltando por alguns anos no passado. Eram casadas com suas carreiras ou com homens, com processos de pensamento diferentes dos meus.

Mulheres casadas às vezes descasam, pensei, as pessoas mudam. Podia ser qualquer mulher que eu conhecera...

— Olá — diria ela.

— Olá.

— Quem é você?

— Richard Bach.

— Quem?

— Não se lembra de que nos conhecemos no *shopping center*? Você estava lendo um livro, eu disse que era formidável, você perguntou como eu sabia e respondi que o escrevera.

— Ah, sim...

— Ainda está casada?

— Claro.

— Foi um prazer tornar a vê-la. Divirta-se.

— Obrigada.

— Adeus.

Há uma orientação melhor, tem de haver, do que passar por essa conversa com cada mulher... Quando chegar o momento certo, pensei, eu a encontrarei, não um segundo antes...

O café da manhã custou 75 *cents*. Paguei e saí para o sol. Seria um dia quente. Provavelmente com muitos mosquitos esta noite. Mas que me importa? Esta noite dormirei num quarto!

E foi então que me lembrei de ter deixado o saco de dormir no banco do reservado no restaurante.

Era diferente a vida em terra. Não se recolhe as coisas pela manhã e se põe na carlinga, decolando para um novo dia. Leva-se as coisas na mão de um lado para outro ou se encontra um teto e se fica por baixo. Sem o Fleet, sem o meu Alfafa Hilton, eu não era mais bem acolhido nos campos.

Havia uma freguesa nova no café, sentada no reservado que eu acabara de deixar. Ela levantou os olhos, surpresa, quando me aproximei de sua mesa.

— Com licença — murmurei, ao pegar o saco de dormir no outro banco. — Esqueci isto quando saí, há poucos minutos. Esqueceria a própria alma, se não estivesse amarrada por um barbante.

Ela sorriu e retornou à leitura do cardápio.

— Cuidado com a torta de limão — acrescentei. — A menos que prefira com o gosto muito forte de limão. Então vai adorar.

Tornei a sair para o sol, balançando o saco de dormir ao meu lado, até que me lembrei que a Força Aérea dos Estados Unidos me ensinara a não balançar a mão que estivesse carregando alguma coisa. Mesmo quando carregamos uma moeda, na vida militar não devemos balançar a mão.

Num súbito impulso, apenas por ver o telefone em sua pequena guarita envidraçada, resolvi fazer uma ligação de negócios, chamando alguém com quem não falava há bastante tempo. A empresa que lançara meu livro ficava em Nova York, mas que me importava a ligação interurbana? Não seria problema. Há privilégios em todos os ofícios... alguém que perambula com um avião é pago por oferecer passeios aéreos, ao invés de ter de pagar por isso; os escritores telefonam para seus editores a cobrar.

Fiz a ligação.

— Oi, Eleonor.

— Richard! Onde você esteve?

— Vamos ver... Desde que falamos pela última vez? Wisconsin, Iowa, Nebraska, Kansas, Missouri; depois segui para Indiana, Ohio, de volta a Iowa e Illinois. Vendi o biplano. Estou neste momento na Flórida. Deixe-me adivinhar o tempo aí na cidade... camada de estratos a dois mil metros, tempo nublado, visibilidade de cinco quilômetros, com nevoeiro e fumaça.

— Tentamos encontrá-lo em toda parte! Sabe o que está acontecendo?

— *Três* quilômetros pelo nevoeiro e fumaça?

— O seu livro! Está vendendo bem! Muito bem!

— Sei que parece uma tolice, mas estou com um problema aqui. Pode ver pela janela?

— Claro que posso, Richard.

— Até que ponto?

— Tem um pouco de nevoeiro. Por uns 10 ou 15 quarteirões. Ouviu o que eu disse? Seu livro é um *bestseller*! Estão querendo a sua presença em vários programas de televisão transmitidos em rede. Os jornais querem entrevistas, assim como as emissoras de rádio. Estamos vendendo centenas de milhares de exemplares! No mundo inteiro! Já assinamos contratos com o Japão, Alemanha, França. E hoje mesmo chegou um contrato da Espanha...

O que se diz quando se ouve essas coisas pelo telefone?

— Que boas notícias! Meus parabéns!

— Os parabéns são seus. Como foi possível que não tenha tomado conhecimento? Sei que anda vivendo no mato, mas você está na lista de *bestsellers* do PW, do *New York Times*, de todas as listas. Estamos mandando seus cheques para o banco. Tem verificado seu saldo?

— Não.

— Pois deveria fazê-lo. Você parece terrivelmente longe. Está me ouvindo direito?

— Estou, sim. E não me encontro no mato. Nem tudo a oeste de Manhattan é mato, Eleonor.

— Posso avistar até Jersey do refeitório executivo e além do rio me parece um mato horrível.

O refeitório executivo... como era diferente o mundo em que ela vivia!

— Vendeu o biplano? — disse Eleonor, como se tivesse acabado de ouvir. — Vai desistir de voar?

— Claro que não.

— Isso é ótimo. Não posso imaginá-lo sem os seus aviões.

Que pensamento assustador: nunca mais voar!

— Muito bem, quando você pode comparecer aos programas de televisão, Richard?

— Não sei... Será que eu quero mesmo aparecer?

— Pense bem, Richard. Seria ótimo para o livro. Poderia contar a muitas pessoas o que aconteceu, falar sobre a história.

Os estúdios de televisão ficam nas cidades grandes, que eu sempre prefiro evitar.

— Deixe-me pensar um pouco a respeito, Eleonor. Eu lhe telefonarei de novo quando tomar uma decisão.

— Por favor, não deixe de me telefonar. Você é um fenômeno, como dizem. Todo mundo quer saber como você é. Seja simpático e me informe o mais depressa possível.

— Está bem.

— E parabéns, Richard!

— Obrigado.

— Não está feliz?

— Estou, sim. Apenas não sei o que dizer.

— Pense bem sobre os programas de televisão. Espero que decida fazer pelo menos alguns. Os maiores.

— Está certo. Eu lhe telefonarei.

Desliguei e olhei pelo vidro. A cidadezinha continuava como antes, mas tudo mudara.

Que coisa incrível, pensei. O diário, aquelas páginas enviadas para Nova York quase que por um capricho, se transformando em *bestseller*! Hurra!

Mas as cidades grandes? Entrevistas? Televisão? Não sei...

Eu me sentia como uma mariposa num lustre... de repente há uma porção de opções sedutoras, mas não sabia direito para onde voar.

Tive outro impulso, tirei o fone do gancho, passei pelo labirinto de números para alcançar o banco em Nova York, convenci uma funcionária de que era eu mesmo quem telefonava e queria saber o saldo na minha conta corrente.

— Um momento, por favor — disse ela. — Tenho de consultar o computador.

O que poderia ser? Vinte mil dólares? Cinqüenta mil? Cem mil? Vinte mil. Mais 11 mil dólares no saco de dormir eu podia me considerar muito rico!

— Sr. Bach?

— Pode falar.

— O saldo em sua conta é de um milhão, 397 mil, 355 dólares e 68 *cents*.

Houve um silêncio prolongado.

— Tem certeza?

— Tenho, sim, senhor. — Um breve silêncio agora. — Isso é tudo, senhor?

Silêncio.

— Hã... É, sim, obrigado...

Nos filmes, quando telefonamos para alguém e desligam no outro lado, ouvimos um zumbido longo na linha. Mas, na vida real, quando a outra pessoa desliga, o telefone simplesmente fica mudo em nossa mão. Terrivelmente mudo. Por tanto tempo quanto permanecemos imóvel a segurá-lo.

# quatro

DEPOIS DE algum tempo, repus o fone no gancho, peguei o saco de dormir e comecei a andar.

Já lhe aconteceu alguma vez assistir a um filme espetacular, impecavelmente escrito, representado e fotografado, a tal ponto que sai do cinema contente por ser uma criatura humana e diz a si mesmo que gostaria que todos ganhassem muito dinheiro? Espero que os atores e o diretor ganhem um milhão de dólares pelo que fizeram, pelo que me proporcionaram esta noite? E você volta e assiste ao filme de novo, sente-se feliz por ser uma pequena parte do sistema que recompensa aquelas pessoas com cada ingresso... os atores que vejo na tela receberão 20 *cents* para cada dólar que estou pagando agora; poderão comprar um sorvete de qualquer sabor que quiserem somente com o meu ingresso!

Momentos gloriosos na arte, livros, cinema e dança são maravilhosos, porque vemos a nós mesmos no espelho da glória. A compra de um livro ou de um ingresso é um meio de aplaudir, um meio de agradecer por um bom trabalho. Gostamos quando um filme ou um livro que adoramos alcança o sucesso.

Mas um milhão de dólares para mim? Subitamente, eu descobria o que era estar no outro lado da dádiva que tantos escritores me haviam conferido, lendo seus livros desde o dia em que soletrara sozinho:

— *Bam-bi. De Fe-lix Sal-ten.*

Eu me sentia como um surfista descansando em sua prancha e de repente surge uma onda monstruosa, agarrando-o sem indagar se está pronto, os borrifos se elevando na frente, depois no meio e finalmente atrás, uma força enorme a impeli-lo, o vento criando um sorriso em sua boca.

Há emoções profundas em saber que o livro que se escreveu foi lido por muitas pessoas. Mas pode-se esquecer, deslizando numa onda gigantesca de um quilômetro por minuto, que o surfista precisa ser excepcionalmente hábil ou a próxima surpresa talvez seja um final terrível.

# cinco

ATRAVESSEI A rua e obtive uma orientação na *drugstore* para um lugar em que poderia encontrar o que precisava; segui as indicações, é-impossível-errar, desci pela Lake Roberts Road, passando sob os galhos com a barba-de-velho, cheguei à Biblioteca Memorial Gladys Hutchinson.

Qualquer coisa que precisamos saber pode-se aprender de um livro. A leitura, um estudo cuidadoso, um pouco de prática e estamos arremessando facas com a maior habilidade, retificando motores, falando esperanto como nativos.

Pegue todos os livros de Nevil Shute, são hologramas codificados de um homem decente: *Trustee from the Toolroom* (Síndico de uma oficina), *The Rainbow and the Rose* (O Arco-Íris e a Rosa). O escritor apresentou a pessoa que ele é em cada página de seus livros e podemos lê-lo em nossas próprias vidas, se assim quisermos, na privacidade das bibliotecas.

O silêncio frio da sala enorme, os livros pelas paredes... dava para sentir que se encontrava ansiosa em me ensinar. Mal podia aguardar agora o momento de mergulhar na leitura de *Então Você Tem um Milhão de Dólares!*

Estranhamente, porém, o título não estava relacionado. Procurei no catálogo sob *Então*, sob *Milhão*. Nada. Podia ser *O Que Fazer Quando se Torna Subitamente Rico*. Verifiquei *O que*, *Rico* e *Subitamente*.

Tentei uma referência diferente. O problema não é que o livro que você procura não exista nesta biblioteca, explicou *Books in Print*, mas sim o fato de que ainda não foi editado.

Não é possível, pensei. Se eu enriqueci de repente, a mesma coisa já aconteceu com outras pessoas e alguém deve ter escrito o livro. Nada de ações, investimentos ou bancos... não eram essas as coisas que eu precisava saber, mas sim o que se deve sentir, quais as oportunidades que se apresentam, que pequenos desatres afloram ao redor dos meus tornozelos, que ameaças maiores como abutres podem estar mergulhando em minha direção neste momento. Alguém me indique o que fazer, por favor.

Não havia resposta no catálogo.

— Com licença, madame...

— Pois não, senhor?

Sorri, pedindo a sua ajuda. Desde o primário que eu não via um carimbo de data preso na ponta de um lápis. Mas era o que ali estava, naquele momento, com a data de hoje, na mão da bibliotecária.

— Preciso de um livro que explique como ser uma pessoa rica. Não como ganhar dinheiro. Algo sobre o que a pessoa deve fazer quando tem muito dinheiro. Pode sugerir...

Era evidente que ela estava acostumada a pedidos insólitos. E talvez o meu pedido não fosse tão insólito assim... os reis da laranja, as baronesas da terra, os milionários súbitos abundam na Flórida.

Malares salientes, olhos cor de avelã, cabelos caindo até os ombros em ondas de chocolate escuro. Atitude formal, reservada com aqueles que não conhecia há bastante tempo.

Ela me fitou enquanto eu falava, depois levantou os olhos e desviou-os para a esquerda, o lugar em que procuramos quando tentamos nos recordar de um conhecimento antigo. Para o alto e para a direita (aprendi num livro) é para onde olhamos quando procuramos por alguma coisa nova.

— Não consigo me lembrar... Que tal biografias de pessoas ricas? Temos vários livros sobre os Kennedys, um livro sobre Rockefeller. E temos *Os Ricos e os Super-Ricos*.

— Acho que não é exatamente o que estou precisando. Não tem, por acaso, algo intitulado mais ou menos *Como Lidar com a Riqueza Súbita*?

Ela sacudiu a cabeça, solenemente, pensativamente. Todas as pessoas pensativas são bonitas?

Ela apertou um botão no interfone em sua mesa e disse baixinho:

— Sara Jean? *Como Lidar com a Riqueza Súbita*. Temos um exemplar deste livro?

— Nunca ouvi falar. Há *Como Ganhei Milhões no Negócio Imobiliário* e temos três exemplares...

Eu não estava obtendo resultados.

— Ficarei sentado aqui por algum tempo e pensarei a respeito. É difícil acreditar. Tem de haver este livro em algum lugar.

Ela olhou para o meu saco de dormir, que naquele momento se encontrava virado num lado mais sujo, depois tornou a me fitar. E disse, suavemente:

— Se não se importa, poderia deixar o seu saco de roupa suja no chão? Temos estofamento novo por toda parte...

— Pois não, madame.

Certamente, pensei, deve haver nestas prateleiras um livro escrito sobre o que devo saber agora. O único conselho imediato que me ocorria, sem um livro, era que os tolos e seu dinheiro se separam num instante.

Quando se tratava de descer com um biplano Fleet numa pequena plantação de feno não havia muitos que me superassem. Mas, naquele momento, na Biblioteca Gladys Hutchinson, eu pensava que, em termos de amealhar uma fortuna, eu não perdia para ninguém e podia me tornar um desastre sem precedentes. Sempre fora horrível com cifras e duvidava que o dinheiro pudesse alterar isso.

Otimo, pensei. Conheço a mim mesmo e sei com certeza... minhas fraquezas não mudarão. Nem minhas forças. Uma coisa de menor importância como uma conta bancária não pode me afastar do aviador tranqüilo e despreocupado que sempre gostei de ser.

Depois de mais 10 minutos absorvido no catálogo, compelido a procurar em *Sorte — Boa* e até *Sorte — Má*, acabei desistindo. Era incrível! Não existia o livro que eu precisava!

Imerso em dúvidas, saí para o sol, sentindo os fótons, partículas beta e raios cósmicos baterem e ricochetearem à velocidade da luz, disparando silenciosamente pela manhã e através de mim.

Já estava quase de volta à parte da cidade em que ficava o café quando percebi que esquecera o saco de dormir. Deixando escapar um suspiro, virei-me e percorri todo o caminho de volta à biblioteca, sentindo cada vez mais calor ao sol. Entrei para pegar o saco de dormir, murmurando para a bibliotecária:

— Desculpe...

— Eu estava esperando que se lembrasse.

Ela falou com tanto alívio, por não ter que guardar a roupa suja em Achados e Perdidos, que compreendi que dizia a verdade. E repeti:

— Desculpe.

Com todos os livros que temos, ainda há tantos para serem escritos! Como as ameixas no alto das árvores. Não é muito divertido subir por uma escada balançando, esgueirar-se pelos galhos para colhê-las. Mas como são deliciosas depois que o trabalho está concluído.

E a televisão também é tão deliciosa? Ou a promoção do livro agravaria minha massafobia? Como escapar se não tenho um biplano esperando para alçar vôo sobre as árvores e me levar para longe?

Encaminhei-me para o aeroporto, o único lugar em qualquer cidade estranha onde um piloto de avião se sente à vontade. Descobri-o pela observação do padrão de pouso, as trilhas invisíveis dos pequenos aviões ao subirem e baixarem para o solo. Eu me encontrava praticamente sob a curva para o acesso final. Assim, o aeroporto não ficava longe e poderia alcançá-lo a pé.

Dinheiro é uma coisa, mas multidões e ser reconhecido, quando se quer ficar quieto e isolado, são outras muito diferentes. Isso não é celebridade, não é fama? Um pouco pode ser divertido, mas o que acontece quando não se consegue desligar? Depois de aparecer em programas de televisão, em todo lugar que eu vá poderei encontrar alguém para me dizer:

— Eu o conheço! Não me diga... você é o cara que escreveu aquele livro!

As pessoas passavam de carro ou a pé sem olhar, na claridade intensa de quase meio-dia. Era por pouco que eu me encontrava neste lado do invisível. Não me conheciam além do fato de eu ser alguém a caminhar para o aeroporto, carregando um saco de dormir impecavelmente amarrado, alguém com a liberdade para fazer isso sem atrair qualquer atenção.

Quando alguém decide conquistar a fama renuncia a tais privilégios. Mas um escritor não precisa fazer isso. Os escritores podem ter seus livros lidos por muitas pessoas, podem ter seus nomes conhecidos, mas ainda assim não serem reconhecidos por toda parte. O que já não acontece com os atores. Nem com os apresentadores de televisão. Mas os escritores podem.

Eu me arrependeria se algum dia me tornasse uma Personalidade?

Soube a resposta prontamente: *Sim*. Talvez em alguma outra vida eu tentara ser famoso. *Não é emocionante, não é atraente*, advertia essa vida; *apareça na televisão e se arrependerá*.

Lá estava o farol. O refletor verde e branco que gira à noite para indicar o aeroporto. Voando no acesso final havia um Aeronca Champion, um aparelho de treinamento de dois lugares, datando de 1946. Gostei do aeroporto sem tê-lo visto ainda, só pelo padrão de aproximação do Champ.

E como o fato de me tornar ligeiramente famoso afetaria a busca por meu amor? A primeira resposta aflorou tão depressa que nem deu para perceber o movimento: vai liquidá-la. Nunca saberá se ela ama a você ou a seu dinheiro, Richard. Preste atenção. Se quer mesmo encontrá-la, não se torne jamais uma celebridade de qualquer tipo.

Tudo isso em menos tempo que uma respiração e ainda menos lembrado.

A segunda resposta fazia tanto sentido que foi a única que ouvi. Minha adorável alma-irmã não estava perambulando de cidade em cidade à procura de um homem no meio de um pasto, oferecendo passeios aéreos. Minhas chances de encontrá-la não melhorarão quando ela souber que eu existo? Esta é uma oportunidade especial, que se apresenta por coincidência no momento em que preciso conhecê-la!

E certamente a coincidência levará minha alma-irmã a assistir o programa de televisão certo, na hora certa, providenciará o nosso encontro. E depois o reconhecimento público se desvanecerá. Basta se esconder por uma semana em Red Oak, Iowa. Ou Estrella Sailport, no deserto ao sul de Phoenix. Recuperarei então a minha privacidade e a terei descoberto ainda por cima! Será tão ruim assim?

Abri a porta do escritório do aeroporto.

— Oi — disse ela. — Em que posso servi-lo?

Ela estava verificando faturas no balcão e tinha um sorriso deslumbrante. Entre o sorriso e a pergunta, ela suspendeu meu cumprimento; eu não sabia o que dizer.

Como poderia explicar que estava por dentro, que o aeroporto, o refletor, o hangar, o Aeronca e até mesmo o costume aeronáutico de um "Oi" amistoso depois do pouso são partes da minha vida, há muito tempo, embora estivessem se desligando agora, mudando em decorrência do que eu fizera, mas não tinha certeza se queria a mudança, porque conhecia tais coisas e constituíam meu único lar na Terra?

O que ela poderia fazer? Lembrar-me que lar é qualquer coisa que conhecemos e amamos, que o lar nos acompanha onde quer que desejemos estar? Dizer-me que conhece a mulher que estou procurando? Ou que um cara num uniforme branco e dourado pousou há cerca de uma hora e deixou para mim o nome e endereço de uma mulher? Sugerir planos sábios para a administração de um milhão e 400 mil dólares? O que ela podia fazer por mim?

— Não sei direito o que pode fazer por mim — respondi. — Acho que estou um pouco perdido. Há aviões antigos no hangar?

— O Porterfield de Jill Handley está lá fora e é bastante velho. Assim como o Tiger Moth de Chet Davidson. Morris Jackson tem um Waco, mas o guarda trancado num hangar... — Ela riu. — Os Champs estão ficando muito velhos. Está procurando por um Aeronca Champ?

— É um dos melhores aviões na história do mundo — comentei.

Os olhos dela se arregalaram.

— Eu estava apenas brincando. Acho que a Srta. Reed nunca venderia os Champs.

Eu devia ter dado a impressão de ser um comprador. As pessoas podem sentir quando um estranho possui um milhão de dólares?

Ela continuou a cuidar das faturas e notei a sua aliança de casada, de ouro trançado.

— Tem problema se eu der uma olhada no hangar por um minuto?

— Claro que não. — Ela sorriu. — Chet é o mecânico e deve estar por lá, se ainda não atravessou a rua para almoçar.

— Obrigado.

Atravessei o corredor e abri a porta para o hangar. Era mesmo o lar. Um Cessna 172, com o vermelho e creme de fábrica, ali estava para a inspeção anual, a tampa do motor removida, o óleo no meio de uma mudança. Um Beech Bonanza, prateado com uma listra azul no lado, empoleirava-se delicadamente sobre macacos amarelos para o teste de retração do trem de aterrissagem. Pequenos aviões sortidos... eu conhecia a todos. Tinham histórias para contar, eu também poderia oferecer outras. Um hangar tranqüilo possui a mesma tensão suave que uma clareira no meio da floresta... um estranho sente olhos observando, ação suspensa, a vida prendendo a respiração.

Havia ali um enorme anfíbio Grumman Widgeon, com dois motores radiais de 300 cavalos, o novo pára-brisas inteiriço, espelhos nas pontas dos flutuadores, a fim de que o piloto possa certificar-se de que as rodas se acham levantadas antes de pousar na água. Quando se pousava na baía com as rodas abaixadas, a pancada na água contribuía para que muitos pilotos anfíbios se apressassem em comprar os pequenos espelhos.

Parei ao lado do Widge e olhei para a carlinga, as mãos cruzadas respeitosamente nas costas. Ninguém na aviação gosta que estranhos toquem em seus aviões sem permissão... não tanto porque os aviões possam ser danificados, mas porque se trata de uma familiaridade injustificada, como se um estranho curioso pudesse passar e tocar em sua esposa, só para saber qual é a sensação.

Junto à porta do hangar estava o Tiger Moth, as asas altas pairando acima dos outros aviões, como o lenço de um amigo a acenar sobre as cabeças da multidão. E a asa estava pintada com as mesmas cores do avião de Shimoda, branco e dourado! Quanto mais perto eu chegava, serpenteando por um labirinto de asas, caudas e equipamentos mecânicos, mais ficava aturdido com a cor do aparelho.

Quanta história já vivera em De Havilland Moths! Homens e mulheres que haviam sido heróis para mim tinham voado da Inglaterra para todo o mundo em Tiger Moths, Gipsy Moths e Fox Moths. Amy Lawrence, David Garnett, Francis Chichester, Constantine Shak Lin, o próprio Nevil Shute... esses nomes e as aventuras que viveram me arrastaram para junto do Moth. Que lindo biplano! Todo branco, asnas douradas de um palmo de largura, vv apontando para a frente como pontas de flechas virando para listras douradas, até a extremidade das asas e do estabilizador horizontal.

Lá estavam os controles de ignição no lado de fora do avião. Se houvesse uma restauração fiel... Ei, ali, no chão da carlinga, uma monstruosa bússola militar britânica! Tive de fazer o maior esforço para manter as mãos nas costas, de tão bonito que era o aparelho. Agora, os pedais do leme deviam ser ajustados...

— Gosta do avião, não é mesmo?

Quase gritei, de tanto que ele me surpreendeu. O homem estava parado ali há meio minuto, limpando o óleo das mãos e me observando a inspecionar seu Moth.

— Se gosto? — murmurei. — É lindo!

— Obrigado. Já está pronto há um ano. Reconstruí tudo, das rodas para cima.

Olhei atentamente para o material... havia um pouco da textura aparecendo através da tinta.

— Parece Ceconite — comentei. — Um bom trabalho.

Isso seria a apresentação que precisávamos. Ninguém aprende em um dia a distinguir a diferença entre algodão de primeira e dácron Ceconite nos velhos aviões.

— E onde foi que conseguiu a bússola?

Ele sorriu, feliz por eu ter notado.

— Acreditaria se eu lhe dissesse que encontrei numa loja de coisas velhas em Dothan, Alabama? Uma genuína bússola da RAF, de 1942. Sete dólares e meio. Você me conta como chegou lá, mas eu direi como saiu!

Contornamos o Moth, eu escutando enquanto ele falava. Compreendi que me apegava ao meu passado, à vida conhecida e portanto simples da aviação. Eu teria sido impulsivo demais ao vender o Fleet e romper os laços com os meus ontens, a fim de partir em busca de um amor desconhecido? Ali, no hangar, era como se meu mundo tivesse se tornado um museu ou uma fotografia antiga, uma balsa à deriva, flutuando suavemente para longe, lentamente, passando para a história...

Sacudi a cabeça, franzi o rosto, interrompi o mecânico:

— O Moth está à venda, Chet?

Ele não me levou muito a sério.

— Todo avião está à venda. Como se diz, é uma questão de preço. Sou mais um construtor do que um aviador, mas haveria de querer um bocado de dinheiro para vender o Moth.

Abaixei-me e olhei por baixo do avião. Não havia uma única mancha de óleo na tampa do motor.

Reconstruído um ano antes por um mecânico aeronáutico, pensei, no hangar desde então. O Moth era de fato uma descoberta especial. Eu não tencionara deixar de voar por um minuto sequer. E no Moth poderia voar através de todo o país. Poderia voar para as entrevistas de televisão e, pelo caminho, encontrar a minha alma-irmã!

Pus o saco de dormir no chão, para servir como almofada. Estalou quando me sentei.

— Quanto dinheiro é bastante se for à vista?

Chet Davidson saiu para almoçar com uma hora e meia de atraso. Levei os diários e manuais do Moth para o escritório.

— Com licença, madame. Tem um telefone aqui, não é mesmo?

— Claro. Ligação local?

— Não.

— O telefone público fica logo no outro lado da porta, senhor.

— Obrigado. Você tem mesmo um sorriso meigo.

— Obrigada, senhor!

Um bom costume as alianças de casamento. Liguei para Eleonor, em Nova York, comunicando que compareceria aos programas de televisão.

# seis

HÁ UMA serenidade repassada de saber que provém de dormir sob as asas de um avião no campo: as estrelas, a chuva e o vento tingem os sonhos de realidade. Acho que os hotéis não são instrutivos nem serenos.

Há uma nutrição devidamente balanceada, misturando-se pão de fabricação doméstica e água de regatos, nos ermos civilizados da América rural. Devorar amendoins em táxis, correndo para estúdios de televisão, não é tão balanceado.

Há um hurra orgulhoso quando os passageiros desembarcam ilesos de um velho avião, o medo das alturas convertido em vitória. A entrevista na televisão, espremida entre comerciais pagos e o tique-taque de um ponteiro de segundos, carece da mesma aura de triunfo partilhado.

Mas ela vale hotéis e amendoins, entrevistas de olho-no-tempo, a minha esquiva alma-irmã. Eu haveria de conhecê-la se continuasse em movimento, atento, procurando pelos estúdios em muitas cidades.

Não me ocorreu duvidar de sua existência, porque encontrava mulheres quase como ela ao meu redor. De tanto perambular, sabia que a América fora colonizada por mulheres extraordinariamente atraentes, pois suas filhas se elevam a milhões atualmente. Um cigano de passagem, eu as conhecia apenas como fascinantes freguesas, adoráveis de se contemplar pelo espaço de um passeio aéreo.

Minhas palavras com elas eram de caráter prático: O avião é mais seguro do que parece. Se prender os cabelos com uma fita, antes de decolarmos, será mais fácil escová-los depois que pousarmos. Isso mesmo, venta muito... afinal, são 10 minutos numa carlinga aberta, a 130 quilômetros horários. Obrigado. São três dólares, por favor. O prazer foi meu. Também gostei do passeio.

Seria por causa das entrevistas na televisão, o sucesso do livro, minha nova conta bancária ou simplesmente porque não estava mais voando incessantemente? O fato é que, de súbito, eu estava me encontrando com incontáveis mulheres atraentes, como nunca antes me acontecera. Concentrado na busca, encarava a todas através de um prisma de esperança: era aquela, até provar que eu me enganava.

Charlene, uma modelo de televisão, podia ser minha alma-irmã, se não fosse tão bonita. Defeitos invisíveis em sua imagem no espelho lembravam-na que a vida de modelo é cruel, que só lhe restavam poucos anos antes da aposentadoria, que precisava se preparar para adotar outra profissão. Podíamos conversar sobre qualquer outro assunto, mas não por muito tempo. Ela sempre voltava ao mesmo tema. Contratos, viagens, dinheiro, agentes. Era a sua maneira de dizer que estava assustada, não podia imaginar uma saída para a mortífera gaiola prateada.

Jaynie não tinha medo. Jaynie adorava festas, adorava beber. Encantadora como o sol nascente, ficava nublada e suspirava quando descobria que não sabia onde estava a ação.

Jacqueline não bebia nem era fascinada por festas. Esperta e inteligente por natureza, não podia aceitar a inteligência como algo real. E dizia:

— Larguei os estudos na escola secundária, sem ter obtido um diploma.

Sem um diploma, uma pessoa não pode ser instruída, não é mesmo? E sem diplomas, uma pessoa tem de aceitar o que aparecer, agarrando-se à segurança de servir coquetéis, por mais que isso lhe insulte a inteligência. É bom dinheiro, dizia ela. Afinal, não tenho instrução. Lembre-se de que abandonei os estudos.

Lianne não se importava absolutamente com diplomas ou com empregos. Queria casar e a melhor maneira de consegui-lo era ser vista em minha companhia, causando ciúme no ex-marido e levando-o a desejá-la de volta. É do ciúme que surge a felicidade.

Tamara adorava dinheiro e era tão deslumbrante, à sua maneira, que valia o preço. Um rosto de modelo de artista, uma mente que calculava mesmo quando ria. Muito lida, muito viajada, falando várias línguas. O ex-marido era um corretor de investimentos e Tamara queria agora iniciar o seu próprio escritório de corretagem. Cem mil dólares seriam suficientes para começar. Apenas cem mil dólares, Richard. Não pode me ajudar?

Se ao menos, eu pensava... se ao menos eu pudesse encontrar uma mulher com o rosto de Charlene, mas com o corpo de Lianne, o talento de Jacqueline, o charme de Jaynie e o equilíbrio de Tamara... então estaria olhando para a alma-irmã, não é mesmo?

O problema era que o rosto de Charlene tinha os medos de Charlene, o corpo de Lianne enfrentava as dificuldades de Lianne. Cada novo encontro era intrigante, mas depois de um dia as cores se tornavam opacas, a intriga se desvanecia na floresta de idéias que não partilhávamos. Éramos fatias de torta um para o outro, incompletos.

Não existe uma mulher, concluí finalmente, que não possa provar num dia que não é aquela que estou procurando? A maioria das que eu encontrava tinha passados difíceis, a maioria estava sobrecarregada de problemas e precisando de ajuda, a maioria necessitava de mais dinheiro do que dispunha. Dávamos vazão a nossas evasivas e defeitos; mal nos encontrávamos, ainda sem nos testarmos, e já estávamos nos chamando de amigos. Era um calidoscópio descolorido, cada fragmento tão instável e cinzento quanto parecia.

Quando a televisão se cansou de mim, eu já comprara um biplano de asas curtas, motor grande, para fazer companhia ao Moth. Praticava incessantemente e mais tarde comecei a fazer acrobacias aéreas a dinheiro.

Milhares de pessoas comparecem aos *shows* aéreos no verão, pensei; se não pude encontrá-la na televisão, talvez o consiga nesses espetáculos.

Conheci Katherine em minha terceira apresentação, em Lake Wales, na Flórida. Ela emergiu da multidão em torno do biplano como se fosse uma velha amiga. Sorriu, um sorriso sutil e íntimo, frio e próximo, de um jeito que antes parecia impossível.

Os olhos se mantinham firmes e calmos, mesmo ao clarão do meio-dia. Cabelos escuros compridos, olhos verde-escuros. Quanto mais escuros os nossos olhos, como se diz, menos somos afetados pelo brilho do sol.

— Parece divertido — disse ela, acenando com a cabeça para o biplano, indiferente ao barulho e à multidão.

— É melhor do que ser sufocado até a morte pelo tédio — comentei. — Com o avião certo, pode-se escapar a uma porção de tédio.

— Qual é a sensação de ficar rodopiando de cabeça para baixo? Você também oferece passeios aéreos ou apenas se exibe?

— Principalmente exibições. Não muitos passeios. Só às vezes. E depois que se tem certeza de que não vai cair, é divertido rodopiar de cabeça para baixo.

— Não gostaria de me convidar para um passeio, se eu lhe pedisse da maneira certa?

— Para você eu poderia, depois que o espetáculo terminar. — Eu nunca tinha visto olhos tão verdes. — Qual é a maneira certa de pedir?

Ela sorriu inocentemente.

— Por favor?

Ela não se manteve muito distante durante o resto da tarde, desaparecendo de vez em quando na multidão, mas logo tornando a surgir, com o sorriso e um aceno secreto. Quando o sol estava quase se pondo, ela era a última que ainda se encontrava próxima do avião. Ajudei-a a subir na carlinga.

— Temos dois cintos de segurança — expliquei. — Um já é suficiente para segurá-la no avião, não importa que acrobacia façamos. Mas mesmo assim preferimos ter dois.

Eu disse a ela como usar o pára-quedas, se tivéssemos de saltar. Ajeitei as correias em seus ombros, inclinei-me para prender o segundo cinto de segurança. Você tem lindos seios, quase falei, à guisa de cumprimento. Em vez disso, porém:

— É preciso ter certeza de que as correias se encontram tão esticadas quanto possível. Assim que o avião virar para baixo, vai parecer muito mais frouxo do que agora.

Ela sorriu-me, como se eu tivesse escolhido o cumprimento com todo cuidado.

Do barulho do motor ao sol em fogo na beira do mundo, de pairar ao contrário por cima das nuvens a flutuar sem peso nos *loops*, ela se mostrou uma aviadora natural, adorou o passeio.

Pousando ao crepúsculo, ela saiu da carlinga antes mesmo que eu parasse o motor. E antes que eu percebesse o que estava acontecendo, enlaçou-me pelo pescoço e beijou-me.

— ADOREI!

— Puxa... não me incomodo absolutamente com isso.

— Você é um grande piloto.

Amarrei o avião a cabos na relva.

— A lisonja pode certamente levá-la a qualquer lugar que quiser ir.

Ela insistiu em me levar para jantar, a fim de pagar pelo passeio. Conversamos durante uma hora. Ela me contou que era divorciada, trabalhava como anfitriã num restaurante não muito longe da casa que eu comprara no lago. Entre o salário e a pensão, tinha dinheiro bastante para viver bem. Estava pensando agora em voltar à escola, a fim de estudar física.

— Física? Conte-me o que aconteceu para levá-la à física...

Uma mulher fascinante, positiva, direta, motivada. Ela pegou a bolsa.

— Importa-se que eu fume?

Se a pergunta me surpreendeu, a resposta me deixou completamente aturdido.

— Claro que não.

Ela acendeu o cigarro e começou a falar de física, sem perceber o caos que provocara em minha mente. MAS O QUE É ISSO, RICHARD? QUE HISTÓRIA É ESSA DE RESPONDER QUE É CLARO QUE NÃO SE IMPORTA? A mulher está acendendo um CIGARRO! Sabe o que isso representa em termos dos valores e do futuro dela em sua vida? Diz *Estrada Fechada*, diz...

Calem-se, ordenei a meus princípios. Ela é inteligente e diferente, esperta como um raio com seus olhos verdes, divertida de se escutar, afetuosa, excitante... e estou cansado de pensar sozinho, de dormir com lindas estranhas. Mais tarde, eu lhe falarei sobre o fumo. Mas não esta noite.

Meus princípios desapareceram tão depressa que me senti assustado.

— ...é claro que não serei rica, mas creio que poderei dar um jeito — dizia ela. — Terei o meu próprio avião, mesmo que seja velho e usado! Acha que me arrependerei?

A fumaça se enroscava, como qualquer fumaça de tabaco, diretamente para cima de mim. Arriei telas mentais para me defender, envolvi-me em vidro no pensamento, consegui manter o controle.

— Vai comprar o avião primeiro e depois aprender a voar? — indaguei, observando os seus olhos.

— Isso mesmo. Só precisarei então pagar pelo instrutor e não pelo aluguel do avião. A longo prazo, não sai mais barato? Não lhe parece sensato?

Discutimos o assunto e, depois de algum tempo, sugeri que ela podia voar comigo de vez em quando, num dos meus aviões. O novo Lake anfíbio, pensei, tão suave que parecia construído para se deslocar por passados e futuros, tanto quanto pelo ar e água; era um avião que ela gostaria.

Duas horas depois, eu estava estendido na cama, imaginando como ela pareceria quando a visse pela próxima vez.

Não precisei esperar muito tempo. Ela pareceria deliciosa, um corpo bronzeado e cheio de curvas, coberto por um momento por uma toalha felpuda.

E depois a toalha caiu, ela se meteu sob as cobertas, inclinou-se para me beijar. Aquele beijo não dizia eu-sei-quem-você-é-e-o-amo, mas sim vamos ser amantes esta noite e depois ver o que acontece.

Que prazer era apenas desfrutar e não desejar por alguém que não podia encontrar!

# sete

— EU PREFERIA que você não fumasse na casa, Kathy.

Ela levantou os olhos, surpresa, o isqueiro suspenso a um centímetro do cigarro.

— Não se importou ontem à noite.

Pus nossos pratos na máquina, passei a esponja pela pia. Já estava quente lá fora, apenas umas poucas nuvens brancas na manhã, dispersas, a quase dois mil metros de altitude, visibilidade de 25 quilômetros, com um nevoeiro claro. E não havia vento.

Ela era tão atraente quanto me parecera no dia anterior; eu queria conhecê-la melhor. Os cigarros afastariam aquela mulher a quem eu podia tocar e com quem podia conversar por mais de um minuto?

— Deixe-me dizer o que penso sobre o cigarro. — Fiz uma longa pausa e depois falei, arrematando: — ... é a mesma coisa que dizer a todo mundo ao seu redor: "Você é tão insignificante para mim que não me importo se não é capaz de respirar. Morra se quiser, mas eu acenderei meu cigarro!" Fumar não é um hábito cortês. Não é uma coisa que se deva fazer com as pessoas de quem se gosta.

Ao invés de se mostrar abespinhada e sair furiosa pela porta, ela assentiu e respondeu:

— Sei que é um hábito terrível. E tenho pensado em largar.

Ela fechou a bolsa sobre os cigarros e o isqueiro.

Com o tempo, a física foi esquecida... ser modelo era o que ela queria tentar. E depois o canto. Tinha uma voz bonita, obsedante como uma sereia num mar nevoento. Mas, de alguma forma, quando passava do desejo para o trabalho por uma carreira, ela perdia a dedicação e iniciava outro sonho. E, finalmente, tudo recaiu em mim... por que não a ajudava a abrir uma pequena butique?

Kathy era jovial, inteligente; adorava o anfíbio, aprendeu a voar imediatamente e era uma estranha irremediável. Tornou-se um corpo estranho em meu organismo. Por mais adorável que fosse, o organismo entrou em ação para rejeitá-la, o mais gentilmente possível.

Nunca seríamos almas-irmãs. Éramos dois barcos que se encontravam no meio do oceano, cada um mudando de curso para velejar por algum tempo na mesma direção sobre um mar vazio. Barcos diferentes a caminho de portos diferentes... e sabíamos disso.

Eu tinha a curiosa sensação de que estava deixando o tempo passar, esperando que alguma coisa acontecesse, antes que minha vida pudesse retomar seu estranho curso encantado, seu propósito e direção.

Eu era uma alma-irmã separada do meu amor, pensava, esperando que ela se saísse o melhor possível sem mim, até o momento de nos encontrarmos de alguma forma. Enquanto isso, minha querida gêmea ainda não descoberta, você espera a mesma coisa de mim? Até que ponto podemos aceitar estranhos afetuosos?

Uma amizade com Kathy é agradável por um momento, mas não deve dificultar e interferir com meu amor, no momento em que aparecer.

Era sensual, sempre nova, minha busca pela mulher perfeita. Por que essa sensação opressiva de inverno a chegar prematuramente? Não importava quão depressa o rio do tempo corresse pelos rochedos e profundezas, minha balsa se encontrava detida em corredeiras nevadas. Não é tão terrível ser detido por algum tempo, eu esperava por cima do rugido, não creio que seja mortal. Mas escolhi este planeta e este tempo para aprender alguma lição transcendental que não conheço, para encontrar uma mulher diferente de todas as outras.

Apesar dessa esperança, uma voz interior advertia que o inverno podia me transformar em gelo, a menos que eu me desvencilhasse e a encontrasse.

## oito

Eu me sentia como se estivesse num avião a três mil metros de altitude e de repente fosse empurrado pela porta. Num instante o avião ainda tinha o seu tamanho normal, a poucos centímetros dos meus dedos... estava caindo, mas podia me agarrar e voltar a bordo, se assim precisasse desesperadamente.

Mas no instante seguinte já era tarde demais, a coisa mais próxima para agarrar se encontrava 15 metros acima, afastando-se a 30 metros por segundo. Eu caía sozinho, em linha reta. E cada vez mais depressa.

Oh, não!, eu pensava. Tenho certeza de que é isso mesmo o que estou querendo fazer?

Quando se vive para o momento, o mergulho livre pelo céu pode ser muito divertido. É quando a pessoa começa a se preocupar com o momento seguinte que o prazer se torna empanado.

Eu caía pelo vórtice inexorável, observando o solo, como era enorme, duro e plano, sentindo-me terrivelmente pequeno. Não havia carlinga, não havia nada em que me segurar.

Não há motivo para se preocupar, Richard, eu pensava. Aqui no seu peito está a corda de abertura, pode puxá-la a qualquer momento que quiser e surge o pára-quedas. Há outra corda de reserva, se o pára-quedas principal falhar. Pode puxar agora, se assim vai sentir-se melhor, mas perderá então toda a diversão da queda livre.

Olhei para o altímetro no meu pulso: 2.500 metros, 2.300...

Lá embaixo, no solo, havia um alvo branco pintado, no qual eu tencionava cair, dentro de alguns segundos que não eram tantos assim. Mas pense em todo o espaço vazio entre agora e esse momento! Oh, não...

Parte de nós é sempre a observadora; não importa o que aconteça, invariavelmente observa. Observa a nós. Não se importa se somos felizes ou infelizes, se estamos doentes ou bem de saúde, se vivemos ou morremos. Sua única função é permanecer sentada em nosso ombro e julgar se somos seres humanos meritórios.

Agora, o observador está empoleirado em meu equipamento de reserva, com seu próprio macacão e pára-quedas, tomando anotações sobre o meu comportamento.

*Muito mais nervoso do que deveria ficar a esta altura. Olhos muito arregalados; pulsação cardíaca muito rápida. Misturada com a exultação há uma parcela exagerada de medo. Classificação até agora para o Salto 29: C-menos.*

Meu observador se torna mais rigoroso.

Altitude de 2.100 metros... 2.000.

Empurrando as mãos para a frente, na ventania, eu cairia com os pés para baixo; as mãos para trás e eu mergulharia de cabeça para o solo. É assim que eu pensava que poderia ser voar sem um avião, exceto pelo desejo impossível de poder subir tão depressa quanto estou caindo. Até mesmo um terço tão depressa já serviria.

*Devaneio durante a queda livre. A mente vagueia a esmo. Classificação revisada: D-mais.*

Altitude de 1.200 metros. Ainda alto, mas minha mão se estendeu para o cordão de abertura, prendeu-o no polegar direito, puxou firmemente. O cabo se soltou. Ouvi um barulho nas minhas costas, o que seria a abertura do pára-quedas principal.

*Puxou cedo demais. Muito ansioso em se colocar sob a proteção do pára-quedas. D.*

O chocalhar continuou. A esta altura, eu já deveria ter sentido o choque da abertura do pára-quedas principal. Em vez disso, sentia que continuava a cair livremente. Sem qualquer motivo, meu corpo começou a girar.

Alguma coisa..., pensei, alguma coisa está errada?

Olhei para trás. O pára-quedas se sacudia, preso numa correia. Onde a copa deveria se encontrar aberta, havia apenas uma enorme massa de *nylon* emaranhado, manchas vermelhas, azuis e amarelas tremulando ruidosamente no vórtice.

Dezesseis segundos — quinze — para dar um jeito antes de bater no solo. Pareceu-me, girando como estava, que cairia pouco antes do laranjal. Talvez nas árvores, mais provavelmente próximo.

Livre-se, eu aprendera na prática. Deveria me livrar agora do pára-quedas principal e abrir o de reserva, na mochila no peito. Isso é *justo*, uma falha do pára-quedas no meu 29º salto? Não creio que seja justo!

*Mente descontrolada. Sem disciplina.* D-*menos.*

Foi apenas por sorte minha que, nesse momento, o tempo tornou-se mais lento. Um segundo levou um minuto para passar.

Mas por que é tão difícil levantar as mãos para soltar as correias do pára-quedas inútil?

Minhas mãos pesavam toneladas e movimentei-as em câmara lenta para os fechos nos ombros, um enorme esforço.

Será que o esforço vale a pena? Não me disseram que seria tão difícil alcançar os fechos! Em fúria selvagem contra os meus instrutores, agarrei as pontas dos cordões e puxei.

*Devagar, devagar. Muito vagaroso.*

Parei de girar, virei de costas para abrir o pára-quedas de reserva. E, para minha surpresa atordoada, descobri que o *nylon* emaranhado ainda me acompanhava! Eu era um pistolão invertido, preso a uma chama brilhante a cair, um foguete disparado do céu.

— Prestem muita atenção, estudantes — dissera o instrutor. — Isto provavelmente nunca lhes acontecerá, mas mesmo assim não se esqueçam: Jamais abram o pára-quedas de reserva para o principal enredado, porque o reserva também falhará. Vai se emaranhar no outro e não reduzirá o ritmo de sua queda. SEMPRE SE LIVREM DO OUTRO!

Mas eu não o fizera e lá estava o principal enredado, ainda preso nos arneses!

Meu observador fungou em desdém, por cima de sua prancheta.

*Perde a racionalidade sob pressão: F é para Fracassado.*

Podia sentir o solo subindo por trás de mim. A relva me atingiria a nuca a cerca de 200 quilômetros horários. Certamente um meio rápido de morrer. Por que não estava vendo a minha vida passar de relance diante dos olhos, como dizem os livros? Por que não estava deixando o corpo antes de bater no solo? PUXE O RESERVA!

*Age com muito atraso. Formula questões irrelevantes. Um ser humano basicamente medíocre.*

Puxei bruscamente o cordão de abertura de emergência. No mesmo instante, o pára-quedas de reserva explodiu em meu rosto, projetando-se para o alto como uma bola de seda, disparando para o céu. Flutuou ao lado do amontoado amorfo do principal. Eu estava preso agora a dois pistolões, virados para baixo.

E de repente um estampido e a coisa se abriu por completo. Parei no ar com um solavanco, 120 metros acima do laranjal, uma marionete quebrada a pender, resgatada em seus cordões no último instante.

O tempo readquiriu seu ritmo normal, as árvores passaram velozmente, bati no solo com as botas, rolei pela relva, não morto, mas respirando com dificuldade.

Eu já me projetara de cabeça para baixo a fim de morrer esmagado, pensei, depois emergia a dois segundos do final por um pára-quedas se abrindo misericordiosamente e me salvando?

Projetar-me para a morte era um futuro alternativo que eu dificilmente poderia deixar de escolher. Mas, enquanto se afastava de mim, senti vontade de acenar em despedida. Acenar tristemente. Naquele futuro, já um passado alternativo, eu encontrava subitamente as respostas para a minha longa curiosidade sobre a morte.

*Sobreviveu ao salto. Recorreu à sorte e à ação brilhante dos anjos da guarda. Anjos da guarda: A. Richard: F.*

Reuni o pára-quedas de reserva, ajeitei-o com todo cuidado numa pilha de *nylon*, ao lado do principal falhado. Depois, sentei no chão, junto às árvores, vivi de novo os últimos três minutos, escrevi no caderninho de anotações o que acontecera, o que vira e pensara, o que dissera o mesquinho observador, a triste despedida da morte, tudo o que podia me lembrar. Minha mão não tremia ao escrever. Também não sentia qualquer choque do salto ou então o reprimia com uma vingança.

Em casa naquele dia, de volta à minha casa, não havia ninguém para partilhar a aventura, ninguém para formular as perguntas que poderiam revelar os valores que eu ignorara. Kathy saíra com alguém, em sua noite de folga. Os filhos de Brigitte tinham uma peça escolar. Jill estava cansada do trabalho.

O melhor que eu podia fazer era uma ligação interurbana para Rachel, na Carolina do Sul. Um prazer falar comigo, eu era sempre bem-vindo, disse ela, podia aparecer sempre que desejasse. Não mencionei o salto, o pára-quedas falhado e o outro futuro, minha morte no laranjal.

Preparei um *Kartoffelkuchen* para celebrar naquela noite, direto da receita de minha avó: batatas, leitelho, ovos, noz-moscada e baunilha, gelado com glacê e chocolate amargo derretido. Comi um terço ainda quente e sozinho.

Pensei no salto e concluí finalmente que não teria mesmo lhes contado, não relataria a ninguém o que acontecera. Não pareceria alguém a me exibir, gabando-se de ter escapado à morte por um triz? E o que poderiam me dizer?

— Puxa, deve ter sido horrível!

— Você deve ter mais cuidado!

O observador tornou a se empoleirar em meu ombro e escreveu. Observei-o pelo canto dos olhos.

> *Ele está mudando. A cada dia se torna mais remoto, protegido, distante. Projeta testes agora para a alma-irmã que ainda não encontrou, erguendo muros, labirintos e fortalezas na montanha, desafia-a a descobri-lo no centro oculto de tudo isso. Eis um A em autodefesa da única pessoa no mundo que pode amar e que pode algum dia amá-lo. Ele se acha agora empenhado numa corrida... ela o encontrará antes que se mate?*

Matar-me? Suicídio? Nem mesmo os nossos observadores sabem quem somos. Não foi minha culpa. Um fracasso anômalo, não tornará a acontecer!

Não me dei ao trabalho de lembrar que fora eu quem preparara o pára-quedas.

Uma semana depois, aterrissei para reabastecimento, ao final de um dia em que tudo saíra errado com o meu enorme e veloz P-51 Mustang. Rádios falhando, freio esquerdo fraco, gerador pifando, temperaturas refrigerantes alcançando inexplicavelmente o vermelho e se recuperando também sem explicação. Decididamente não era o melhor dia, decididamente era o pior avião em que eu já voara.

Ama-se a maioria dos aviões, mas há alguns com os quais é impossível se dar bem.

Pouso e abastecimento, o freio apertado e lá vamos nós outra vez, tão depressa quanto possível. Um vôo longo, observando os instrumentos a indicarem que as coisas não estão lá muito certas por trás da enorme hélice. Não há uma só peça do avião que custe menos de 100 dólares e as que se partem como gravetos custam milhares.

As rodas do enorme caça flutuaram por meio metro acima da pista, em Midland, Texas, depois tocaram no solo. O pneu esquerdo estourou no mesmo instante e o avião deslizou para a esquerda, na direção da beira da pista, saindo numa fração de segundo do pavimento para a terra.

Não havia tempo. Ainda me deslocando bastante depressa para alçar vôo, acelerei e forcei o avião a se elevar pelo ar novamente.

Uma péssima opção. *Não* estava me deslocando bastante depressa para alçar vôo.

O avião ergueu o nariz por cerca de um segundo, mas foi a última coisa que faria. As moitas passavam velozmente por baixo, as rodas tornaram a encostar no solo, o trem de pouso esquerdo se partiu. A hélice monstruosa bateu no solo, quando o avião se inclinou, o motor roncou forte, uivando, explodindo internamente.

Era quase familiar, o tempo voltando atrás em câmara lenta. E olhe só quem está aqui! Meu observador, com a prancheta e o lápis! Como vai, companheiro, há dias que não o vejo!

*Conversa com o observador enquanto o avião se arrebenta nas moitas. Pode ser o pior piloto que já existiu.*

Os desastres com os Mustangs, eu sabia perfeitamente, não eram os acidentes comuns do tipo uma-coisa-sem-importância-que-podeacontecer-com-qualquer-um. Os aparelhos são grandes, velozes e letais, destroem tudo que surge pela frente e acabam explodindo em enormes bolas de fogo, em lindas chamas amarelas, laranja e fumaça negra, disparando parafusos e peças por um quilômetro em torno do centro de impacto. O piloto jamais chega a sentir qualquer coisa.

Avançando em minha direção, a 130 quilômetros horários, o impacto se aproximava... um gerador diesel surgindo no meio do deserto, uma construção pequena, em quadrados brancos e laranja, que julgava estar a salvo de ser atropelada por enormes e velozes aviões acidentados. Pois estava enganada.

Mais uns poucos solavancos pelo caminho e o outro trem de pouso também desapareceu, metade da asa direita se foi, o tabuleiro de xadrez se avolumou no pára-brisas.

Por que será que ainda não deixei o meu corpo? Todos os livros dizem...

Fui projetado para a frente no cinto de segurança, quando colidimos e o mundo escureceu.

Não pude ver nada por alguns segundos. E não sentia dor.

É muito tranqüilo, aqui no paraíso, pensei, empertigando-me, sacudindo a cabeça.

Completamente indolor. Um silvo calmo, suave... O que pode estar sibilando no paraíso, Richard?

Abri os olhos para descobrir que o paraíso parece um prédio demolido de gerador diesel pertencente ao governo dos Estados Unidos, sob os destroços de um enorme avião.

*Lento como um sapo a compreender o que está acontecendo.*

Espere um pouco! Será possível... que isto não seja o paraíso? Não estou morto! Encontro-me sentado dentro do que restou da carlinga e o avião ainda não explodiu! Mas explodirá dentro de dois segundos e eu me acho preso aqui dentro... não serei explodido para a morte, *não serei queimado para a morte!*

Dez segundos depois, eu corria a 200 metros dos destroços fumegantes do que fora outrora um belo avião, embora não de confiança, barato ou agradável. Tropecei e caí de cara na terra, como acontece com os pilotos nos filmes, um momento antes da tela inteira explodir. O rosto virado para baixo, cobri a nuca, esperando pela explosão.

*Capaz de se movimentar com uma velocidade extraordinária quando finalmente percebe o que está acontecendo.*

Trinta segundos. Nada aconteceu. Mais 30 segundos.

Levantei a cabeça e olhei.

Depois fiquei de pé, espanando a terra e as folhas das minhas roupas. Sem qualquer motivo aparente, uma melodia antiga de *rock* começou a ressoar em minha mente. Não dei qualquer atenção. Tentando parecer indiferente?

Filho da puta. Nunca ouvi falar de um 51 que não explodisse como um barril de pólvora. A única exceção é o desastre ali espalhado, do qual ultimamente eu era o piloto. Haverá agora uma porção de relatórios a preencher... horas se passarão antes que eu possa pegar um avião de carreira para oeste. A melodia continuava a ressoar em meu cérebro.

*Não sofre muito de choque. B-mais pelo controle depois que tudo está acabado.*

Lisonjeado, assoviando a melodia, encaminhei-me para o que restava do Mustang, encontrei o meu saco com as roupas e aparelho de barba, levei para um lado a salvo.

Carlinga forte... pelo menos isso não se podia deixar de reconhecer.

Mas é claro! O avião não explodira porque estávamos sem gasolina, aterrissando.

A esta altura, o observador desapareceu, sacudindo a cabeça, enquanto os carros de bombeiros apareciam. Não pareciam particularmente interessados no que eu tinha a dizer sobre a falta de combustível. A fim de prevenir qualquer possibilidade, cobriram os destroços com espuma.

Eu estava preocupado com os rádios, alguns dos quais se achavam intactos na carlinga, cada um custando mais do que ouro.

— Podem fazer o favor de não jogar espuma dentro da carlinga? Os rádios...

Tarde demais. Como uma precaução contra o fogo, eles encheram a carlinga de espuma.

E daí? pensei, desolado. E daí? E daí? E daí?

Percorri a pé o quilômetro e meio até o terminal do aeroporto, comprei uma passagem no próximo avião, preenchi um relatório de acidente com o mínimo possível, informei o que podiam fazer com as peças do obstinado aparelho.

Naquele momento, escrevendo meu endereço numa mesa no hangar, lembrei a letra da melodia que ressoava em minha cabeça desde o momento seguinte ao acidente.

*Xi-bum, xi-bum*... e uma porção de *ta-ta-tás*.

Por que eu estaria cantarolando essa canção? Depois de 20 anos, por que agora?

A canção não estava preocupada com uma explicação e continuou a ressoar: A *vida pode ser um sonho*/Xi-*bum*/*Se eu puder levar você ao paraíso*/Xi-*bum*...

A canção! Era o fantasma do Mustang cantando, inclusive com efeitos sonoros!

A *vida pode ser um sonho, querida*...

É claro que a vida pode ser um sonho, seu feiticeiro de lata! E você quase me levou para o paraíso! Xi-*bum*, seu casco despedaçado!

Não passa nada por nossa mente que não tenha um significado? Aquele avião nunca poderia me levar a sério.

O jato taxiou perto das moitas, a caminho da decolagem, Fiquei observando pela janela.

O corpo coberto de espuma do Mustang já estava quase todo no caminhão; um guindaste levantava seções partidas de asa.

Quer brincar, avião? Gostaria de ter alguma coisa quebrando em cada vôo? Gostaria de ter um conflito de vontades comigo?

Pois você perdeu! Que encontre alguém que esquecerá o seu passado e torne a montá-lo algum dia, daqui a 100 anos. Talvez então você se lembre desta hora e seja simpático com quem o recuperar! Eu juro, avião... não guardo ressentimentos.

Primeiro a falha do pára-quedas, agora um desastre de avião. Fiquei pensando nessas coisas, enquanto voava para oeste. Depois de algum tempo, concluí que fora divinamente orientado, protegido sem um arranhão sequer, através de momentos que se tornaram um pouco mais aventurosos do que planejara.

Qualquer outra pessoa teria visto justamente o oposto. O desastre não era a minha proteção em ação, mas sim a minha proteção se esgotando.

## nove

Eu ESTAVA me afogando em dinheiro. Pessoas no mundo inteiro liam o livro, compravam exemplares de outros livros que eu escrevera. E o dinheiro da venda de cada livro chegava às minhas mãos através do editor.

Posso lidar com aviões, pensei, mas dinheiro me deixa nervoso. Dinheiro pode sofrer um desastre?

Palmeiras balançando além da janela do escritório, o sol esquentando os papéis em sua mesa.

— Posso cuidar disso para você, Richard. Não há qualquer problema. Se quiser, resolverei tudo.

Ele não tinha muito mais de metro e meio de altura, os cabelos e a barba haviam passado de vermelho para branco ao longo dos anos, transformando-o de elfo talentoso em Papai Noel onisciente.

Era um amigo dos tempos em que eu escrevia para revistas, um editor que se convertera em assessor de investimentos. Eu simpatizara com ele desde a primeira matéria que me entregara, admirara o seu sereno senso profissional desde o primeiro dia em que nos conhecêramos. Confiava inteiramente nele e nada do que ele dissera durante toda a tarde abalara essa confiança.

— Não tenho palavras para lhe dizer como estou contente, Stan... Deve ser feito direito, mas não tenho a menor idéia do que fazer com dinheiro. E não conheço e não gosto dessas coisas burocráticas e de impostos. A partir de agora, o problema é seu, meu gerente financeiro, em termos totais. Eu caio fora disso.

— Nem mesmo quer ser informado, Richard?

Tornei a olhar para os gráficos de seu desempenho de investimentos. Todas as linhas subiam retas.

— Não... isto é, quero saber se perguntar ou se você estiver prestes a tomar uma decisão de grande importância sobre os meus investimentos. Mas a maior parte do que você fará está tão longe dos meus pensamentos...

— Eu gostaria que não dissesse isso, Richard. Não há nada de magia, mas apenas uma análise técnica dos mercados. A maioria das pessoas fracassa nos mercados de produtos porque não dispõe de capital para cobrir uma margem de risco quando o mercado vem contra. Você... isto é, nós... não temos esse problema. Começamos a investir cautelosamente, com um grande capital de reserva. À medida que ganhamos dinheiro com as nossas estratégias, vamos nos tornando mais especulativos. Quando entrarmos numa operação segura, poderemos aplicar muito dinheiro. E nem sempre iremos até o fim, uma coisa importante, mas que muitas pessoas esquecem. Já se pode ganhar bastante dinheiro saindo antes do máximo.

Ele sorriu, notando que eu já estava perdido. E acrescentou, tocando num gráfico:

— Veja este gráfico, que mostra os preços da madeira compensada na Bolsa de Mercadorias de Chicago. Dá para perceber aqui a mudança, o aviso de que o fundo se encontra prestes a cair, ao final de abril. A esta altura, venderíamos a madeira compensada, toda a nossa madeira compensada. E depois, quando os preços caíssem até o fundo, compraríamos uma porção. Vender na alta e comprar na baixa é a mesma coisa que comprar na baixa e vender na alta. Está entendendo?

Mas como poderíamos vender...

— Como podemos vender antes de comprar? Não precisamos comprar antes de vender?

— Não. — Ele se mantinha calmo como um reitor universitário, explicando: — Tratam-se de mercadorias futuras. Prometemos vender depois, a esse preço, sabendo que antes do futuro chegar, quando tivermos de efetuar a venda, teremos comprado a madeira compensada... ou açúcar, cobre, milho... a um preço muito inferior.

— Ah...

— E depois reinvestimos. E diversificamos. Investimentos no exterior. Uma corporação no exterior pode ser uma boa idéia. Mas a Bolsa de Mercadorias de Chicago será o lugar para começar, talvez também um lugar na Bolsa de Mercadorias da Costa Oeste. Veremos o que é melhor. Mas compre um lugar na bolsa de Chicago e os honorários de corretagem se tornarão insignificantes. Posteriormente, a diversificação. O controle de uma pequena companhia em expansão pode ser um bom negócio. Farei uma pesquisa. Mas com o dinheiro de que dispomos para trabalhar e uma estratégia cautelosa para o mercado, será muito difícil alguma coisa sair errada.

Saí de lá convencido. Mas que alívio! Não havia a menor possibilidade de meu futuro financeiro ficar emaranhado e enredado, falhando como um pára-quedas.

— Nunca fui capaz de lidar com dinheiro como Stan fazia. Também nunca fui bastante paciente ou bastante sábio, nunca tive gráficos que disparam para a lua.

Mas sou bastante sábio para conhecer minhas fraquezas, para descobrir um velho amigo de confiança e lhe entregar o controle do meu dinheiro.

# dez

ESTAMOS DEITADOS ao sol, no convés, Donna e eu, no veleiro em calmaria, à deriva na correnteza, 50 quilômetros ao norte de Key West.

— Nenhuma mulher em minha vida me possui — eu disse a ela, calma e pacientemente. — E também não possuo nenhuma delas. Isso é extremamente importante para mim. Faço a promessa: nunca serei possessivo em relação a você, nunca serei ciumento.

— Eis aí uma agradável variação.

Os cabelos de Donna eram curtos e pretos, os olhos castanhos estavam fechados contra o sol. O corpo era bronzeado, da cor da teca envernizada, por anos de verão, desde um divórcio no norte. E ela acrescentou:

— A maioria dos homens não pode compreender. Estou vivendo da maneira como quero. Estarei com eles se assim quiser, irei embora se preferir não continuar. Isso não o assusta?

Ela deslocou as tiras do biquíni, a fim de manter o bronzeado uniforme.

— Se me assusta? Ao contrário, me dá a maior satisfação! Não há correntes, cordas ou nós. Não há discussões nem tédios. Um presente do coração: *estou aqui não porque deveria ou porque me encontro presa, mas porque prefiro estar em sua companhia do que em qualquer outro lugar do mundo.*

A água sussurrava suavemente. Em vez de sombras, luzes intensas faiscavam sobre a vela.

— Vai me descobrir o amigo mais seguro que possui — murmurei.

— Mais seguro?

— Porque prezo a minha própria liberdade e também prezo a sua. Sou muito sensível. Se algum dia eu a tocar, se fizer qualquer coisa que não lhe agrade, basta me sussurrar o mais gentil "Não". Desprezo os intrometidos, os que querem se impor na privacidade alheia. Basta me insinuar que estou me comportando assim e irei embora antes mesmo que termine a insinuação.

Ela virou para o lado, a cabeça no braço, abrindo os olhos.

— Isso não parece um pedido de casamento, Richard.

— E não é.

— Obrigada.

— Costuma receber muitos?

— Uns poucos já são demais. Um casamento foi suficiente. No meu caso, um casamento a mais do que deveria ter. Algumas pessoas ficam melhor quando casadas. Não é o que acontece comigo.

Falei um pouco sobre o casamento que eu encerrara, anos felizes que se tornaram difíceis e desagradáveis. Aprendera exatamente as mesmas lições que ela.

Observei a superfície espelhada do Golfo em busca de ondulações. O mar estava liso como gelo morno.

— É uma pena que não possamos discordar em alguma coisa, Donna.

Continuamos à deriva por outra hora, antes que o vento enfunasse as velas e lançasse o barco para a frente. Quando tornamos a pisar em terra, éramos bons conhecidos, abraçando-nos em despedida, prometendo que voltaríamos a nos encontrar algum dia.

Assim como fora com Donna, também acontecia com qualquer outra mulher em minha vida. Respeito pela soberania, privacidade, independência total. Eram alianças amenas contra a solidão, ligações amorosas frias e racionais, em que o amor não entrava.

Algumas das minhas amigas nunca haviam casado, mas a maioria era divorciada. Umas poucas eram sobreviventes de ligações infelizes, espancadas por homens violentos, apavoradas, tangidas por tensões enormes a depressões intermináveis. Para elas, o amor era um trágica incompreensão; o amor era uma palavra vazia que restava depois que o significado fora destruído pelo cônjuge-como-proprietário, amante-se-convertendo-em-carcereiro.

Se eu procurasse para trás em meu pensamento, poderia encontrar um enigma: o amor entre homem e mulher é uma palavra que não mais funciona. Mas há sentido nisso, Richard?

Eu não teria uma resposta.

Os meses foram passando, enquanto eu perdia o interesse no amor, o que era e o que não era. Perdi a motivação para procurar por minha alma-irmã oculta. Gradativamente, seu lugar foi sendo ocupado por uma idéia diferente, uma idéia tão racional e rematada quanto aquelas em que meus negócios agora se transformaram.

Se a companheira perfeita, pensei, é a que atende a todas as nossas necessidades, em todos os momentos, se uma dessas necessidades é a própria variedade, então *não há nenhuma mulher em qualquer lugar que possa ser a companheira perfeita*!

A única alma-irmã autêntica só pode ser encontrada em muitas pessoas diferentes. Minha mulher perfeita é em parte o brilho e a inteligência desta amiga, em parte a beleza deslumbrante da outra, em parte a aventura despreocupada de uma terceira. Se nenhuma dessas mulheres se acha disponível para o dia, então minha alma-irmã cintila em outros corpos, em outros corpos; ser perfeita não inclui ser indisponível.

— Richard, toda a idéia é bizarra! Nunca dará certo!

Se o eu interior me gritasse isso, como aconteceu, seria prontamente amordaçado. E eu diria:

— Explique por que a idéia está errada, mostre onde não dará certo. E faça isso sem usar as palavras *amor, casamento, compromisso*. Faça isso amarrado e amordaçado, enquanto eu grito mais alto do que você pode sobre a maneira como tenciona controlar minha vida!

O que se pode saber? O projeto da mulher-perfeita-em-muitas-mulheres ganhou a competição facilmente.

Um suprimento infinito de dinheiro. Tantos aviões quantos eu quisesse. A mulher perfeita de minha exclusiva criação. Eis a felicidade!

# onze

NÃO HÁ COMO se enganar. Os eventos que atraímos para nós mesmos, não importa quão desagradáveis, são necessários, a fim de aprendermos o que precisamos saber; quaisquer passos que venhamos a dar são necessários para alcançar os lugares para os quais resolvemos seguir.

— Deitei-me no chão, afundando num espesso tapete cor de cravo. E fiquei pensando a respeito. Os últimos três anos não foram equívocos. Construí ano a ano cuidadosamente, um milhão de decisões em cada, aviões e entrevistas para revistas, barcos, viagens, filmes, reuniões de negócios, conferências, programas de televisão, manuscritos, contas bancárias. Exibições aéreas durante o dia no jato pequeno e novo, conversas e contatos noturnos com muitas mulheres, todas solitárias, mas nenhuma ela.

Eu estava convencido de que ela não existia, o que não evitava que continuasse a me obcecar.

Ela teria tanta certeza de que eu não existia? Meu fantasma perturbava as suas convicções? Havia uma mulher em algum lugar naquele momento deitada num tapete macio, numa casa construída por cima de um hangar, com cinco aviões lá dentro, mais três no gramado e um hidroavião amarrado à beira d'água?

Eu duvidava. Mas podia haver uma mulher só no meio de reportagens e programas de televisão, solitária enquanto cercada por amantes e dinheiro, amigos-que-se-tornavam-empregados contratados, agentes, advogados, gerentes e contadores? Era possível.

Seu tapete podia ser de uma cor diferente, mas o resto... ela podia estar no outro lado do espelho daqui, encontrando o seu homem perfeito em 50 homens, mas ainda assim caminhando sozinha.

Ri de mim mesmo. Como reluta em morrer o mito de um só amor!

Um motor de avião começou a ressoar no gramado lá embaixo. Era Slim, ligando o Twin Cessna. Um supercompressor no lado direito estava vazando. Supercompressores de retroajuste são problemas de retroajuste, pensei, presos no que é um bom motor afora isso.

O Rapide e o planador a motor estão acumulando poeira lá embaixo. Não demora muito tempo e o Rapide precisará de uma reforma total, o que será um trabalho monstruoso, num biplano de cabine daquele tamanho. É melhor vendê-lo. Não o piloto o suficiente. Não piloto qualquer coisa o suficiente. São estranhos para mim, como tudo o mais em minha vida. O que estou tentando aprender? Que depois de algum tempo e em excesso as máquinas começam a nos possuir?

Não, pensei, a lição é a seguinte: receber uma porção de dinheiro é como receber uma espada de vidro, com a lâmina virada. É melhor manusear com todo cuidado, senhor, enquanto especula para que serve.

O outro motor no aparelho também entrou em funcionamento. A verificação em solo devia estar correta e ele resolveu alçar vôo para uma inspeção no ar. Uma explosão de força ventosa, enquanto ele põe a máquina em movimento. Depois, o ronco suave dos motores se desvanecendo, enquanto ele taxiava para a pista.

O que mais eu aprendera? Que não sobrevivera à publicidade tão inalterado quanto pensara. Nunca teria acreditado, antes, que alguém pudesse permanecer curioso sobre o que penso e digo, como pareço, onde vivo, o que faço com meu tempo e dinheiro. Ou que isso me afetaria da maneira como fez, levando-me de volta às cavernas.

Qualquer um que cai diante da câmara ou na página impressa, pensei, não tropeçou por acaso. Consciente ou não, optaram por ser exemplos para o resto da humanidade observar, ofereceram-se como modelos. Este tem maravilhas para uma vida; outro é um destroço ambulante, solto pelo convés. Esta enfrenta a sua adversidade ou seu talento com uma serena sabedoria, aquela esperneia, a outra pula para a morte, e tem também a que ri.

Todos os dias, o mundo submete celebridades a testes e assistimos fascinados, incapazes de desviar os olhos. Incapazes porque os testes que nossos exemplos enfrentam são os mesmos que todos devemos enfrentar. Eles amam, casam, aprendem, desistem e recomeçam, se arruínam; eles nos arrebatam e são arrebatados, à plena vista da câmara e da tinta.

O único teste que eles enfrentam e ao qual os outros estão imunes é o da própria celebridade. E mesmo assim observamos. Algum dia seremos nós sob o refletor e os exemplos são sempre bem acolhidos.

O que aconteceu, pensei, com o piloto de avião dos campos do Meio-Oeste? Terá se transformado tão depressa de um simples aviador num *playboy* sofisticado?

Levantei-me e atravessei a casa vazia até a cozinha, encontrei uma tigela de flocos de milho que já começavam a ficar velhos, voltei à poltrona Eames junto à janela panorâmica, olhei para o lago.

Eu, um *playboy*? Ridículo. Não mudara, por dentro, praticamente não mudara.

Todos os *playboys* dizem isso, Richard?

Um Piper Club da escola de hidroaviões ao lado praticava pouso na água espelhada... a descida longa e lenta, com o motor ligado, o contato com o reluzente Lago Theresa, depois uma curva brusca, taxiar para decolar outra vez.

O refletor indicava como me esconder, onde erguer os muros. Todos possuem placas de ferro e fileiras de espigões em algum lugar no seu interior, indicando que os outros só podem acompanhá-lo até ali.

Para o extrovertido, o reconhecimento é diversão. Não se importam com as câmaras; as câmaras vêm com o território e há algumas pessoas maravilhosas por trás daquelas lentes. Posso ser simpático enquanto eles forem e por dois minutos a mais.

Era essa a altura do meu muro naquele dia na Flórida. A maioria das pessoas que me conhecia de uma conferência aqui, uma capa de revista ali ou uma reportagem mais adiante não podia saber como eu me sentia grato por sua cortesia, por seu respeito à privacidade.

Eu me surpreendia com a correspondência, sentia-me satisfeito pela família de leitores para a qual fazia sentido as idéias estranhas que eu amava. Havia muitas pessoas por lá, homens e mulheres inquisitivos e sábios, de cada raça, idade e nação, com todos os tipos de experiência.

A família era muito maior do que eu imaginara!

Junto com as cartas maravilhosas, apareciam de vez em quando umas poucas estranhas: escreva a minha idéia; obtenha-me publicação; dê-me dinheiro ou queimará no inferno.

Pela família, eu me sentia feliz e aconchegado, enviava cartões-postais em resposta; contra os outros, tinha mais uma tonelada de ferro protegendo o meu muro, com adagas soldadas no alto, o frangalho de um capacho de boas-vindas retirado às pressas.

Eu era uma pessoa mais isolada do que jamais imaginara. Não me conhecia antes ou estava mudando? Mais e mais, preferia ficar sozinho em casa, naquele dia, naquele mês, naqueles anos. Metido na minha casa enorme, com meus nove aviões e decisões antigas que nunca mais tornaria a tomar.

Levantei os olhos do chão para as fotografias na parede. Havia imagens de aviões que importavam para mim. Não havia nenhum ser humano, nem uma única pessoa. O que acontecera comigo? Eu costumava gostar de quem era. Ainda gostava de mim?

Desci a escada para o hangar, fui para o biplano de exibição, subi para a carlinga. Conheci Kathy neste avião, pensei.

Arneses nos ombros, cintos de segurança, bomba de óleo ligada, ignição ligada. Tanta promessa irrealizada e ela me pressiona agora sobre casamento. Como se eu nunca tivesse lhe falado dos males que o casamento acarreta nem lhe demonstrado que sou apenas parte do homem perfeito para ela.

— Larguem a hélice! — gritei por hábito para o lugar vazio, comprimindo o arranque.

Meio minuto depois da decolagem eu estava rolando invertido, subindo 600 metros por minuto, o vento explodindo sobre o meu capacete e óculos de proteção. Adoro. Primeiro um rolamento superlento. O céu está limpo? Tudo pronto? Agora!

A terra verde e plana da Flórida; lagos e pântanos se erguendo imponentemente, imensamente, à direita, tornando-se enormes e largos sobre a minha cabeça, virando para a esquerda.

Nivelar. E depois VAM! VAM! VAM! VAM!, a terra girando em bruscos arrancos, por 16 vezes. Suba para um estol, comprima o leme de direção da esquerda, mergulhe direto, o vento uivando entre as asas atarracadas, empurre o manche para a frente para se recuperar de cabeça para baixo a 260 quilômetros horários. Empurrei a cabeça para trás e levantei os olhos para a terra. O manche subitamente puxado para trás, pressão no leme de direção da direita, o biplano empinou, soltou a asa direita e girou duas vezes, um duplo giro céuverde terraazul; manche para a frente, leme de direção da esquerda e o avião parou o movimento, as asas niveladas, mas invertidas.

A gravidade para me comprimir contra o assento, afunilando minha visão para um buraco mínimo de claridade cercado por cinzento, um mergulho a 30 metros acima da minha área de prática e depois a rotina outra vez, em baixa altitude, no nível de *show* aéreo.

Desanuvia a mente, barba-de-velho subindo vertiginosamente na direção do pára-brisa, um pântano cheio de ciprestes e aligátores rolando 300 graus por segundo em torno do capacete.

O coração permanece solitário.

# doze

NENHUMA PALAVRA fora trocada entre nós por minutos.

Leslie Parrish sentava-se em silêncio no seu lado do tabuleiro de xadrez de nogueira e pinho, enquanto eu estava sentado no meu. Durante nove movimentos, num jogo emocionante, a sala permaneceu em silêncio, salvo pelo arrastar suave de um cavalo ou rainha, saindo ou entrando numa casa, pelo zunido ocasional quando as linhas de força se estendiam pelo tabuleiro.

Os enxadristas exibem sua personalidade no movimento das peças. Leslie Parrish não blefava nem enganava. Ela jogava de olhos abertos, francamente, um xadrez de forças em confronto direto.

Observei-a através dos meus dedos entrelaçados e sorri, muito embora ela tivesse acabado de tomar meu bispo e ameaçasse tomar um cavalo no movimento seguinte, uma peça da maior importância que eu não podia perder.

Eu vira aquele rosto pela primeira vez anos antes, entráramos em contato pelo mais importante dos meios. Por coincidência.

— Vai subir? — gritou ela, correndo pelo saguão para o elevador.

— Vai, sim. — Mantive aberta a porta do elevador até que ela entrasse. — Qual é o seu andar?

— Terceiro, por favor.

Era também o meu. A porta ficou imóvel por um segundo e depois fechou suavemente.

Olhos azuis-cinzas se viraram para mim em agradecimento. Sustentei o olhar por menos de um quarto de segundo, a fim de lhe comunicar que o prazer fora meu em esperar, depois desviei os olhos polidamente. Maldita polidez, pensei. Que rosto adorável! Eu já a vira no cinema? Na televisão? Não me atrevi a perguntar.

Subimos em silêncio. Ela batia no meu ombro, cabelos dourados turbilhonando sob um gorro escuro. Não estava vestida como uma estrela de cinema: blusa desbotada sob uma japona excedente da Marinha, *jeans*, botas de couro. Que rosto lindo!

Ela está aqui em locação para o filme, pensei. Será uma técnica da equipe?

Seria um enorme prazer conhecê-la. Mas ela é tão distante... Não é interessante, Richard, como ela está infinitamente distante? Estão separados por menos de um metro, mas não há meio de transpor o abismo e dizer olá.

Se ao menos pudéssemos inventar um meio, pensei, se ao menos este fosse um mundo em que pessoas desconhecidas pudessem dizer você me atrai e gostaria de saber quem é. Com um código, "Não, obrigado", se a atração não for mútua.

Mas esse mundo ainda não fora inventado. A viagem de meio minuto terminou sem qualquer palavra. A porta se abriu suavemente.

— Obrigada — murmurou ela.

Quase correndo, ela se afastou apressadamente pelo corredor rumo a seu quarto, abriu a porta, entrou e fechou-a. Fiquei sozinho no corredor.

Eu gostaria que você não precisasse deixar-me, pensei, entrando em meu quarto, a duas portas do dela. Gostaria que não precisasse fugir.

Deslocando o meu cavalo, pude alterar as pressões no tabuleiro, neutralizando o seu ataque. Ela possuía uma vantagem, mas ainda não vencera.

Mas é claro!, pensei. C-5CD! Ameace CxP, CxT!

Desloquei a peça e voltei a observar seus olhos, encontrando prazer na beleza estranhamente imune a meu contra-ataque.

Um ano depois do encontro no elevador, processei o diretor daquele filme por causa das mudanças que fizera no roteiro sem a minha aprovação. O tribunal obrigou-o a retirar meu nome dos créditos e a reverter algumas das piores mudanças, mas tive de fazer um esforço para não quebrar todos os móveis em fúria quando discuti o assunto diretamente com ele. Era necessário encontrar um mediador com quem ambos pudéssemos falar.

A pessoa escolhida foi a atriz Leslie Parrish, a mulher que partilhara comigo a viagem de elevador do saguão ao terceiro andar.

A raiva se desvaneceu, ao falar com ela. Leslie Parrish se mostrou calma e objetiva — confiei nela imediatamente.

Hollywood queria agora converter o último livro em filme. Jurei que veria a história queimada antes de permitir que fosse estragada na tela. Se o filme tinha de ser feito, não seria melhor que fosse produzido por minha própria companhia? Leslie era a única pessoa de Hollywood em quem eu confiava. Voei para Los Angeles a fim de conversar com ela mais uma vez.

Havia um tabuleiro de xadrez numa mesinha em seu escritório. Os tabuleiros de xadrez em escritórios são quase sempre um capricho do decorador, fantasias com as rainhas parecendo bispos e os bispos parecendo peões, as peças espalhadas ao acaso, sempre nos lugares errados. Aquele jogo era um Staunton de madeira para torneio, o rei com nove centímetros de altura, num tabuleiro de 35 centímetros, o quadrado branco do canto virado para a direita do jogador, os cavalos virados para a frente.

— Tem tempo para uma partida rápida? — eu perguntara.

Eu não era o melhor enxadrista do mundo, mas também não era o pior. Jogava xadrez desde os sete anos de idade e tinha uma certa confiança arrogante no tabuleiro.

Ela olhara para o relógio e respondera:

— Tenho, sim.

O fato de ela ganhar a partida deixara-me frio. A maneira como ganhara, o padrão de seu pensamento no xadrez, encantara-me e tornara a me aquecer.

No encontro seguinte, jogamos uma melhor de três.

E no mês seguinte formamos uma empresa. Ela se pôs a trabalhar, a fim de encontrar um meio de produzir o filme com a menor probabilidade de desastre, e jogamos uma melhor de onze.

Depois disso, não houve mais necessidade de reuniões. Eu embarcava em meu avião mais novo, oito toneladas de um antigo jato de treinamento da Força Aérea, subia a 14 mil metros de altitude e voava da Flórida para Los Angeles, passando um dia a jogar xadrez com Leslie.

Nossas partidas tornaram-se menos oficiais, permitindo-se palavras, bolo e leite à mesa.

— Richard, sua besta — disse ela, franzindo o rosto sobre as peças.

— Tem razão — declarei, presunçoso. — Sou uma besta esperta...

— Mas... xeque com o cavalo, xeque com o bispo e *lá se vai sua rainha*! Não é um lance sensacional?

O sangue se esvaiu do meu rosto. O *xeque* eu esperava. *Lá se vai sua rainha* era uma surpresa.

— É, sim — respondi, anos de treinamento de emergência me forçando a parecer despreocupado. — Por Deus... Hum... Há um lance para me cercar, muito bonito. Mas eu escaparei como uma sombra. Isso mesmo, a besta escapará como uma sombra...

A besta conseguia às vezes se desvencilhar, mas em outras era levada ao curral e recebia o xeque-mate, somente para renascer meio bolinho depois, tentando mais uma vez encurralá-la.

Que estranha alquimia entre nós! Eu presumia que ela dispunha de uma variedade de homens para seus romances, como eu tinha mulheres para os meus. Presumir era suficiente; nenhum dos dois bisbilhotava, cada um se mostrava infinitamente respeitoso da privacidade do outro. E uma noite, no meio de uma partida de xadrez, ela disse:

— Vai passar um filme esta noite que preciso assistir. O diretor pode nos ser útil. Quer ir também?

— Adoraria — murmurei, distraidamente, concentrado na defesa contra o seu ataque lateral ao rei.

Eu nunca estivera no interior do cinema da Academia de Artes e Ciências Cinematográficas; sentia-me fascinado ao passar pelo prédio. Mas lá estava eu agora, assistindo a um filme novo, junto com um bando de pessoas famosas do cinema. Que coisa estranha, pensei. Minha vida simples de aviador se associa de repente ao círculo interior de Hollywood através de um livro e uma amiga que me derrota com mais freqüência do que eu gostaria no meu jogo predileto.

Depois do filme, quando seguíamos para o leste, pelo Santa Monica Boulevard, através do crepúsculo, fui invadido por súbita inspiração:

— Leslie, você gostaria...

O silêncio era tão palpitante que ela disse:

— Gostaria o quê?

— Leslie, você gostaria de tomar um *sundae* de chocolate?

Ela se encolheu toda.

— *Um o quê?*

— *Sundae*... de... chocolate. E uma partida de xadrez?

— Mas que pensamento depravado! Estou falando do *sundae*, é claro. Ainda não percebeu que vivo de sementes, vegetais crus e iogurte, só raramente como um bolinho do xadrez?

— Notei, sim. E é justamente por isso que está precisando de um *sundae* de chocolate. Quanto tempo já passou? Seja sincera. Se foi na semana passada, tem de dizer na semana passada.

— Semana passada? No *ano* passado! Pareço alguém que tem tomado *sundaes*? Olhe bem para mim!

Foi o que fiz. Pela primeira vez. Recostei-me e pisquei os olhos aturdido, ao descobrir o que o macho mais obtuso perceberia imediatamente: que ali estava uma mulher extraordinariamente atraente, que o pensamento que construíra um rosto tão adorável também projetara um corpo equivalente.

Ela fora uma fada sem corpo nos meses em que eu a conhecera, uma mente que era um desafio dançante, um livro de referências de produção cinematográfica, música clássica, política, balé.

— E então? Diria que venho vivendo de *sundaes*?

— Lindo! Isto é, não! Isto é, definitivamente NÃO um corpo de chocolate! Isso se pode dizer com certeza...

Eu estava corando. Que coisa estúpida, pensei, para um homem crescido... Richard, mude de assunto depressa!

— Um pequeno *sundae* não faria mal algum, seria a felicidade — acrescentei rapidamente. — Se puder fazer a volta ali, através do tráfego, podemos nos deliciar imediatamente com dois *sundaes* de chocolate... pequenos...

Ela me fitou, ofereceu um sorriso para assegurar que nossa amizade estava a salvo; sabia que eu notara seu corpo pela primeira vez e não se importava. Mas, pensei, seus amigos-homens se importariam, o que poderia acarretar problemas.

Sem discussão, sem uma só palavra para ela, apaguei do pensamento a idéia de seu corpo. Para o romance, eu tinha a minha mulher perfeita; para amiga e associada nos negócios, eu precisava manter Leslie Parrish exatamente como era.

# treze

— NÃO É O FIM do mundo — disse Stan, suavemente, antes mesmo de eu me instalar na cadeira no outro lado de sua mesa. — É o que podemos chamar de um pequeno contratempo. A Bolsa de Mercadorias da Costa Oeste ruiu ontem. Pediu a falência. Você perdeu algum dinheiro.

Meu gerente financeiro sempre atenuava a gravidade de tudo e foi por isso que cerrei os maxilares ao ouvir suas palavras.

— Quanto é esse algum que perdemos, Stan?

— Em torno de 600 mil dólares... talvez 590 mil...

— Irrecuperáveis?

— Talvez algum dia consiga recuperar uns poucos *cents* por dólar. Mas eu consideraria o dinheiro perdido.

Engoli em seco.

— Ainda bem que diversificamos. Como estão as coisas na Bolsa de Mercadorias de Chicago?

— Também teve alguns contratempos por lá. Mas temporários, tenho certeza. Você está sofrendo a mais longa sucessão de perdas que já levantei. Não pode continuar assim para sempre. Mas, por enquanto, a situação não é a melhor possível. Você está reduzido em cerca de 800 mil dólares.

Ele estava falando sobre mais dinheiro do que eu possuía! Como podia perder mais dinheiro do que tinha? Mas devia estar se referindo a uma perda no papel. As pessoas não podem perder mais dinheiro do que possuem.

Se eu pudesse aprender alguma coisa sobre dinheiro, talvez devesse prestar mais atenção aos negócios. Mas teria de estudar por meses e lidar com dinheiro não é a mesma coisa que voar, mas sim algo insípido e sufocante; é difícil até mesmo entender os gráficos.

— Não é tão ruim quanto parece, Richard. Um prejuízo de um milhão de dólares reduzirá seu imposto a zero. Como perdeu mais do que isso, não terá de pagar nada de imposto de renda este ano. Mas se eu tivesse uma opção, preferia não ter perdido.

Não senti raiva, não senti desespero. Era como se tivesse tropeçado numa situação cômica, como se virando bastante depressa na cadeira pudesse descobrir câmaras de televisão e uma audiência de estúdio, ao invés da parede do escritório de Stan.

Escritor desconhecido ganha milhões, perde tudo da noite para o dia. Não é um clichê antigo? É essa realmente a minha vida? Eu especulava enquanto Stan explicava os desastres.

Pessoas com receita de um milhão de dólares sempre foram as outras. Mas eu sempre fui eu. Sou um piloto de avião, alguém que perambula de cidade em cidade, vendendo passeios aéreos nos campos de feno. Sou um escritor tão raramente quanto possível, quando forçado por uma idéia deslumbrante demais para que se deixe morrer sem escrevê-la... o que alguém como eu pode fazer com uma conta bancária de mais de cem dólares, que é tudo o que precisa em qualquer momento determinado?

— É melhor eu contar logo de uma vez, já que está aqui — continuou Stan, imperturbável. — O investimento que você fez por intermédio de Tamara, aquele empréstimo externo, de juros altos, avalizado pelo governo... está lembrado? Pois o cliente dela desapareceu com o dinheiro. Foram apenas 50 mil dólares, mas você deve saber.

Eu não podia acreditar.

— Mas ele é amigo de Tamara, Stan! Ela confiou nele! E o homem desapareceu?

— Não deixou o novo endereço, como costumam dizer. — Stan me observou atentamente. — Você confia em Tamara?

Oh, não! Por favor, não esse clichê! Mulher bonita arranca 50 mil de tolo rico?

— Stan, está querendo insinuar que Tamara teve alguma coisa a ver...

— É possível. Tenho a impressão de que é a letra dela no verso do cheque. Nome diferente, mas a mesma letra.

— Você não pode estar falando sério.

Ele abriu uma gaveta de arquivo, tirou um envelope e me entregou. Era um cheque cancelado. Estava endossado para *Seakay Limited*, por *Wendy Smythe*. Letras maiúsculas altas e imponentes, os ipsilones descaindo graciosamente. Se eu visse num envelope, teria jurado que era um bilhete de Tamara.

— Pode ser a letra de qualquer um — murmurei, devolvendo por cima da mesa.

Stan não fez qualquer comentário. Estava convencido de que ela ficara com o dinheiro. Mas Tamara era meu departamento; não haveria investigação, a menos que eu solicitasse. E eu nunca o faria, nunca diria qualquer palavra a respeito para ela. E nunca mais tornaria a confiar nela.

— Ainda lhe resta algum dinheiro, Richard. E é claro que há a receita nova, entrando a cada mês. Pode aplicar em moeda estrangeira. Tenho o pressentimento de que o dólar pode cair em relação ao marco alemão a qualquer momento. Assim, você pode recuperar seus prejuízos, da noite para o dia.

— Está além da minha compreensão, Stan. Faça o que achar melhor.

Por todas as luzes de advertência piscando e as campainhas de perigo ressoando, meu império podia ser uma usina nuclear com três minutos para a explosão total.

Levantei-me finalmente, peguei o blusão de vôo no braço da poltrona e disse.

— Algum dia lembraremos este momento como o nosso ponto mais baixo. Daqui por diante, as coisas só podem melhorar, não é mesmo?

Como se não tivesse ouvido, Stan declarou:

— Há mais uma coisa que estou querendo lhe dizer. Não é fácil. Sabe o que se diz: "O poder corrompe e o poder absoluto corrompe absolutamente." Pois é verdade. E acho que isso pode se aplicar a mim também.

Não entendi o que ele estava querendo dizer e fiquei com medo de perguntar. Seu rosto se mantinha impassível. Stan... corrompido? Não era possível. Eu o acompanhara por anos, não podia duvidar de sua honestidade. "Isso pode se aplicar a mim também" só podia significar que uma conta de despesa, em alguma ocasião, fora cobrada com algum exagero, por equívoco. E corrigida, é claro. Mas o sentimento de culpa persistia mesmo assim e ele sentira-se na obrigação de me contar. E, obviamente, se estava me falando agora, não haveria mais tais equívocos.

— Não há problema, Stan. O que importa é para onde vamos a partir deste momento.

— Certo.

Afastei o incidente dos meus pensamentos. O dinheiro que restava seria manipulado por Stan e pelas pessoas que ele conhecia e confiava, as pessoas a que pagávamos bem por seus serviços. Pessoas assim deixariam na mão todas essas complicadas coisas de dinheiro? Claro que não, especialmente agora com tanta coisa saindo errada. Os contratempos acontecem com todo mundo, mas os administradores do meu dinheiro são pessoas de mente ágil, encontrarão muitas soluções e bem depressa.

# quatorze

— JATO UM-CINCO-CINCO-Xis está saindo do nível de vôo três-cinco-zero para dois-sete-zero, solicitamos um nível inferior — falei, comprimindo o botão do microfone.

Olhei pela máscara de oxigênio por 11 quilômetros para o deserto ao sul da Califórnia, à tarde, contemplando depois o céu azul por baixo com um rolamento longo e lento.

Tecnicamente, eu voava para oeste a fim de fazer uma conferência durante o dia inteiro numa universidade de Los Angeles. Sentia-me contente, porém, por chegar com uns poucos dias de antecedência.

— *Roger*, Cinco-Cinco-Xis — respondeu o controle de vôo de Los Angeles. — Está autorizado a dois-cinco-zero, altitude inferior em breve.

Descer a 650 quilômetros horários não era bastante depressa. Eu queria levar logo o aparelho para o solo e encontrar Leslie mais depressa do que qualquer avião podia voar.

— Cinco-Cinco-Xis, está autorizado para um seis mil.

Acusei o recebimento, baixei ainda mais o nariz do avião, ainda mais depressa. A agulha do altímetro deu um salto brusco para baixo.

— Jato Cinco-Cinco-Xis passa por nível de vôo um-oito-zero, cancelando Item Fox — falei ao microfone.

— *Roger*, Cinco-Xis, está cancelado em zero-cinco. Comunique-se em VFR e bom dia.

As linhas da máscara de oxigênio permaneciam marcadas em meu rosto quando bati na porta de sua casa, à beira de Beverly Hills. Uma orquestra sinfônica trovejava no sistema de som lá dentro; a pesada porta tremia. Toquei a campanhia e a música silenciou. E lá estava ela, olhos de mar e sol, uma saudação exuberante. Não houve contato, nem mesmo um aperto de mão, mas nenhum dos dois julgou isso estranho.

— Tenho uma surpresa para você — disse ela, sorrindo para si mesma ao pensar a respeito.

— Leslie, detesto surpresas. Desculpe nunca ter-lhe falado antes, mas detesto total e completamente as surpresas, odeio os presentes. Qualquer coisa que esteja querendo, eu mesmo compro. Se não tenho, então não quero. Assim, por definição, quando me entrega um presente está me dando uma coisa que não quero. Não se incomoda se eu devolver, não é mesmo?

Ela se encaminhou para a cozinha, os cabelos faiscando luzes pelos ombros, pelas costas. Sua velha gata adiantou-se para interceptá-la, convencida de que estava na hora do jantar.

— Ainda não — disse-lhe Leslie. — Ainda não é a hora do jantar da fofinha.

Virando a cabeça para trás, Leslie acrescentou para mim, com um sorriso que indicava que eu não magoara seus sentimentos:

— Estou surpresa que não tenha comprado um para você. Certamente deveria ter um. Mas se não quiser, pode jogar fora. Aqui está.

O presente não estava embrulhado. Era uma tigela grande e simples, de uma loja ordinária de produtos vulgares e baratos, com o desenho de um porco por dentro.

— Leslie! Se eu tivesse visto isto, é claro que teria comprado! É sensacional! O que é esta linda... coisa?

— Eu tinha certeza de que você gostaria. É uma tigela-de-porco. E aqui está... uma colher-de-porco!

E lá estava uma colher em minha mão, uma colher de aço ordinária, com a figura de algum porco anônimo estampada no cabo.

— E se você olhar na geladeira...

Abri a porta e lá estava uma lata enorme de sorvete, assim como um recipiente rotulado CALDA PARA ESQUENTAR, as duas coisas com uma fita vermelha e um laço. Uma neblina fria se elevava gentilmente da lata congelada e depois baixava para o chão, silenciosamente, em câmara lenta.

— Leslie!

— Pois não, Porco?

— Você... eu... acha que podíamos...

Ela riu, tanto de si mesma pelo louco capricho do que fizera, como pelos sons que minha mente emitia, enquanto suas engrenagens derrapavam no gelo.

Não era o presente que confundia as minhas palavras e sim a imprevisibilidade de Leslie, que só comia sementes e saladas frugais, em encomendar coisas doces extravagantes e armazená-las em sua geladeira, só para me ver desnorteado.

Fiz o maior esforço para arrancar a coisa do refrigerador e levar para a pia. Tirei a tampa. A lata estava cheia até a beira. Sorvete de creme com pedaços de chocolate.

— Espero que tenha comprado também a sua própria colher — comentei severamente, enfiando a minha no sorvete. — Cometeu um ato inconcebível, mas agora está feito e não há nada que possamos fazer além de nos livrarmos da prova. Vamos, coma.

Ela pegou uma miniatura de colher numa gaveta da cozinha.

— Não vai querer a calda de chocolate? Não gosta mais de calda?

— Sou louco por isso. Mas, depois de hoje, nem você nem eu vamos querer ver outra vez as palavras "calda de chocolate" enquanto vivermos.

Ninguém faz nada ao contrário do que é, pensei, enquanto punha colheres da calda numa panela para esquentar. Seria possível que ela fosse tipicamente imprevisível? Como eu fora tolo ao começar a pensar que a conhecia! Virei-me e descobri que ela me fitava, a colher na mão, sorrindo. E me perguntou:

— Você pode mesmo andar sobre a água? Como fez no livro com Donald Shimoda?

— Claro. E você também pode. Ainda não o fiz neste espaçotempo. Nesta minha convicção atual de espaçotempo. A coisa é complicada. Mas estou trabalhando para isso.

Remexi a calda, presa na colher numa massa de 250 gramas.

— Já esteve alguma vez fora do seu corpo?

Ela não se mostrou surpresa com a pergunta nem me pediu para explicar.

— Duas vezes. Uma no México, outra no Vale da Morte, no alto de uma colina, à noite, sob as estrelas. Recostei-me para contemplar e fui projetada para as estrelas...

Havia lágrimas repentinas em seus olhos. Falei suavemente:

— Quando estava nas estrelas, lembra-se como foi fácil, natural, simples, certo, como voltar para casa, estar livre de seu corpo?

— Lembro.

— Andar sobre a água é a mesma coisa. É um poder que nos pertence... um subproduto de um poder que é nosso. Fácil, natural. Temos de estudar muito e lembrar para não usar esse poder, caso contrário as limitações da vida na Terra se tornarão alteradas, não haverá mais qualquer confiança, seremos distraídos de nossas lições. O problema é que nos tornamos tão eficazes em nos dizer para não usar nossos poderes reais que, depois de algum tempo, pensamos que não podemos usá-los. Com Shimoda, lá fora, não se formulava questões. E quando ele não estava mais presente, parei de praticar. Acho que o gosto não dura muito.

— Como calda de chocolate.

Virei a cabeça bruscamente para fitá-la. Ela estava escarnecendo de mim?

O chocolate começava a borbulhar na panela.

— Não. Calda de chocolate vai muito além de recordar as realidades espirituais básicas. Calda de chocolate está AQUI! Calda de chocolate não ameaça a nossa confortável perspectiva do mundo. Calda de chocolate é AGORA! Está pronta para um pouco de calda de chocolate?

— Só um pouquinho de nada.

Quando a sobremesa acabou já estávamos atrasados e tivemos de entrar numa fila de dois quarteirões para comprar as entradas do cinema. O vento soprava do mar, esfriando a noite. Não querendo que ela sentisse um calafrio, passei o braço em torno de seus ombros.

— Obrigada — disse ela. — Não pensei que ficaríamos na rua tanto tempo. Está com frio?

— Não, não estou absolutamente com frio.

Conversamos sobre o filme que estávamos esperando para assistir. Ou melhor, ela falou durante a maior parte do tempo, enquanto eu escutava; o que observar, como notar como o dinheiro é desperdiçado num filme, onde é poupado. Ela detestava desperdiçar dinheiro. Ainda na fila, começamos a falar também de outras coisas.

— Como é ser uma atriz, Leslie? Eu nunca soube, mas sempre especulei.

— Ah, a grande estrela do cinema! — disse ela, rindo de si mesma. — Está mesmo interessado?

— Claro. É um mistério para mim... que tipo de vida se leva.

— Depende. Às vezes é maravilhoso, quando se tem um bom roteiro, boas pessoas que querem realmente fazer um filme meritório. Isso é raro. O resto é apenas trabalho. A maior parte não chega a ser grande coisa como contribuição à raça humana, infelizmente. — Ela me fitou com uma expressão inquisitiva. — Mas você não sabe como é? Nunca esteve num cenário?

— Somente em locações externas. Nunca num estúdio.

— Não gostaria de aparecer para ver, na próxima vez em que eu estiver filmando?

— Mas claro que sim! Obrigado!

Há muito o que saber dela, pensei. O que aprendeu com a celebridade... mudou-a, magoou-a, levou-a a erguer também os seus muros? Havia em Leslie uma certa percepção confiante e positiva da vida que era magnética, deliciosamente atraente. Ela se elevou ao cume das montanhas que eu só avistei a distância, viu luzes e conhece segredos que nunca encontrei.

— Mas não me respondeu, Leslie. Além de fazer filmes... como é a vida, qual a sensação de ser uma grande estrela do cinema?

Ela fitou-me, cautelosa por um momento, depois confiante.

— É emocionante, a princípio. Você pensa inicialmente que é diferente, que tem algo especial a oferecer. Isso até que pode ser verdade. Depois se lembra que é a mesma pessoa que sempre foi. A única coisa que muda é que de repente a sua fotografia aparece por toda parte, escrevem-se colunas sobre quem você é e o que disse, para onde vai, as pessoas param na rua para olhar. E você é uma celebridade. Mais acuradamente, é uma curiosidade. E diz a si mesma: *Não mereço toda essa atenção!* — Ela pensou por um momento, antes de acrescentar: — Não é você que importa para as pessoas quando a transformam numa celebridade. É algo mais... o que *representa para elas.*

Há uma ondulação emotiva quando uma conversa se torna valiosa para nós, a sensação de novas forças crescendo depressa. Preste toda atenção, Richard, ela está certa!

— Outras pessoas pensam que sabem o que é: charme, sexo, dinheiro, poder, amor. Pode ser o sonho de um agente de relações públicas que nada tem a ver com você, talvez seja algo que nem mesmo lhe agrade, mas é isso o que pensam que você é. As pessoas correm para você de todos os lados. Estão convencidas de que obterão essas coisas se tocarem em você. É assustador e por isso você ergue muros ao seu redor, largos muros de vidro, enquanto tenta pensar, enquanto tenta recuperar o fôlego. Sabe quem é por dentro, mas as pessoas do lado de fora vêem algo diferente. Pode optar entre assumir a imagem e renunciar a quem é ou continuar a ser você e sentir-se falsa quando representa a imagem. — Leslie fez uma pausa, antes de arrematar: — Ou pode-se largar tudo. Eu pensei: se ser estrela de cinema é tão maravilhoso, por que há tantas pessoas bêbadas e viciadas em tóxicos, tantos divórcios e suicídios, no mundo das celebridades? — Ela olhou para mim, indefesa, desprotegida. — Concluí que não valia a pena. E larguei quase tudo.

Senti vontade de agarrá-la, abraçá-la impetuosamente, por ser tão franca comigo.

— Você é o Escritor Famoso, Richard. Também se sente assim... isso faz algum sentido para você?

— E muito sentido. Tem uma porção de coisas sobre isso que preciso conhecer. Fizeram a mesma coisa com você nos jornais... publicaram coisas que nunca disse?

Ela riu.

— Não apenas coisas que nunca disse, mas também que nunca pensei, nunca acreditei, nunca pensaria em fazer. Uma história publicada a meu respeito, com citações, aparentemente textuais, mas completamente inventada. Ficção. Nunca vi o repórter... nem mesmo recebi um telefonema... e subitamente me descubro no jornal! A gente chega a rezar para que os leitores não acreditem no que encontram em alguns desses jornais.

— Sou novo nisso, mas tenho uma teoria.

— Qual é a teoria?

Falei das celebridades como sendo um exemplo que as demais pessoas observam, enquanto o mundo as submete a testes. Não parecia tão lúcido como o que ela dissera.

Leslie inclinou a cabeça para mim e sorriu. Quando o sol se punha, seus olhos mudavam de cor, para mar-e-luar.

— É uma boa teoria... essas dos exemplos. Mas todo mundo constitui um exemplo, não é mesmo? Todos não são uma imagem do que pensam de todas as decisões que tomaram até agora?

— Tem razão. Mas acontece que não conheço todo mundo. Não

importam para mim, a menos que conheça pessoalmente, leia a respeito ou veja em alguma tela. Não faz muito tempo, a televisão apresentou a história de um cientista que pesquisava por que um violino soa da maneira como o faz. E pensei: para que o mundo precisa disso? Com milhões de pessoas passando fome, quem precisa de pesquisa sobre o violino? Mas depois concluí que não era bem assim. O mundo precisa de modelos, pessoas levando vidas interessantes, aprendendo coisas, mudando a música do nosso tempo. O que as pessoas fazem com suas vidas que não estão assoladas pela pobreza, crime, guerra? Precisamos conhecer pessoas que tenham feito opções que nós também podemos fazer, convertendo-nos em seres humanos. Se não for assim, podemos ter toda a comida do mundo... e daí? Modelos! Nós os amamos! Não concorda?

— Acho que sim. Mas não me agrada a palavra modelo.

— Por que não? — Compreendi a resposta no mesmo instante. — Você foi modelo?

— Em Nova York — respondeu Leslie, como se fosse um segredo vergonhoso.

— E o que há de errado com isso? Uma modelo é um exemplo público de beleza especial!

— É justamente isso que está errado. Torna-se muito difícil corresponder. E assusta a grande estrela do cinema.

— Por quê? De que ela tem medo?

— Ela teve de ser uma atriz porque o estúdio julgou-a tão bonita. Mas desde então sente medo de que o mundo venha a descobrir que não é tão bonita assim e nunca foi. Ser uma modelo já era bastante terrível. E fica ainda pior para ela quando a chamam de um exemplo público de beleza.

— Mas você é mesmo linda, Leslie! — Eu corei. — Isto é... não pode haver a menor dúvida de que você é... que você é... extremamente atraente...

— Obrigada, mas não importa o que você diga. Ela acha que a beleza é uma imagem que alguém mais lhe criou. E é uma prisioneira da imagem. Mesmo quando vai à mercearia da esquina, tem de estar toda arrumada, por assim dizer. Se não estiver, alguém por certo a reconhecerá e comentará com os amigos: "Deviam vê-la pessoalmente! Ela não é nem a metade tão bonita como se supõe!" Ela desapontou-os. — Leslie tornou a sorrir, um sorriso triste, antes de acrescentar: — Cada atriz de Hollywood, cada mulher bonita que conheço, está fingindo que é bonita e receia que o mundo descubra a verdade a seu respeito, mais cedo ou mais tarde. Eu também.

Sacudi a cabeça.

— Uma loucura. Todas vocês são loucas.

— O mundo é louco, quando se trata de beleza.

— Eu acho que você é bonita.

— E eu acho que você é louco.

Ambos rimos, mas ela não estava brincando. Perguntei:

— É verdade que as mulheres bonitas levam vidas trágicas?

Era o que eu concluíra da minha Mulher Perfeita, com seus muitos corpos. Talvez não inteiramente trágicas, mas difíceis. Que não se podia invejar. Penosas. Leslie pensou a respeito por um momento. E respondeu:

— Se pensam que sua beleza é representada por elas próprias, nesse caso estão pedindo por uma vida vazia. Quando tudo depende da aparência, a mulher se perde a contemplar espelhos e nunca descobre a si mesma.

— Você parece ter descoberto a si mesma.

— O que quer que eu tenha descoberto, não foi por ser bonita.

— Conte-me.

Ela o fez e fiquei ouvindo, surpreso a princípio e depois espantado. A Leslie que ela encontrara não estava no cinema, mas no movimento pacifista, no centro de oradores que ela formara e dirigia. A verdadeira Leslie Parrish fazia discursos, lutava em campanhas políticas, protestava contra um governo americano propenso à guerra do Vietnam.

Enquanto eu pilotava caças da Força Aérea, ela coordenava manifestações pela paz na Costa do Pacífico.

Por se atrever a se opor à instituição da guerra, ela fora atacada com gás lacrimogêneo pelas chamadas forças da lei, ameaçada por quadrilhas de extrema direita. Mas continuou assim mesmo, organizando manifestações cada vez maiores, promovendo gigantescas campanhas de levantamento de fundos.

Ajudara a eleger congressistas, senadores e o novo prefeito de Los Angeles. Fora delegada em convenções presidenciais.

Co-fundadora da KVST-TV, uma emissora de televisão de Los Angeles dirigida às minorias oprimidas da cidade, ela assumira a presidência quando a empresa se encontrava em crise, mergulhada em dívidas e não restando um só dia de paciência entre os credores. Vez por outra pagara contas da emissora com dinheiro do seu trabalho no cinema. A estação sobrevivera, estava prosperando. Pessoas assistiam, escreviam-se críticas divulgadas em todo o país sobre a nobre experiência. Com o sucesso, veio a luta pelo poder. Ela foi chamada de rica racista; e foi expulsa pelos oprimidos. A KVST saiu do ar no dia em que ela a deixou e nunca mais voltou. Até hoje, Leslie me contou, ela não pôde ver a tela em branco do Canal 68 sem sentir uma pontada de angústia.

A grande estrela do cinema pagou o caminho para Leslie Parrish. Devota justiceira e reformadora do mundo, Leslie entrava sozinha em reuniões políticas, tarde da noite, em lugares da cidade que eu não tinha coragem de sobrevoar ao meio-dia. Participou de piquetes pelos trabalhadores rurais, marchou para eles, levantou dinheiro para eles. E lançou-se, uma manifestante não-violenta, em algumas das mais violentas batalhas da América moderna.

Contudo, recusava-se a aceitar cenas de nudismo no cinema.

— Eu não me sentaria nua com os amigos na minha sala de estar numa tarde de domingo. Por que deveria então ficar nua com um bando de estranhos num estúdio de cinema? Para mim, fazer algo tão antinatural por dinheiro seria prostituição.

Quando todos os papéis nos filmes tinham cenas de nudismo, ela renunciou à carreira no cinema, passando para a televisão.

Eu a escutava como se a corça inocente que tocara numa campina tivesse se transformado nas tempestades de fogo do inferno.

— Houve uma marcha de paz em Torrance — contou ela. — O planejamento estava pronto, tínhamos a devida autorização. Poucos dias antes, fomos avisados de que os fanáticos de extrema direita tencionavam atirar em um dos nossos líderes se nos atrevêssemos a marchar lá. Era tarde demais para cancelar...

— Não é tarde demais para cancelar! — protestei. — Não faça isso!

— Muitas pessoas já estavam chegando, o prazo era muito curto para o aviso. Não seria possível entrar em contato com todos no último momento. E se aparecessem somente uns poucos, contra os fanáticos, seria um crime, não é mesmo? Convocamos então os jornais e as redes de televisão e dissemos: Venham ver nossa matança em Torrance! E marchamos, de braços dados com o homem que eles disseram que matariam. Nós o cercamos e marchamos. Eles teriam de matar a todos para alcançá-lo.

— Você... eles atiraram?

— Não. Acho que matar-nos diante das câmaras não fazia parte dos planos deles. — Leslie suspirou, recordando. — Foram dias terríveis, não é mesmo?

Eu não podia pensar em algo para dizer. Naquele momento, na fila do cinema, eu passava o braço pelos ombros de uma pessoa rara em minha vida: um ser humano a quem admirava totalmente.

Eu, o apartado, estava impressionado com o contraste entre nós. Se outros desejavam lutar e morrer em guerras ou manifestações contra a guerra, eu concluíra, a liberdade era deles. O único mundo que importa para mim é o mundo do indivíduo, o mundo que cada um cria para ser o seu. Eu tentaria mudar a história, ao invés de me tornar uma criatura política, ao invés de tentar convencer outros a escrever cartas, votar, marchar ou fazer qualquer coisa que já não sentissem vontade.

Ela é tão diferente de mim... por que então esse respeito cheio de admiração que eu sentia?

— Você está pensando em alguma coisa importante — comentou Leslie, franzindo o rosto.

— Tem razão. Você está absolutamente certa. — Eu a conhecia tão bem naquele momento e gostava tanto dela que lhe contei o que era. — Estava pensando que é a própria diferença entre nós que faz de você a minha melhor amiga.

— Como assim?

— Temos um pouco em comum... xadrez, calda de chocolate, queremos fazer o filme... mas somos tão diferentes em todas as outras coisas que você não me ameaça como as demais mulheres. Com elas, às vezes, em suas mentes, existe a esperança de casamento. Um casamento foi suficiente para mim. Nunca mais.

A fila avançava lentamente. Estaríamos dentro do cinema em menos de 20 minutos.

— O mesmo acontece comigo — comentou ela, rindo. — Não tenho a menor intenção de ameaçá-lo, mas isso é outra coisa que temos em comum. Eu me divorciei há muito tempo. Praticamente não saía com homens antes do casamento. Assim, depois do divórcio, passei a sair em todos os programas possíveis. Mas não concorda que é impossível vir a conhecer alguém desse jeito?

Podemos passar a nos conhecer um pouco, pensei; mas é melhor ouvir o que ela pensa.

— Já saí com alguns dos homens mais inteligentes, mais charmosos e mais ricos do mundo. Mas eles não me fizeram feliz. A maioria pára diante de sua porta num carro maior do que a sua casa, usando as roupas certas. Levam a gente para o restaurante certo, onde se encontram todas as pessoas certas. Tiram nossa fotografia, tudo parece charmoso, divertido e certo. Mas eu não podia deixar de pensar: preferia ir a um bom restaurante do que ao certo, usar roupas que me agradem do que os modelos que os grandes costureiros consideram elegantes para aquele ano. Acima de tudo, eu preferia uma conversa sossegada ou um passeio por um bosque. Acho que tinha valores diferentes.

"Temos de viver com uma moeda que seja importante para nós, caso contrário todo o sucesso do mundo não será agradável, não trará a felicidade. Se alguém prometesse que lhe pagaria um milhão de bulufas para atravessar a rua e bulufas nada representassem para você, mesmo assim atravessaria a rua? E daí que lhe prometessem cem milhões de bulufas? Eu me sentia assim em relação à maioria das coisas altamente prezadas em Hollywood... como se estivesse lidando com bulufas. Tinha todas as coisas certas, mas ainda assim me sentia vazia, não conseguia apreciar. Quanto vale isso?, eu me perguntava. E durante todo o tempo eu tinha medo que, se continuasse a sair assim, mais cedo ou mais tarde acertaria a sorte grande no valor de milhões de bulufas.

— E o que era isso?

— Casaria com o Mister Certo. Usaria as roupas certas pelo resto da vida, seria a anfitriã para todas as pessoas certas, nas festas certas... as festas dele. Ele seria o meu troféu e eu o dele. Estaríamos nos queixando em breve que o nosso casamento perdera o sentido, que não éramos mais tão ligados quanto deveríamos... e na verdade nunca houvera sentido ou intimidade, desde o início. Duas coisas a que eu atribuo o maior valor, intimidade e a capacidade para alegria, pareciam não constar da lista de mais ninguém. Eu me sentia como a estranha na terra estranha. E concluí que era melhor não casar com os nativos. É outra coisa que larguei. Os programas. E agora... quer saber de um segredo?

— Conte.

— Prefiro estar agora com meu amigo Richard do que saindo num programa com qualquer outro!

— Ah...

Abracei-a por isso, um tímido abraço, com um só braço. Leslie era uma presença singular em minha vida, uma linda irmã em quem eu confiava e admirava, com quem passava noite após noite, sobre um tabuleiro de xadrez, mas nunca um momento na cama.

Falei a ela sobre a minha mulher perfeita, como a idéia me proporcionara bons resultados. Senti que ela não concordava, mas escutou com interesse. Antes que ela pudesse responder, a fila entrou no cinema.

No saguão, fora do frio, tirei o braço de seus ombros e não tornei a tocá-la.

O filme que vimos naquela noite seria visto mais 11 vezes antes do ano terminar. Havia uma criatura peluda, olhos azuis, de outro planeta, que era o co-piloto de uma espaçonave toda amassada. A criatura era chamada um *wookie*. Nós adoramos a personagem, como se fôssemos dois *wookies*, contemplando nosso ídolo na tela.

Leslie foi me receber no aeroporto na próxima vez em que voei a Los Angeles. Assim que desci da carlinga, ela me entregou uma caixa, com uma fita e um laço.

— Sei que você detesta presentes e por isso lhe trouxe um — disse ela.

— Eu nunca lhe dou presentes — resmunguei, jovialmente. — É o meu presente para você: nunca lhe dou presentes. Por que...

— Abra.

— Está certo, abrirei desta vez. Mas...

— Abra — repetiu ela, impaciente.

O presente era uma máscara de *wookie*, de borracha, peluda, envolvendo toda a cabeça, com buracos para os olhos e dentes parcialmente expostos... uma semelhança perfeita com o nosso herói do cinema.

— Leslie!

Eu tinha adorado.

— Agora você pode fazer cócegas em todas as suas namoradas com seu rosto peludo. Ponha a máscara.

— Aqui mesmo, em pleno aeroporto, diante do público, você está querendo que eu...

— Ora, ponha logo! Para mim.

Ela me persuadiu. Pus a máscara, para agradá-la, soltei um ou dois rugidos de *wookie*. Leslie riu até chorar. Ri também, por trás da máscara, pensei o quanto gostava dela.

— Vamos, *wookie* — disse ela, limpando as lágrimas e impulsivamente me pegando a mão. — Estamos atrasados.

Cumprindo a palavra, ela levou-me do aeroporto diretamente para a MGM, onde estava terminando um filme para a televisão. Pelo caminho, notei que as pessoas me olhavam assustadas no carro e tirei a máscara.

Para quem nunca estivera num estúdio de cinema, foi a mesma coisa que ser convidado para a lua Complexidade, girando em torno do planeta Prazo Final. Cabos e suportes e câmaras e plataformas móveis e escadas e passadiços e luzes... um teto tão apinhado de enormes refletores que jurei que a vigas se partiriam a qualquer momento. Havia homens por toda parte, empurrando equipamentos para suas posições, ajustando, se empoleirando, à espera da próxima campainha ou sinal de lanterna.

Leslie emergiu de seu camarim num vestido de lamê dourado, ou a maior parte dele, deslizando em minha direção por cima dos cabos e armadilhas no chão, como se fossem parte dos desenhos num tapete.

— Pode ver bem daqui?

— Claro.

Senti-me contrafeito pelos olhares que os técnicos e ajudantes lançavam a Leslie; ela os ignorava. Eu estava nervoso, inibido, um cavalo das pradarias numa selva tropical; ela sentia-se em casa. Eu tinha a sensação de que a temperatura era tórrida; ela estava fresca, viçosa e jovial.

— Como consegue? Como pode representar com toda essa movimentação, com todos nós assistindo? Pensei que representar fosse uma coisa meio particular, de alguma forma...

— ESTAMOS PASSANDO! ATENÇÃO!

Os dois homens levavam apressadamente uma árvore para o cenário. Se Leslie não me tocasse no ombro, fazendo-me dar um passo para o lado, eu seria derrubado por um galho na rua pintada. Ela olhou para mim e para o que eu julgava ser o caos ao nosso redor.

— Haverá uma espera grande enquanto armam os efeitos especiais, Richard. Espero que não se sinta entediado.

— Entediado? É fascinante! E você permanece tão calma... não fica nem um pouco nervosa?

Um eletricista na passarela por cima de nós olhou para baixo e gritou pelo teto:

— Posso ver aquelas montanhas bem nítidas hoje, George! *Lindas!* Oi, Srta. Parrish, como estão as coisas aí por baixo?

Ela levantou os olhos e comprimiu a parte superior do lamê dourado contra o peito.

— Continuem, rapazes — disse ela, rindo. — Isso é tudo o que vocês têm a fazer?

O eletricista piscou um olho para mim, sacudiu a cabeça.

— A compensação do trabalhador!

Leslie nem franziu o rosto. E me disse:

— O produtor está nervoso. Estamos com um dia e meio de atraso. Podemos trabalhar até tarde esta noite, a fim de compensar o tempo perdido. Se ficar cansado e eu estiver no meio de alguma coisa, vá para o hotel e eu lhe telefono depois, se não for tarde demais.

— Duvido muito que eu possa ficar cansado. Não me deixe conversar se não for oportuno, se quiser estudar as suas falas...

Leslie sorriu.

— Não se preocupe. — Ela olhou para o cenário. — Tenho que ir para lá agora. Divirta-se.

Ao lado da câmara, um homem berrou:

— *Primeira equipe! Em seus lugares, por favor!*

Por que ela não estava nem um pouco tensa com a perspectiva de lembrar suas falas? Tenho sorte quando me lembro das palavras que eu próprio escrevi sem relê-las interminavelmente. Por que ela não se sentia nervosa, com tanta coisa a lembrar?

A filmagem começou, uma cena, depois outra, logo em seguida uma terceira. Leslie não consultou seu *script* uma única vez. Eu me sentia como um espírito amigo, assistindo ao papel que ela representava no cenário. Leslie não errou uma só fala. Observá-la em ação era como observar uma amiga que era ao mesmo tempo uma estranha. Eu experimentava uma curiosa apreensão afetuosa... minha própria irmã, sob o alvo dos refletores e das câmaras!

E pensei: O fato de vê-la ali muda o que sinto em relação a Leslie? Claro. Algo de mágico está acontecendo. Ela possui talentos e poderes que eu nunca aprendera e nunca aprenderia. Não gostaria menos dela se não fosse uma atriz, mas gostava mais porque era. Sempre houve emoção para mim, um enorme prazer, em conhecer pessoas que podem fazer coisas de que não sou capaz. E Leslie era uma das pessoas que mais prazer me proporcionavam.

No dia seguinte, em seu escritório, pedi um favor:

— Posso usar seu telefone? Quero ligar para a Associação dos Escritores...

— Cinco-cinco-zero-mil — disse ela, distraidamente, empurrando o aparelho em minha direção, enquanto lia uma proposta de financiamento de Nova York.

— O que é isso?

Ela levantou os olhos.

— O telefone da Associação dos Escritores.

— Sabe o número de cor?

— Sei.

— Mas como?

— Sei uma porção de números.

Ela voltou a se concentrar na proposta.

— O que significa "sei uma porção de números"?

— Apenas que sei uma porção de números — respondeu ela, suavemente.

— E se eu quisesse ligar... para a Paramount? — perguntei, desconfiado.

— Quatro-seis-três, zero-cem.

Fitei-a, aturdido.

— Um bom restaurante?

— O Magic Pan é bom. Possui uma parte reservada a não-fumantes. Dois-sete-quatro, cinco-dois-dois-dois.

Peguei uma lista telefônica.

— Associação dos Atores de Cinema.

— Oito-sete-meia, três-zero-três-zero.

Ela estava certa. E comecei a compreender.

— Você não tem... Leslie, o *script* ontem... você possui uma memória fotográfica, não é mesmo? Por acaso não memorizou... *toda a lista telefônica*?

— Não se trata de memória fotográfica. Eu não vejo, apenas me lembro. Minhas mãos se lembram de números. Pergunte-me um número e observe as minhas mãos.

Abri a enorme lista telefônica, virei algumas páginas.

— Gabinete do prefeito da cidade de Los Angeles?

— Dois-três-três, um-quatro-cinco-cinco.

Os dedos de sua mão direita se mexeram como se estivesse operando um telefone de teclas ao contrário, tirando os números ao invés de apertá-los.

— Dennis Weaver, o ator.

— Um dos seres humanos mais doces de Hollywood. O telefone de sua casa?

— Isso mesmo.

— Prometi que nunca o daria. Que tal o número de *The Good Life* a loja de alimentos naturais da mulher dele?

— Está bem.

— Nove-oito-seis, oito-sete-cinco-zero.

Verifiquei na lista; é claro que ela estava certa outra vez.

— Leslie, você me assusta!

— Pois não fique assustado, *wookie*. É apenas uma coisa insólita que acontece comigo. Memorizava música quando era pequena e as placas de todos os automóveis em nossa pequena cidade. Quando vim para Hollywood, memorizava *scripts*, rotinas de dança, números de telefones, programações, conversas, qualquer coisa. O número de seu lindo jato amarelo é N Um-Cinco-Cinco X. O telefone de seu hotel é dois-sete-oito, três-três-quatro-quatro. Você está no quarto 218. Quando deixamos o estúdio, ontem à noite, você disse: "Lembre-me de lhe falar sobre minha irmã no *show business*." E eu disse: "Posso lembrá-lo agora?" Você respondeu: "Acho que pode, pois quero realmente lhe falar a respeito dela." Eu falei: "Eu conheço..."

Leslie parou de se lembrar e riu do meu espanto.

— Está me olhando como se eu fosse uma aberração, Richard.

— E é mesmo. Mas gosto de você assim mesmo.

— Eu também gosto de você.

Ao final daquela tarde, eu trabalhava num roteiro de televisão, reescrevendo as últimas páginas e batendo na máquina de Leslie, enquanto ela circulava pelo jardim, cuidando de suas flores. Mesmo nisso, éramos muito diferentes. As flores são realmente coisinhas lindas, mas dispensar-lhes tanto tempo, deixar que dependam de você para regá-las, alimentá-las, banhá-las e qualquer outra coisa que as flores precisem... a dependência não é para mim. Eu nunca seria um jardineiro, Leslie nunca seria outra coisa.

Ali, em sua sala, entre as plantas, havia prateleiras de livros refletindo as neblinas do arco-íris que ela era. Por cima da mesa se achavam as citações e idéias que lhe eram mais importantes:

*Nosso país, certo ou errado.* QUANDO CERTO, A SER MANTIDO CERTO; QUANDO ERRADO, A SER CORRIGIDO. — *Carl Schurz*

*Proibido fumar, aqui ou em qualquer outro lugar.*

*O hedonismo não é divertido.*

*Tremo de apreensão por meu país quando reflito que Deus é justo. — T. Jefferson*
*Suponhamos que eles promovessem uma guerra, mas ninguém se apresentasse?*

A última era uma citação de si mesma. Ela a fizera como um plástico de pára-choque, fora adotada pelo movimento pacifista e espalhada pelo mundo tão depressa quanto a televisão era capaz de divulgá-la.

Eu estudava aquelas coisas de vez em quando, entre os parágrafos do meu roteiro, conhecendo-a melhor a cada estalido da tesoura de poda, a cada grunhido do ancinho em seu jardim, a cada silvo abafado da água através de cano e mangueira, acabando gentilmente com a sede de sua família de flores. Ela conhecia e amava cada botão em separado.

Diferentes diferentes diferentes, pensei, terminando o último parágrafo. Mas como eu admiro essa mulher! Apesar de todas as nossas diferenças, algum dia tive uma pessoa amiga como ela?

Levantei-me e espreguicei-me, atravessei a cozinha e saí pela porta lateral para o jardim. Ela estava de costas para mim, enquanto regava os canteiros de flores, os cabelos compridos presos num rabo-de-cavalo para o trabalho. Avancei silenciosamente e parei um pouco atrás dela. Leslie cantava baixinho para sua gata:

— Você é uma gatinha, uma gatinha linda/ minha fofinha, minha estrelinha/ e se me deixar, não vá muito longe...

A gata estava obviamente gostando da canção, mas era um momento íntimo demais para que eu continuasse despercebido. Por isso, falei como se tivesse acabado de chegar:

— Como estão indo as suas flores?

Ela virou-se, a mangueira na mão, os olhos azuis assustados pela descoberta de que não se encontrava sozinha em seu jardim particular. O bico da mangueira estava apontado para a altura do meu peito, ajustado para molhar um cone de bom diâmetro. Nenhum dos dois disse nada nem se mexeu, enquanto a mangueira esguichava água em cima de mim, como se eu fosse um incêndio inesperado.

Leslie estava dominada pelo susto, primeiro das minhas palavras repentinas, depois do que a água fazia com meu casaco e camisa. E permaneci imóvel, porque pensei que seria impróprio gritar e correr, porque esperava que não demorasse muito tempo para que ela apontasse a mangueira em outra direção, ao invés de continuar a acertar à queima-roupa meus trajes de cidade.

Como se ela manipulasse um jato de areia, a cena está hoje gravada nitidamente... o sol, o jardim ao nosso redor, seus olhos exprimindo espanto por aquele urso polar que irrompia entre as suas flores, uma mangueira como a sua única defesa. Se regar um urso polar por bastante tempo, ela devia estar pensando, o bicho acaba se virando e se afasta correndo.

Eu não me sentia como um urso polar, exceto pelo jato de água gelada a me atingir, encharcando-me. Percebi finalmente o seu horror pelo que estava fazendo, não a um urso polar, mas a um associado nos negócios, amigo e hóspede em sua casa. Embora continuasse paralisada pela consternação, recuperou o controle da mão o suficiente para desviar lentamente o jato de água.

— Leslie! — falei, no silêncio molhado. — Era apenas eu...

E depois ela estava chorando de tanto rir, os olhos desamparados alegres toldados de choque, implorando perdão. Ela se lançou, rindo, soluçando, contra meu casaco, que esguichou água dos bolsos.

# quinze

— KATHY TELEFONOU hoje da Flórida — informou Leslie, ajeitando as suas peças nos lugares, para outra partida de xadrez. — Ela está com ciúme?

— Não é possível. O ciúme não faz parte do meu acordo com qualquer mulher.

Franzi o rosto para mim mesmo. Depois de tantos anos, ainda tenho de murmurar "Rainha-na-sua-cor" para ajeitar as minhas peças da maneira certa.

— Ela queria saber se você tem alguma namorada especial por aqui, de tanto que vem a Los Angeles ultimamente.

— Ora, deixe disso, Leslie. Não está falando sério.

— Juro que estou.

— E o que disse a ela?

— Disse que não precisava se preocupar. Que você, quando está aqui, não sai com ninguém, passa o tempo todo comigo. Creio que ela se sentiu melhor. Mas talvez você devesse revisar o seu acordo de ausência de ciúme com ela, só para ter certeza.

Leslie deixou a mesa por um momento a fim de examinar a sua coleção de gravações.

— Tenho a Primeira de Brahms por Ozawa, Ormandy e Mehta. Alguma preferência?

— Qualquer uma que mais desvie a sua atenção do xadrez.

Ela pensou por um momento, escolheu uma fita e injetou-a na eletrônica intrincada de seu sistema de som.

— Inspiração — corrigiu ela. — Para distração, tenho outras gravações.

Jogamos durante meia hora, uma partida difícil, desde o primeiro lance. Leslie acabara de reler *Idéias Modernas na Abertura de Xadrez*, o que teria me arrasado se eu não tivesse concluído dois dias antes a leitura de *Armadilhas, Ciladas e Ardis no Xadrez*. Jogamos quase para um empate; depois, veio um movimento brilhante da minha parte e a partida pendeu no equilíbrio.

Até onde eu podia perceber, qualquer movimento de Leslie seria desastroso, menos um. Sua única escapatória era um obscuro avanço de peão, a fim de controlar a casa oculta em torno da qual eu desenvolvera uma delicada estratégia. Sem essa casa, todo o meu esforço desmoronaria em ruínas.

A parte de mim que leva o xadrez a sério esperava que ela percebesse o movimento, demolisse a minha posição e me forçasse a lutar por minha vida esculpida em madeira (jogo melhor quando estou acuado). Contudo, não conseguia imaginar como poderia me recuperar se ela bloqueasse a estratégia.

A parte de mim que sabia se tratar apenas de um jogo esperava que ele não percebesse, pois era uma estratégia linda e elegante a que eu elaborara. O sacrifício de uma Rainha e depois cinco lances até o xeque-mate.

Fechei os olhos por um momento, enquanto ela analisava o tabuleiro. Abri-os subitamente, acometido por um pensamento extraordinário.

Ali, na minha frente, estava uma mesa e uma janela cheia de cor; mais além, as luzes cintilantes do crepúsculo de Los Angeles, o final de junho se desvanecendo no mar. Delineada contra as luzes cintilantes e as cores estava Leslie, imersa em pensamento, tão imóvel quanto uma corça alerta sobre um tabuleiro de xadrez, mel e creme nas sombras de uma noite ainda por chegar. Uma visão suave e aprazível, pensei. De onde vem, quem é o responsável?

Uma pequena armadilha de palavras, uma rede de tinta no caderninho de anotações sobre a idéia, antes que desaparecesse.

*De vez em quando, escrevi, é divertido fechar os olhos e, nessa escuridão, dizer a nós mesmos: "Eu sou o feiticeiro e quando abrir os olhos verei um mundo que criei e pelo qual sou o único e total responsável."* E *depois, lentamente, as pálpebras se abrem, como cortinas se levantando sobre o palco. Lá está o nosso mundo, com toda certeza, exatamente como o criamos.*

Escrevi isso em alta velocidade, na pouca claridade. Depois, tornei a fechar os olhos, testando novamente: *Eu sou o feiticeiro...* Abri os olhos devagar.

Os cotovelos na mesa, o rosto entre as mãos, vi Leslie Parrish, olhos grandes e escuros, fixados nos meus.

— O que o *wookie* escreveu?

Li para ela e expliquei:

— A pequena cerimônia é uma maneira de lembrar a nós mesmos quem está comandando o espetáculo.

Ela tentou.

— *Eu sou a feiticeira...* — Sorriu quando abriu os olhos. — Isso só lhe ocorreu agora?

Assenti.

— Eu criei você? — disse Leslie. — Sou responsável por levá-lo ao palco? Aos filmes? *Sundaes?* Partidas de xadrez e conversas?

Tornei a assentir.

— Não pensa assim? Você é a causa de eu-como-me-conhece. Ninguém mais no mundo conhece o Richard que existe em sua vida. Ninguém conhece a Leslie que existe na minha.

— É uma boa anotação. Poderia me dizer outras... ou estou me intrometendo?

Acendi uma luz.

— Fico contente pelo fato de você compreender que são anotações muito particulares...

Falei jovialmente, mas era verdade. Ela compreenderia que era outro vínculo de confiança entre nós, primeiro que me pedisse para ler as anotações, uma pessoa que sempre respeitara a minha privacidade, depois o fato de eu concordar em ler? Tive a noção de que ela sabia perfeitamente.

— Temos alguns títulos de livros — falei. — *Penas Eriçadas: Uma Denúncia de um Escândalo Nacional por um Observador de Pássaros.* Eis outro que pode dar um livro em cinco volumes... O *Que Faz os Patos Andarem Devagar?*

Virei a página para trás, saltei uma lista de compras, virei outra página.

— *Olhe-se num espelho e uma coisa é certa: o que vemos não é quem somos.* Isso foi depois da sua conversa sobre espelhos. Está lembrada?

*"Quando recordamos os nossos dias, eles passaram num relance. O tempo não dura e ninguém tem muito para viver!* ALGUMA COISA *transpõe o tempo... O quê? O quê? O quê?*

"Pode ver que todas essas anotações ainda não estão arrematadas...

*"A melhor maneira de pagar por um momento maravilhoso é desfrutá-lo.*

*"A única coisa que destrói os sonhos é a concessão.*

*"Por que não praticar viver como se fôssemos extremamente inteligentes? Como viveríamos se fôssemos espiritualmente avançados?"*

Cheguei à primeira página das anotações do mês e li:

— *Como salvarmos as baleias?* BASTA COMPRÁ-LAS! *Se as baleias fossem compradas e depois convertidas em cidadãs americanas, francesas, australianas ou japonesas, não haveria país no mundo que ousasse lhes pôr as mãos!*

Levantei os olhos para fitá-la por cima do caderninho de anotações.

— Isso é tudo este mês, até agora.

— Basta comprá-las?

— Ainda não elaborei os detalhes da operação. Cada baleia levaria a bandeira do país a que pertence, uma espécie de passaporte gigantesco. O dinheiro da venda de cidadanias vai para um Fundo da Baleia ou algo parecido. E o passaporte seria impermeável, é claro. Pode dar certo.

— O que faz com elas?

— Deixaria que fossem para onde bem quisessem. Cuidariam de suas crias...

Leslie riu.

— Estou me referindo às suas anotações.

— Ah... Leio tudo ao fim de cada mês, tento descobrir o que estão querendo me dizer. Talvez algumas terminem num conto ou num outro livro, talvez não. Ser uma anotação é levar uma vida muito incerta.

— As anotações desta noite lhe dizem alguma coisa?

— Ainda não sei. Algumas dizem que eu não estou muito certo se este planeta é o lar. Já teve alguma vez a sensação de ser turista na Terra? Vai andando pela rua e subitamente tudo ao seu redor é como um cartão-postal em movimento? É *assim que as pessoas vivem aqui, em caixas grandes no formato de casas, como proteção contra a "chuva" e a "neve", buracos cortados nos lados para que possam ver lá fora. As pessoas circulam em caixas menores, pintadas em cores diferentes, com rodas nos cantos. Precisam dessa cultura de caixa porque cada pessoa pensa em si mesma como trancada numa caixa chamada "corpo", com braços e pernas, dedos para movimentar lápis e ferramentas, línguas porque esqueceram como se comunicar, olhos porque esqueceram como ver. Um planeta pequeno e estranho. Gostaria que você estivesse aqui. Estarei em casa em breve.* Isso já lhe aconteceu?

— De vez em quando... mas não exatamente assim.

— Posso ir buscar alguma coisa para você em sua cozinha... um bolinho ou algo mais?

— Não, obrigada.

Levantei-me, encontrei o vidro com os bolinhos, servi uma pilha num prato para nós dois.

— Leite?

— Não, obrigada.

Levantei os bolinhos e os copos de leite para a mesa.

— As anotações sempre lembram. Servem para me recordar que sou um turista na Terra, lembram os costumes insólitos que existem aqui. Quando faço isso, posso quase recordar como é o lugar de onde vim. Há um ímã que está nos atraindo, puxando-nos contra a cerca dos limites deste mundo. Tenho esse estranho pressentimento de que viemos do outro lado da cerca.

Leslie tinha perguntas a respeito e também respostas que eu não imaginara. Conhecia um mundo-como-deveria-ser, que aposto que era um mundo sem guerras, um mundo-como-é em alguma dimensão paralela. A idéia confundiu-nos, fazendo o tempo passar.

Peguei um bolinho de chocolate, imaginei-o quente, ataquei-o gentilmente. Leslie recostou-se com um sorriso curioso, como se gostasse das minhas anotações, como se apreciasse os pensamentos que eu achava tão interessantes.

— Já conversamos antes sobre escrever?

— Não. — Leslie finalmente estendeu a mão para um bolinho, sua resistência finalmente rompida pela proximidade paciente e implacável de seu petisco predileto. — Adoraria ouvir. Aposto como você começou cedo.

Que coisa estranha, pensei. Quero que ela saiba quem eu sou!

— É verdade. Por toda parte em casa, quando eu era garoto, livros. Aprendi a engatinhar, havia livros ao nível dos olhos. Quando pude ficar de pé, havia livros a perder de vista, mais alto do que eu podia alcançar. Livros em alemão, latim, hebraico, grego, inglês, espanhol.

"Meu pai era um ministro. Foi criado em Winsconsin, falando alemão. Aprendeu inglês quando tinha seis anos, estudou as línguas bíblicas, ainda as fala. Minha mãe trabalhou em Porto Rico por vários anos.

"Papai lia contos em alemão e os traduzia para mim enquanto lia; mamãe conversava comigo em espanhol mesmo quando eu não podia entender. Cresci assim numa abundância de palavras. Sensacional!

"Eu adorava abrir livros para saber como começavam. Os escritores criam livros da maneira como escrevemos vidas. Um escritor pode: levar qualquer personagem a qualquer evento, para qualquer propósito, para expor qualquer argumento. Eu queria saber: o que faz este ou aquele escritor com a página um em branco? O que fazem com a minha mente e espírito quando leio suas palavras? Amam-me, desprezam-me ou não se importam? Descobri que alguns escritores são clorofórmio, mas outros são cravo e gengibre.

"Fui para a escola secundária, onde aprendi a detestar a gramática inglesa. Sentia-me tão entediado que bocejava 70 vezes numa aula de 50 minutos, saía ao final batendo no rosto para acordar. Cheguei ao último ano na Escola Secundária Woodrow Wilson, em Long Beach, Califórnia. Escolhi Redação Criativa para me esquivar do tormento de Literatura Inglesa. Era a sala 410. Sexta aula, a de Redação Criativa.

Ela afastou a cadeira da mesa de xadrez, escutando atentamente.

— O professor era John Gartner, treinador do time de futebol americano. Mas John Gartner, Leslie, era também um escritor! Em carne e osso, um escritor de verdade! Escrevia reportagens e artigos para as revistas esportivas, livros para adolescentes... *Rock Taylor — Treinador de Futebol Americano*, *Rock Taylor — Treinador de Beisebol*. Era enorme, muito mais de 1,90m de altura, duro, justo, engraçado e às vezes furioso. Sabíamos que amava seu trabalho e nos amava também.

Surgiu de repente uma lágrima em meu olho e limpei-a rapidamente, pensando que era muito estranho. Não pensava no grande John Gartner... ele está morto há 10 anos e agora esse estranho sentimento em minha garganta. Continuei apressadamente, confiando que Leslie não percebera coisa alguma.

— "Muito bem, rapazes", disse ele no primeiro dia, "sei que estão aqui para se livrar do curso de Literatura Inglesa." Houve um murmúrio culpado e a turma virou os olhos para o outro lado, por assim dizer. E Gartner acrescentou: "Pois saibam de uma coisa: a única maneira de alguém nesta turma receber um A, a nota máxima, será me mostrar o cheque de alguma coisa que escreveu e vendeu neste semestre." Um coro de resmungos, ganidos e uivos... "Isso não é justo, Professor Gartner, somos pobres garotos de escola secundária, como pode esperar... não é

JUSTO, Professor Gartner!" Ele nos silenciou com uma palavra que parecia um rosnado. "Não há nada de errado com um B. O B é acima da média. Vocês podem ser acima da média sem vender o que escreveram, não é mesmo? Mas A é superior. Não concordam que se venderem alguma coisa que escreveram seria superior e mereceria um A?"

Peguei o penúltimo bolinho no prato.

— Estou lhe contando mais do que deseja saber, Leslie? Seja sincera agora.

— Eu lhe direi quando parar. A menos que eu peça que pare, pode continuar, está bem?

— Está certo. Eu era orientado para as notas naquele tempo.

Ela sorriu, recordando o tempo dos boletins.

— Escrevi muito, enviando artigos e contos para jornais e revistas. Pouco antes do final do semestre mandei uma história para o suplemento dominical do *Long Beach Press-Telegraph*. Era sobre um clube de astrônomos amadores. *Eles Conhecem o Homem na Lua*.

"Imagine o choque! Voltei da escola, peguei a lata de lixo na rua, dei comida ao cachorro... e mamãe me entrega um telegrama do *Press-Telegraph*! Gelo instantâneo em todas as veias! Abri tremendo, devorei as palavras, recomecei a ler desde o início. *Eles compraram o meu conto!* Havia em anexo um cheque de 25 dólares!

"Não consigo dormir, mal posso esperar que a escola abra pela manhã. E finalmente abre, finalmente chega a sexta aula. Eu avanço dramaticamente para a mesa do professor. 'Aí está seu cheque, Professor Gartner!'

"O rosto dele... o rosto dele se iluminou. Apertou-me a mão tão vigorosamente que não pude mexê-la por uma hora. Anunciou à turma que Dick Bach vendera um artigo, para me fazer sentir meio centímetro mais alto. Deu-me um A em redação criativa, sem necessidade de mais nenhum esforço. E imaginei que era o fim da história.

Pensei naquele dia... há 20 anos ou ontem? O que acontece ao tempo, em nossas mentes?

— Mas não foi — disse Leslie.

— Não foi o quê?

— Não foi o fim da história.

— Não, não foi. John Gartner mostrou-nos o que era ser um escritor. Estava trabalhando num romance sobre professores. O *Chamado de Setembro*, a volta às aulas. Não sei se ele terminou, antes de morrer...

Senti novamente um estranho aperto na garganta; achei que era melhor seguir adiante rapidamente, terminar aquela história e mudar de assunto.

— Ele levava a cada semana um capítulo de seu livro, lia em voz alta e indagava como escreveríamos melhor. Era o seu primeiro romance para adultos. Tinha uma história de amor e seu rosto ficava vermelho quando lia alguns trechos. Ria e sacudia a cabeça no meio de uma frase que achava um pouco sincera e terna demais para um treinador de futebol americano partilhar com sua turma de redação. Ele tinha a maior dificuldade para escrever sobre mulheres. Sempre que se afastava dos esportes e da vida esportiva podíamos perceber em seus escritos; falar sobre mulheres era como andar sobre gelo fino. Por isso, criticávamos jovialmente. E dizíamos: "Professor Gartner, a mulher não parece tão autêntica para nós quanto Rock Taylor. Há algum meio de mostrá-la, ao invés de falar sobre ela?"

"Ele desatava a rir, passava o lenço pela testa e concordava. Invariavelmente concordava. Sempre concordava. Porque Big John sempre insistia, batendo com o punho na mesa: 'Não me DIGAM, MOSTREM! INCIDENTE! E EXEMPLO!'

— Você o amava, não é mesmo?

Removi outra lágrima.

— Hum... ele era um bom professor.

— Se o amava, o que há de errado em dizer isso?

— Nunca pensei desse jeito. Mas é claro que o amava. E ainda amo.

E depois, antes que eu percebesse o que fazia, estava ajoelhado diante de Leslie, os braços enlaçando suas pernas, a cabeça em seu colo, chorando por um professor cuja morte eu soubera em quinta mão, sem pestanejar, anos antes. Ela afagou-me a cabeça, murmurando:

— Está tudo bem... está tudo bem... Ele deve sentir muito orgulho de você e das coisas que escreve. Deve amá-lo também.

Que estranho sentimento, pensei. Então chorar era assim! Já se passara muito tempo desde que eu fizera mais do que cerrar as mandíbulas e levantar o aço contra a dor. A última vez que em que eu chorara? Não podia lembrar. O dia em que minha mãe morreu, um mês antes de eu me tornar cadete de aviação, partindo para tirar o meu brevê como piloto de treinamento da Força Aérea. Desde o dia em que ingressei na vida militar, uma prática intensiva de controle emocional: Sr. Bach, daqui por diante baterá continência para todas as mariposas e moscas. Por que vai bater continência para todas as mariposas e moscas? Baterá continência para todas as mariposas e moscas porque elas têm asas e você não tem. Há uma mariposa agora naquela janela. Sr. Bach, SENTIDO! ORDINÁRIO, MARCHE! ALTO! Olhe para a mariposa. OLHE! Bater... CONTINÊNCIA! Tire esse sorriso da boca, Sr. Bach. Jogue esse sorriso no chão, pise em cima, mate esse sorriso. MATE! Agora pegue-o, leve lá para fora e enterre. Pensa que este programa é uma piada? *É ele quem está no controle de suas emoções, Sr. Bach!*

Essa foi a base do meu treinamento, era isso o que importava: quem está no controle?

Quem está no controle? Eu estou! Eu o racional, eu o lógico, analisando, avaliando, julgando e escolhendo o caminho para agir, a maneira de ser. Nunca eu-o-racional considerou eu-o-emocional, aquela minoria desprezada, jamais lhe permiti que assumisse o comando.

Até aquela noite, partilhando um fragmento do meu passado com uma irmã melhor-amiga.

— Perdoe-me, Leslie — murmurei, empertigando-me e limpando o rosto. — Não posso explicar o que aconteceu. Nunca fiz isso antes. Lamento muito.

— Nunca fez antes o quê? Nunca se importou que alguém morresse ou nunca chorou?

— Nunca chorei. Pelo menos por um longo tempo.

— Pobre Richard... talvez devesse chorar com mais freqüência.

— Não, obrigado. Não creio que me aprovaria se chorasse demais.

— Acha que é errado um homem chorar?

Voltei à minha cadeira.

— Outros homens podem chorar, se quiserem. Não creio que seja certo para mim.

— Ah...

Senti que ela pensava sobre isso, julgando-me. Que tipo de pessoa julgaria contra outra por não desejar controlar suas emoções? Uma mulher amorosa pode, uma mulher que conhecesse muito mais sobre emoções e como exprimi-las do que eu. Depois de um minuto, sem qualquer veredicto apresentado, ela disse:

— E o que aconteceu depois?

— Tive então o meu primeiro e único desperdício-de-um-ano no curso pré-universitário. Não, não foi um desperdício total. Tomei aulas de arco-e-flecha e ali conheci Bob Keech, meu instrutor de vôo. O curso foi um desperdício, mas as lições de vôo mudaram minha vida. Parei de escrever, depois da escola secundária, até que tinha saído da Força Aérea, estava casado e descobri que não conseguia manter um emprego. Qualquer emprego. Eu ficava desesperado com o tédio e largava. Era melhor passar fome do que viver para um momento no relógio, duas vezes por dia.

"E foi então que, finalmente, compreendi o que John Gartner nos ensinara: É *essa a sensação de vender uma história!* Anos depois que ele morreu, recebi o seu recado. Se o garoto da escola secundária pode vender uma história, por que o adulto não pode vender outras?

Observei a mim mesmo, curioso. Nunca antes falara assim, a qualquer pessoa.

— Comecei a colecionar bilhetes de rejeição. Vendi uma ou duas histórias, ganhei um monte de rejeições, até que o barco do escritor afundou e me descobri passando fome. Arrumei um emprego de estafeta, joalheiro, desenhista, resistia até não poder mais agüentar. Voltava a escrever, vendia uma ou duas histórias, rejeições, o barco afundava outra vez. E arrumava um novo emprego... Interminavelmente. A cada vez, o barco do escritor afundava mais devagar, até que finalmente dava para sobreviver, com algum custo. E nunca olhei muito para trás. Foi assim que me tornei um escritor.

Ainda restava uma pilha de bolinhos no prato de Leslie, no meu só havia migalhas. Lambi a ponta do dedo e toquei nas migalhas, comendo-as em ordem impecável, uma depois de outra. Sem comentários, escutando, ela transferiu seus bolinhos para o meu prato, guardando apenas um para si mesma.

— Eu sempre desejara levar uma vida de aventuras — continuei. — Levei muito tempo para compreender que somente eu poderia fazer com que isso me acontecesse. Assim, fiz as coisas que sentia vontade de fazer, escrevi a respeito, livros e histórias para revistas.

Ela me estudou atentamente, como se eu fosse um homem que conhecera mil anos antes. Senti-me culpado.

— Não consigo mais parar — murmurei. — O que fez comigo? Eu lhe disse que sou um ouvinte e não um falador. Agora, não vai mais acreditar.

— Ambos somos ouvintes — disse ela. — Ambos somos faladores.

— É melhor terminarmos nossa partida de xadrez, Leslie. O lance é seu.

Eu esquecera a minha elegante armadilha, levei tanto tempo para lembrar quanto ela precisou para analisar a situação e fazer o seu lance.

Só que Leslie não adiantou o peão que era essencial para a sua sobrevivência. Fiquei triste e deliciado. Mas pelo menos ela veria minha maravilhosa armadilha de cetim ser fechada. Aprender é isso, afinal de contas, pensei, não se perdemos a partida, mas como perdemos e como mudamos por causa disso, o proveito que levamos e que não tínhamos antes, a fim de aplicar a outras partidas. Perder, de uma maneira curiosa, é vencer.

Mesmo assim, parte de mim ficou triste por Leslie. Minha rainha entrou em ação e expulsou o seu cavalo do tabuleiro, apesar do cavalo estar defendido. Agora, o seu peão tomaria a minha rainha, para o sacrifício. Vá em frente e tome a rainha, sua diabinha, divirta-se enquanto pode...

O peão não tomou a minha rainha. Em vez disso, depois de um momento, o bispo de Leslie voou de um lado a outro do tabuleiro, seus olhos azuis-noturnos observando os meus à espera de uma reação.

— Xeque-mate — murmurou ela.

Fiquei pálido, incrédulo. Depois, estudei o que ela fizera, peguei o caderninho de anotações e escrevi meia página.

— O que você escreveu?

— Um ótimo pensamento novo. *Aprender é isso, no final das contas: não se perdemos a partida, mas como perdemos e como mudamos por causa disso, o proveito que levamos e que não tínhamos antes, a fim de aplicar a outras partidas. Perder, de uma maneira curiosa, é vencer.*

Ela sentou-se no sofá, sem sapatos, os pés ajeitados por baixo do corpo. Sentei-me na cadeira oposta e coloquei os pés cuidadosamente sobre a mesinha, para não deixar marcas no vidro.

Ensinar a língua do pê a Leslie foi como observar uma pessoa aprendendo a esquiar na água, em seu primeiro passeio. Depois que entendeu o princípio, ela falou sem maiores dificuldades. Quando eu era garoto, levei dias para aprender, negligenciando a álgebra.

— *Lespelipiepe, vopocepe popodepe compomrepeenpedepeerpe opo quepe espetopoupu dipizenpedopo?*

— *Depeipixepe eupe verpe... popossopo simpim! Copomopo vopocepe dipiripiapa "Paparicar" napa limpiguapa dopo pepe?*

— *Oporapa, epe simpilespe... papapaparipicapar.*

Como ela aprendeu depressa, que prazer para a mente ela era! A única maneira de acompanhá-la era ter estudado alguma coisa que ela nunca vira, inventar novas regras de comunicação ou se basear na pura intuição. Recorri à última coisa, naquela noite.

— Só de olhar, posso dizer que você tocou piano por um longo tempo, Madame Parrish. Só de ver a música ali, as sonatas de Beethoven no papel amarelado, com velhas anotações a lápis entre as notas. Deixe-me adivinhar... desde que estava na escola secundária?

Leslie sacudiu a cabeça.

— Antes disso. Quando eu era pequena, fiz um teclado de papel para praticar, já que não tínhamos dinheiro para um piano. Antes disso, antes mesmo que eu pudesse andar, minha mãe conta que engatinhava para qualquer piano que avistava e tentava tocar. Desde então, a música era tudo o que eu queria. Mas não pude tê-la por um longo tempo. Meus pais se divorciaram. Mamãe ficou doente e meu irmão e eu passamos a pular de um lar adotivo para outro, durante algum tempo.

Cerrei os maxilares. Há uma infância sombria, pensei. O que teria feito com ela?

— Mamãe saiu do hospital quando eu tinha 11 anos e fomos morar no que você chamaria as ruínas de uma casa anterior à Guerra Revolucionária, enormes e grossas paredes de pedras, ratos, buracos no assoalho. Alugamos a casa a 12 dólares por mês e mamãe tentou consertá-la. Ela ouviu falar um dia de um piano velho à venda e comprou-o para mim! Custou-lhe uma fortuna, 40 dólares. Mas mudou o meu mundo. Nunca mais voltei a ser como antes.

Resolvi avançar por outro rumo.

— Lembra-se da vida anterior em que tocava piano?

— Não... e não tenho certeza se acredito em outras vidas. Mas há uma coisa curiosa. A música que não é posterior a Beethoven, ao início do século XIX, é fácil, como se eu estivesse reaprendendo. Tenho a sensação de que sei à primeira vista. Beethoven, Schubert, Mozart... é como encontrar velhos amigos. Mas não Chopin, Liszt... isso é música nova para mim.

— E Johann Sebastian? Ele foi um compositor antigo, do início do século XVIII...

— Não. Também tenho de estudá-lo.

— Se alguém tocasse piano no início do século XIX, teria conhecido Bach, não é mesmo?

Leslie sacudiu a cabeça.

— Não. Sua música estava perdida, ficou esquecida até meados do século XIX, quando seus manuscritos foram descobertos e reeditados. Por volta de 1810 e 1820 ninguém sabia de coisa alguma a respeito de Bach.

Os cabelos se arrepiaram na minha nuca.

— Gostaria de saber se viveu nessa época? Li num livro um meio de recordar vidas anteriores. Quer tentar?

— Talvez algum dia...

Por que ela se mostra relutante? Como pode uma pessoa tão inteligente não ter certeza se há mais de nós do que um mero cintilar na eternidade?

Não muito tempo depois disso, que foi pouco depois das 11 horas da noite, resolvi consultar o relógio. Eram quatro horas da madrugada.

— Leslie! Sabe que horas são?

Ela mordeu o lábio, olhou para o teto por um momento.

— Nove?

# dezesseis

ACORDAR ÀS sete horas para voar até a Flórida não será agradável, pensei, depois que Leslie me deixou no hotel e foi embora pela escuridão. Permanecer desperto depois das 10 horas da noite era algo excepcional para mim, um resquício do homem que perambulava de cidade em cidade, dormindo sob a asa do avião uma hora depois do pôr-do-sol. Deitar às cinco horas da manhã para acordar às sete e voar cinco mil quilômetros será um desafio.

Mas houvera tanta coisa a ouvir de Leslie, tanta coisa a dizer!

Não morrerei se me privar de um pouco de sono, pensei. Com quantas pessoas no mundo posso escutar e falar até quatro horas da madrugada, até muito depois que o último bolinho desapareceu, sem me sentir absolutamente cansado? Com Leslie e com quem mais?

Adormeci sem uma resposta.

# dezessete

— LESLIE, PERDOE-ME por telefonar tão cedo. Está acordada?

Era o mesmo dia, passando um pouco das oito horas da manhã, pelo meu relógio.

— Estou agora. Como se sente esta manhã, *wookie*?

— Dispõe de tempo hoje? Não conversamos por tempo suficiente ontem à noite. Se o seu horário permitir, pensei que poderíamos almoçar juntos. E quem sabe jantar também?

Houve silêncio no outro lado da linha. Compreendi no mesmo instante que estava me impondo a ela e estremeci. Não deveria ter telefonado.

— Você disse que voaria de volta à Flórida hoje.

— Mudei de idéia. Irei amanhã.

— Sinto muito, Richard, mas tenho um almoço marcado com Ida e depois uma reunião à tarde. E também um compromisso para o jantar. Lamento muito. Adoraria estar com você, mas pensei que não estaria aqui hoje.

Isso me ensinará a não fazer mais suposições, pensei. O que me levou a pensar que ela não tem outra coisa a fazer que não sentar e conversar comigo? Senti-me imediatamente sozinho.

— Não há problema, Leslie. De qualquer forma, é melhor eu partir. Mas posso lhe dizer o quanto gostei da nossa última noite? Eu poderia escutá-la e falar com você até que o último bolinho do mundo desaparecesse. Sabia disso? Se não sabia, fique sabendo agora!

— Eu também. Mas por todos aqueles bolinhos que Porco me dá terei de passar fome por uma semana, até que você possa me reconhecer outra vez. Estou imensa de gorda. Por que você não pode gostar de sementes e aipo?

— Levarei sementes de aipo na próxima vez.

— Não esqueça.

— Volte a dormir agora. Desculpe tê-la acordado. E obrigado pela noite passada.

— Eu é que agradeço. Até a próxima.

Desliguei e comecei a meter as roupas no meu saco de vôo. Já é tarde demais para deixar Los Angeles e voar tão longe para leste antes do escurecer?

Eu não gostava do vôo noturno no T-33. Uma falha no motor, um pouso forçado num avião pesado e veloz já é bastante difícil durante o dia; com a noite fechada lá fora se tornaria completamente desagradável.

Se eu decolar ao meio-dia, pensei, estarei em Austin, no Texas, por volta das cinco horas da tarde, pelo horário de lá; partindo às seis, estarei na Flórida pelas nove e meia ou dez horas, também no horário local. Restaria alguma claridade às dez horas da noite? Absolutamente nenhuma. E daí? O T fora um avião de total confiança até agora... exceto por um pequeno vazamento hidráulico misterioso, o único problema que ainda não acertara. Mas podia perder todo o fluido hidráulico e mesmo assim não seria um desastre. O freio hidráulico não funcionaria, seria difícil movimentar os *ailerons*, os freios das rodas ficariam mais fracos. Mas ainda seria controlável.

Havia o presságio mais tênue, enquanto eu terminava de arrumar minhas coisas e imaginava o percurso do vôo. Não podia me ver a pousar na Flórida. O que podia sair errado? O tempo? Prometera nunca mais voar através de tempestades e provavelmente não faria isso. Uma falha no sistema elétrico?

Isso podia ser um problema. Perdendo a força elétrica no T, eu perderia as bombas de combustível dos tanques principais, restando apenas o combustível da fuselagem para continuar a voar. A maioria dos instrumentos deixaria de funcionar. Todo o equipamento de rádio e navegação sofreria um colapso. Não contaria com os freios hidráulicos e os flapes das asas. Uma falha elétrica implica um pouso em alta velocidade, exige uma pista maior. Com todas as luzes apagadas, é claro.

O gerador, o sistema elétrico.. nunca falhou nem deu o aviso de que planeja falhar. Este avião não é o Mustang. Com que estou preocupado?

Sentei-me na beira da cama, fechei os olhos, relaxei e visualizei o avião, imaginei-o a flutuar na minha frente. Esquadrinhei-o meticulosamente de um lado a outro, atento a qualquer coisa que pudesse estar errada. Apenas uns poucos problemas menores afloraram... um pneu estava quase liso, uma tranca muito gasta na porta da câmara de ventilação, o pequeno vazamento hidráulico no meio do compartimento do motor que ainda não descobríramos o que era. Indiscutivelmente, não havia qualquer aviso telepático de que o sistema elétrico ou qualquer outro pudesse rebentar. E, no entanto, quando tentei visualizar a minha chegada na Flórida, naquela noite, não consegui.

Mas é claro! Eu não iria até a Flórida. Pousaria antes do escurecer em outro lugar.

Mesmo assim. Não fui capaz de me imaginar a me afastar do T-33 naquela tarde, em qualquer lugar. Devia ser muito fácil observar isso em minha mente. Lá estou eu, o motor desligado; não pode ver isso, Richard? Está desligando o motor em algum aeroporto onde pousou...

Eu não podia ver.

Que tal a aproximação final? Claro que pode ver a volta, a pista se erguendo imponente da terra, o trem de aterrissagem abaixado, três imagens para mostrar que está firmemente no lugar?

Nada.

Mas que diabo!, pensei. Não é minha força elétrica que está falhando hoje, mas sim a psíquica.

Peguei o telefone e liguei para a estação de meteorologia. O tempo estaria bom até o Novo México, informou a mulher, depois eu alcançaria uma frente fria, tempestades até 12 mil metros. Passaria sobre as tempestades a 13 mil metros, se o T pudesse subir tão alto. Por que não podia me visualizar a pousar são e salvo?

Mais um telefonema, para o hangar.

— Ted? Aqui é Richard. Estarei aí dentro de uma hora... pode tirar o T para mim e providenciar o abastecimento total? O oxigênio está bom, o óleo também. Pode precisar de um pouco de fluido hidráulico.

Abri os mapas sobre a cama, tomei anotações das freqüências de navegações, cursos e altitudes que eu precisaria em vôo. Calculei os tempos de curso, combustível consumido. Podíamos subir a 13 mil metros, se necessário, mas seria por um triz.

Peguei os mapas e a bagagem, paguei a conta do hotel, tomei um táxi para o aeroporto. Será agradável rever as minhas mulheres da Flórida. Ou pelo menos assim suponho.

A bagagem guardada no avião, as portas do compartimento inferior devidamente trancadas, subi a escada para a carlinga, tirei o capacete da bolsa e pendurei na capota. Era difícil acreditar. Dentro de 20 minutos aquele avião e eu estaríamos subindo por seis quilômetros, aproximando-nos da fronteira do Arizona.

— Richard! — gritou Ted da porta do escritório. — TELEFONE! VAI ATENDER?

— NÃO! DIGA QUE JÁ PARTI! — E depois, por curiosidade, indaguei: — QUEM É?

Ele perguntou ao telefone e depois me informou:

— LESLIE PARRISH!

— DIGA A ELA QUE JÁ VOU ATENDER!

Deixei o capacete e a máscara de oxigênio pendurados, corri para atender.

Quando ela veio me buscar no aeroporto, as trancas de segurança em solo do avião já estavam baixadas, as cobertas no lugar, a capota fechada e trancada, o enorme aparelho de volta ao hangar, para passar outra noite.

Era por isso que eu não pudera me visualizar pousando, pensei. Seria impossível visualizar esse futuro porque não aconteceria! A bagagem na mala do carro, ocupei o banco ao lado de Leslie e disse:

— Oi, pequena *wookie*, igualzinha a todos os *wookies*, só que muito menor. Não sabe como estou feliz em vê-la! Como conseguiu se livrar de todos os seus compromissos?

Leslie tinha um carro de luxo, cor de areia. Depois que assistíramos ao filme com o *wookie*, o carro fora rebatizado de *Bantha*, por causa de uma enorme criatura de areia no mesmo filme. Afastou-se suavemente do meio-fio, levando-nos para um rio de Banthas de cores diferentes, todos migrando para todos os lugares ao mesmo tempo.

— Pelo pouco tempo que temos juntos, achei que poderia dar um jeito. Tenho de pegar algumas coisas na Academia e depois estou livre.

Aonde gostaria de me levar para almoçar?

— A qualquer lugar. O Magic Pan, se não estiver muito cheio. Disse que tinha uma área reservada aos não-fumantes, não é mesmo?

— Teremos de esperar pelo menos uma hora, no almoço.

— De quanto tempo dispomos?

— Quanto tempo você quer, Richard? Jantar? Cinema? Xadrez? Conversa?

— Ora essa, você é maravilhosa! Cancelou todo o seu dia para mim? Não imagina o quanto isso significa!

— Significa que prefiro estar com um *wookie* visitante do que com qualquer outra pessoa. Mas nada de calda de chocolate, nada mais de bolinhos, nada mais de pernicioso! Você pode comer as coisas perniciosas, se quiser, mas estou de volta à dieta para pagar meus pecados!

Enquanto viajávamos, falei sobre a minha insólita experiência da manhã, sobre as minhas conferências extra-sensoriais do avião e do vôo, sobre momentos estranhos no passado, quando tais coisas haviam sido extraordinariamente acuradas.

Leslie escutou cortesmente, cuidadosamente, como fazia sempre que eu falava sobre experiências paranormais. Mas senti que, por trás da cortesia, ela prestava atenção para encontrar explicações sobre eventos e interesses que não se atrevera a considerar antes. Ouvia como se eu fosse algum Leif Ericson afável, voltando com fotografias de uma terra cuja existência conhecia, mas nunca explorara.

Estacionando o carro perto do escritório da Academia de Cinema, Leslie disse:

— Não vou demorar nem um minuto. Quer me esperar aqui ou entrar também?

— Ficarei esperando. E não precisa se apressar.

Observei-a de longe, no meio da multidão que desfilava pela calçada ao sòl do meio-dia. Leslie estava modestamente vestida, uma blusa branca leve, uma saia branca... mas quantas cabeças se viraram para contemplá-la! Cada homem num círculo em movimento de 30 metros ao seu redor diminuía os passos para admirá-la. Os cabelos cor de mel-trigo esvoaçavam soltos e brilhantes, enquanto ela se apressava para aproveitar os últimos segundos do sinal verde e atravessar a rua. Ela acenou em agradecimento para um motorista que esperou sua passagem e ele acenou em resposta, bem recompensado.

Que mulher cativante, pensei. Era uma pena que não fôssemos mais parecidos.

Ela desapareceu no prédio e eu me estiquei pelo banco, bocejando. Para aproveitar este tempo, pensei, por que não ter uma noite inteira de sono? Isso exigirá um repouso auto-hipnótico de cerca de cinco minutos.

Fechei os olhos, respirei fundo. *Meu corpo está completamente relaxado: agora.* Respirei fundo outra vez. *Minha mente está completamente relaxada: agora. Estou num sono profundo: agora. Despertarei no instante em que Leslie voltar; tão revigorado como se saísse de oito horas de sono normal e profundo.*

A auto-hipnose para o repouso é particularmente eficaz quando não se dormiu mais que duas horas na noite anterior. Minha mente mergulhou na escuridão; o som nas ruas se desvaneceu. Imerso em breu total, o tempo parou. E depois, no meio das trevas de carvão.

LUZ!!!

Como se uma estrela caísse em cima de mim, 10 vezes mais brilhante do que o sol, a explosão de luz me deixando inteiramente surdo.

Nem sombra nem cor nem calor nem claridade nem corpo nem céu nem terra nem espaço nem tempo nem coisas nem pessoas nem palavras apenas

LUZ!

Flutuei atordoado na glória. Sabia que não era luz, aquele brilho imenso e incessante, irrompendo pelo que outrora fora eu. Não é luz. A luz, meramente representa, projeta outra coisa mais brilhante do que a luz, simboliza o *Amor*!, tão intenso que a idéia de intensidade é um pensamento cômico em comparação com a imensidão de amor que me engolfava.

EU SOU*!*

VOCÊ É*!*

E AMOR*:* É TUDO*:* QUE IMPORTA*!*

A alegria explodiu através de meu corpo e me dilacerei, átomo por átomo, no amor, palito de fósforo caído no sol. Alegria intensa demais para suportar, por mais um instante que fosse! Sufoquei. Por favor, não!

No momento em que pedi, o Amor recuou, desvaneceu-se na noite de sol a pino em Beverly Hills, hemisfério norte, terceiro planeta estrela menor galáxia menor universo menor uma fração de convicção em espaçotempo imaginado. Eu era uma forma de vida microscópica, infinitamente grande, caindo fora de seu palco, surpreendendo um olhar de microssegundo de sua própria realidade e quase se vaporizando no choque.

Despertei no Bantha, o coração disparado, o rosto encharcado de lágrimas.

— AI!!! — berrei.— *Ai-ai-ai!*

Amor! Tão intenso! Se ficasse verde, seria um verde tão transcendentalmente verde que até o Príncipe do Verde não seria capaz de imaginar... como estar numa bola enorme, como estar no sol mas não no sol, não havia extremidades, não havia horizontes, tão brilhante e SEM CLARÃO, levantei os olhos abertos para o mais brilhante... e, no entanto, eu não tinha olhos. NÃO PODIA SUPORTAR A ALEGRIA daquele *Amor*... Era como se largasse a minha última vela numa caverna negra e depois de algum tempo um amigo, para me ajudar a ver, acendesse uma bomba de hidrogênio.

Junto da luz, este mundo...; junto daquela luz, a idéia de viver e morrer, é simplesmente... irrelevante.

Sentei-me piscando no carro, ofegando por ar. Santo Deus! Foram necessários 10 minutos de prática para aprender a respirar outra vez. O que... Por que... Ai!

Havia um brilho louro-e-sorriso por cima da calçada, cabeças se virando na multidão para observar. Um momento depois, Leslie abriu a porta, empilhou envelopes no banco, sentou-se ao volante.

— Desculpe ter demorado tanto, *wookie*. Tinha muita gente lá dentro. Derreteu até a morte aqui fora?

— Leslie, preciso lhe dizer uma coisa. Aconteceu... acaba de acontecer... uma coisa...

Ela virou-se para mim, alarmada.

— Você está bem, Richard?

— Estou ótimo! Ótimo ótimo ótimo ótimo.

Balbuciei ao falar, falei em fragmentos e depois caí em silêncio.

— Eu estava sentado aqui, depois que você saiu, fechei os olhos... Luz, mas não era luz. Mais brilhante do que a luz, mas sem clarão, sem machucar. AMOR, não as sílabas fáceis, mas Amor que É! Como nenhum amor que já pude imaginar. E AMOR! É TUDO: QUE IMPORTA! Palavras, mas não eram palavras nem mesmo idéias. Isso já... aconteceu com você?

— Já, sim. — Depois de um longo momento de recordação, ela continuou: — Lá no alto, nas estrelas, quando deixei meu corpo. Uma unidade com a vida, com um universo tão lindo, um amor tão poderoso que a alegria me fez chorar!

— Mas por que aconteceu? Eu ia tirar apenas um rápido cochilo hipnótico, já fiz isso uma centena de vezes! Mas desta vez... PAM! Pode imaginar uma alegria tão intensa que não dá para suportar e suplica para ser desligada?

— Claro — murmurou Leslie. — Eu conheço...

Ficamos sentados em silêncio por um momento. Depois, ela ligou o Bantha e nos perdemos no tráfego, já celebrando o nosso tempo juntos.

# dezoito

EXCETO PELO xadrez entre nós, não há ação. Não escalamos montanhas juntos, não descemos por rios caudalosos, não lutamos revoluções, não arriscamos as nossas vidas. Nem mesmo voamos em aviões. A coisa mais aventureira que partilhamos é um mergulho pelo tráfego no La Cienega Boulevard, depois do almoço. Por que ela me atrai tanto?

— Já notou que nossa amizade é completamente... desprovida de ação? — perguntei, quando ela virou a oeste na Melrose, voltando para casa.

— Desprovida de ação? — Ela me fitou tão surpresa como se eu a tivesse tocado. — Ah, você... Às vezes é difícil perceber quando está brincando. Desprovida de ação!

— Estou falando sério. Não deveríamos estar esquiando pelo país, surfando no Havaí ou qualquer outra coisa igualmente dinâmica? Exercício puxado para nós é levar uma rainha no xadrez e dizer "Xeque" ao mesmo tempo. Só uma observação. Nunca tive antes uma amiga como você. Não somos horrivelmente cerebrais... não falamos demais?

— Richard, xadrez e conversa, *por favor*! Não desperdiçando festas e dinheiro, que é o exercício predileto nesta cidade.

Ela entrou com o carro numa rua transversal, virou na sua casa, foi parar na entrada da garagem, desligou o motor.

— Com licença por um minuto, Leslie. Vou correr para casa e queimar até o último dólar que tenho. Levará só um momento...

Ela sorriu.

— Não precisa queimá-lo. Não é problema se você tem dinheiro. O que importa para uma mulher é se usa o dinheiro para tentar comprá-la. Tome cuidado para nunca tentar isso.

— Tarde demais. Já o fiz. E mais de uma vez.

Leslie virou-se para mim, recostando-se na porta do carro. Não fez menção de abri-la.

— Você? Por que acho isso tão surpreendente? De certa forma, não posso imaginá-lo a fazer... Diga-me uma coisa: comprou algumas mulheres boas de fato?

— O dinheiro faz estranhas coisas. Assusta-me observar, testemunhar pessoalmente acontecendo comigo, não um filme, mas não-ficção direta, vida real. É como se eu fosse o homem a mais num triângulo amoroso, tentando intrometer-me entre uma mulher e meu dinheiro. Muito dinheiro ainda é uma coisa nova para mim. Aparece uma mulher muito simpática, que não tem muito com que viver, que está quebrada, o aluguel atrasado. E eu digo: "Por que não gastar um pouco para ajudá-la?"

Eu precisava de uma resposta para isso. Parte da minha mulher perfeita no momento incluía três graciosas amigas que lutavam para sobreviver.

— Faça o que julgar que está certo, Richard. Mas não se engane pensando que alguém vai amá-lo porque é você quem paga o alugel ou faz as compras. Uma maneira de ter certeza de não ser amado é deixar que as mulheres dependam de você por seu dinheiro. E sei muito bem do que estou falando!

Acenei com a cabeça. Como ela sabe? Existem homens querendo arrancar o seu dinheiro?

— Não é amor — declarei. — Nenhuma delas me ama. Desfrutamos uns aos outros. Somos felizes parasitas mútuos.

— *Argh*.

— Como?

— *Argh*: expressão de repulsa. "Felizes parasitas mútuos" me faz ver percevejos.

— Desculpe. Ainda não resolvi o problema.

— Na próxima vez, não diga a elas que tem dinheiro.

— Não dá certo. Sou um péssimo enganador. Pego o caderninho

de anotações e as notas de 100 dólares caem pela mesa. E ela diz: "Mas você falou que estava vivendo do seguro-desemprego!" O que posso fazer?

— Talvez seja um caso perdido. Tome cuidado. Não há cidade como esta para ensinar as muitas maneiras pelas quais se arrebentam as pessoas que não são capazes de lidar com dinheiro. — Ela finalmente abriu a porta. — Quer uma salada... alguma coisa saudável? Ou será calda de chocolate para o Porco?

— O Porco não quer mais saber de calda de chocolate. Podemos dividir uma salada?

Entrando na casa, Leslie pôs para tocar, baixinho, uma sonata de Beethoven, preparou uma enorme salada de vegetais e queijo. Voltamos a conversar. Perdemos o pôr-do-sol, perdemos um filme de pesquisa, jogamos xadrez e nosso tempo juntos se foi.

— Devo estar muito preocupado com a decolagem amanhã cedo — murmurei. — Acha que o meu jogo está em forma, perdendo desse jeito três em cada quatro partidas? Não sei o que aconteceu com o meu jogo...

— Seu jogo continua tão bom quanto antes — respondeu ela, piscando para mim. — Mas o meu está melhorando. Vai lembrar 11 de julho como o dia em que venceu a sua última partida de xadrez de Leslie Parrish!

— Ria enquanto pode, malvada. Na próxima vez em que nos encontrarmos, esta mente terá memorizado *Armadilhas Perversas no Xadrez* e todas estarão à sua espera no tabuleiro. — Suspirei sem perceber. — É melhor eu ir agora. A motorista de Bantha me dará uma carona até o hotel?

— Dará sim.

Mas Leslie não saiu da mesa. Para agradecer pelo dia, inclinei-me e peguei-lhe a mão, de leve, afetuosamente. Ficamos nos olhando por um longo tempo e ninguém falou, ninguém notou que o tempo havia parado. O próprio silêncio dizia o que nunca consideráramos em palavras.

Depois, de alguma forma, estávamos nos abraçando e beijando, suavemente, suavemente.

Não me ocorreu então que, ao me apaixonar por Leslie Parrish, estava destruindo a única irmã que já tivera.

# dezenove

DESPERTEI PELA manhã para a luz do sol filtrada e dourada pelos cabelos de Leslie, espalhados sobre os nossos travesseiros. Despertei para o seu sorriso.

— Bom dia, *wookie* — disse ela, tão próxima e afetuosa que mal entendi as palavras. — Dormiu bem?

— Hem? Mas claro! Sim, obrigado... dormi muito bem! Tive um sonho glorioso ontem à noite... você não ia me levar ao hotel? Não pude evitar de lhe dar um pequeno beijo e depois... que sonho lindo!

Por uma vez, por uma vez abençoada, a mulher ao meu lado na cama não era uma estranha. Por uma vez em minha vida, aquela pessoa pertencia exatamente ao lugar em que estava... e eu também. Estendi a mão para o seu rosto.

— Será só um minuto e depois você desaparecerá no ar, não é mesmo? Ou o despertador vai tocar, o telefone soar e será você a me perguntar se dormi bem. Não chame ainda. Quero sonhar mais um pouco, por favor.

— Rimmm... — fez Leslie, numa vozinha fina.

Ela empurrou as cobertas para o lado, suspendendo um nada-telefone ao ouvido. O sol em seu sorriso, nos ombros e seios expostos deixou-me ainda mais desperto.

— Rimmm... Alô? Richard? Como dormiu a noite passada? Hem?

Ela mudou naquele instante para a sedutora inocente, pura e saudável — uma mente brilhante como uma estrela num corpo de deusa sexual. Fiquei impressionado com a intimidade do que ela fazia com um movimento, uma frase, um lampejo dos olhos.

A vida com uma atriz! Eu não imaginara... quantas Leslies diferentes podem estar se agitando naquela, quantas podem haver para entrar em contato, para conhecer, surgindo em súbitos refletores no palco desta única pessoa?

— Você é... tão... linda! — balbuciei, perseguindo as palavras. — Por que não me disse antes que é assim... deslumbrante?

O telefone desapareceu de sua mão, a inocente virou-se para mim com um sorriso irônico.

— Você nunca pareceu interessado.

— Isto será uma surpresa para você, mas é melhor se acostumar, porque sou um artesão da palavra e não posso deixar de proferir uma poesia de vez em quando. É a minha natureza e não posso ser diferente: *Eu acho que você é formidável!*

Ela balançou a cabeça devagar, solenemente.

— Isso é muito bom... artesão da palavra. Obrigado. Também acho que você é formidável. — Fração de segundo, uma idéia diferente e ardente aflorou em sua mente. — Agora, na prática, vamos dizer a mesma coisa sem palavras.

Morrerei de felicidade agora, pensei, ou esperarei por mais algum tempo?

Esperar parecia a melhor coisa. Flutuei à beira da morte-por-alegria, quase sem palavras, mas não totalmente.

Eu não poderia ter inventado uma mulher tão perfeita para mim, pensei; contudo, aqui está ela, real, viva, escondida na pessoa de Leslie Parrish, conhecida há anos, mascarada dentro da minha associada nos negócios, minha melhor amiga. Somente esse fragmento de maravilha aflorou, logo varrido pela visão dela ao sol.

Luz e contato, sombras suaves e sussurros, aquela-manhã-virando-tarde-virando-noite, com o nosso caminho descoberto a se encontrar outra vez, depois de uma vida de separação. Cereal para o jantar. E, finalmente, pudemos voltar a conversar em palavras.

Quantas palavras, quanto tempo se leva para dizer Quem É Você? Quanto tempo para dizer por quê? Mais tempo do que tínhamos antes das três horas da madrugada, antes do sol nascer. O cenário de tempo desapareceu. Era luz fora da casa ou era não-luz, chovia ou estava seco, relógios marcavam 10 e não sabíamos que 10 de que dia de que semana podia ser. Acordávamos em nossas manhãs para as estrelas sobre a cidade escura e silenciosa; nas meias-noites nos abraçávamos e sonhávamos onde estavam as horas do *rush* e do almoço em Los Angeles.

Uma alma-irmã não pode ser possível, como eu aprendera nos anos desde que renunciara ao Fleet por dinheiro, construindo meu império murado. Não é possível para pessoas que correm ao mesmo tempo em 10 direções e 10 velocidades, não é possível para os porcos da vida. Eu teria aprendido errado?

Voltei ao quarto, numa de nossas manhãs por volta de meia-noite, balançando uma bandeja com fatias de maçã, queijo e bolachas.

— Oh! — exclamou ela, sentando-se na cama, piscando os olhos para despertar, alisando os cabelos para que caíssem só um pouco desgrenhados pelos ombros nus. — Você é adorável! Que homem atencioso!

— Poderia ser ainda mais, se houvesse na sua cozinha leitelho ou batatas para o *kartoffelkuchen*.

— *Kartoffelkuchen!* — repetiu Leslie, atônita. — Minha mãe fazia *kartoffelkuchen* quando eu era pequena! Pensei que eu fosse a única pessoa no mundo que lembrasse disso. Pode fazê-lo?

— A receita está trancada em absoluta segurança nesta mente extraordinária, transmitida diretamente por Vovó Bach. E você é o único ser humano que me disse essa palavra em resposta durante mais de 15 anos! Devemos relacionar todas as coisas que temos em...

Afofei alguns travesseiros e recostei-me de maneira a poder contemplá-la claramente. Puxa, pensei, como adoro a beleza dela! Ela me percebeu a olhar para seu corpo e deliberadamente sentou-se muito empertigada na cama por um momento, observando-me prender a respiração. Depois, levantou o lençol até o queixo.

— Você responderia a meu anúncio? — perguntou ela, subitamente tímida.

— Claro. Que anúncio é?

— Um anúncio classificado. — Ela pôs uma fatia transparente de queijo na metade de uma bolacha. — Sabe o que diz?

— Conte-me.

Minha própria bolacha rangeu sob o peso do seu queijo, mas calculei que se mantinha estruturalmente sólida.

— *Procura-se: um homem cem por cento. Deve ser brilhante, criativo, divertido, capaz de intensa intimidade e alegria. Deve querer partilhar música, natureza, uma vida pacífica, serena e alegre. Não deve fumar, beber ou ser adepto de tóxicos. Deve amar aprender e querer crescer para sempre. Bonito, alto, esbelto, lindas mãos, sensível, gentil, amoroso. Tão afetuoso e sensual quanto possível.*

— Que anúncio! Claro que eu respondo!

— Ainda não terminei. *Deve ser emocionalmente estável, honesto e digno de confiança, uma pessoa positiva e construtiva. Altamente espiritual, mas não de religião organizada. Deve amar gatos.*

— Mas sou eu exatamente, ao pé da letra! Amo até mesmo o seu gato, embora desconfie que o sentimento não seja mútuo.

— Dê-lhe tempo. Ele passará um período com ciúme.

— Ah, você revelou!

— Revelei o quê? — indagou Leslie, deixando o lençol cair, inclinando-se para a frente e ajustando os travesseiros.

O efeito desse ato simples, o efeito de sua inclinação para a frente, foi para mim um empurrão para o gelo e fogo. Enquanto ela permanecia imóvel, era tão sensual quanto eu podia agüentar. Quando ela se mexia, as curvas e luzes mudando, cada palavra em minha mente se embaralhava, na mais total e feliz confusão.

— Hã...? — balbuciei, observando.

— Seu animal. Eu disse: "Revelei o quê?"

— Se você ficar imóvel, por favor, podemos ter uma boa conversa. Mas devo lhe avisar que se você não está vestida, qualquer movimento no travesseiro tende a me deixar inteiramente descarrilado.

Arrependi-me no mesmo instante. Ela levantou o lençol para cobrir os seios, manteve-o ali com os braços e fitou-me afetadamente por cima de sua bolacha.

— Está bem, está bem... O que você revelou, ao dizer que seu gato ficaria com ciúme por algum tempo, foi que acha que atendo às exigências de seu anúncio.

— Eu queria mesmo revelar isso. E estou contente que você tenha percebido.

— Não receia que eu, sabendo disso, tente agora me aproveitar de você?

Com um enorme esforço mental, estendi a mão e levantei o lençol branco.

— Notei que estava caindo, madame. E no interesse de uma conversa meticulosa, achei que talvez fosse melhor providenciar para que não descesse demais.

— Quanta gentileza...

— Acredita em anjos da guarda?

— Para proteger e velar, ajudar a guiar-nos? Acredito, sim, às vezes.

— Então me diga: por que um anjo da guarda deveria cuidar de nossa vida amorosa? Por que deveria guiar nossos romances?

— É fácil. Para um anjo da guarda, amar é mais importante do que qualquer outra coisa. Para eles, nossa vida amorosa é mais importante do que qualquer outra espécie de vida que tenhamos! Com o que mais os anjos deveriam se importar?

*É claro que ela está certa!*, pensei.

— Acha que é possível os anjos da guarda assumirem forma humana uns para os outros, tornarem-se amantes a intervalos de algumas vidas?

Ela deu uma mordida na bolacha, pensando a respeito.

— Acho, sim. — Uma pausa. — Um anjo da guarda responderia a meu anúncio?

— Com toda certeza. Todo anjo da guarda do país responderia a esse anúncio, se soubesse que era você quem estava anunciando.

— Eu só queria um. — Uma pausa. — Você tem um anúncio?

Assenti, surpreendendo a mim mesmo.

— Estou escrevendo há anos. *Procura-se: um anjo da guarda fêmea cem por cento em corpo humano, por favor. Independente, aventureira, exige-se profunda sabedoria. De preferência capacidade para iniciar e reagir criativamente em muitas formas de comunicação. Deve falar a língua do pê.*

— Isso é tudo?

— Não. *Só devem se apresentar anjos de olhos gloriosos, corpos deslumbrantes e longos cabelos dourados. Exige-se curiosidade brilhante, capacidade voraz para aprender. Preferência para profissional em diversos campos criativos e empresariais, experiência em cargos de alta administração. Intrépida, disposta a assumir todos os riscos. Felicidade garantida a longo prazo.*

Leslie escutou atentamente.

— A parte "de corpo deslumbrante e longos cabelos dourados" não é muito humana para um anjo?

— Por que não um anjo da guarda de corpo deslumbrante e cabelos compridos? Isso significa que ela é menos angelical, menos perfeita para o seu mortal, menos competente em sua função?

*Por que os anjos da guarda não podem ser assim?*, pensei, desejando o meu caderninho de anotações. Por que não um planeta de anjos, iluminando as vidas uns dos outros com aventura e mistério? Por que não pelo menos uns poucos que podem se encontrar de vez em quando?

— Quer dizer então que criamos qualquer corpo que nosso mortal considerar mais delicioso? Quando o mestre é bonito, prestamos atenção?

— Exatamente! Espere um instante...

Encontrei o caderninho de anotações no chão, ao lado da cama, escrevi o que ela disse, pus um traço e depois o L para Leslie.

— Já notou, depois que conhece uma pessoa por algum tempo, como sua aparência muda?

— Ele pode ser o homem mais lindo do mundo, mas se torna feio como pipoca quando nada tem a dizer. E o homem mais feio diz o que lhe importa e por que se importa, em dois minutos é tão bonito que você sente vontade de abraçá-lo!

Fiquei curioso.

— Já saiu com muitos homens feios?

— Não muitos.

— Se eles ficavam bonitos para você, por que não?

— Porque eles vêem a grande estrela do cinema toda elegante e bonita, pronta para as câmaras, calculam que ela só tem olhos para o homem mais bonito. Raramente me convidam para sair, Richard.

Os pobres tolos, pensei. *Raramente pedem*. Porque acreditamos na superfície, esquecemos que as superfícies não são quem são. Quando encontramos um anjo de mente fascinante, seu rosto se torna ainda mais adorável. E, depois, ela nos diz: "Diga-se de passagem, tenho este corpo..."

Escrevi no caderninho.

— Algum dia vou lhe pedir para ler mais das suas anotações — disse Leslie, transferindo a bandeja para a mesinha-de-cabeceira.

No movimento, o lençol tornou a cair. Ela levantou os braços, espreguiçando-se sensualmente.

— Mas não vou pedir agora — acrescentou ela, chegando-se mais perto. — Nada mais de perguntas por hoje.

Como eu não tinha mais condições de pensar, estava ótimo assim.

# vinte

NÃO ERA MÚSICA, mas uma discordância metálica, um barulho de serra. Mal ela se virou dos controles do *stereo*, depois de sintonizar o volume tão alto quanto possível, eu era um caldeirão de queixas.

— Isso não é música!

— COMO? — disse ela, perdida na música.

— EU DISSE QUE ISSO NÃO É MÚSICA!

— BARTÓK!

— O QUÊ?

— BÉLA BARTÓK!

— PODE ABAIXAR, LESLIE?

— CONCERTO PARA ORQUESTRA!

— PODE ABAIXAR O VOLUME SÓ UM POUQUINHO OU MESMO MUITO? PODE ABAIXAR O VOLUME MUITO?

Ela não ouviu as palavras, mas percebeu a sugestão e abaixou o volume.

— Obrigado, Leslie. *Wookie*, é isso... que você considera sinceramente... ser música?

Se eu tivesse observado atentamente, além do corpo delicioso no roupão florido, cabelos presos e cobertos por uma toalha convertida em turbante para secar, teria percebido o desapontamento em seus olhos.

— Você não gosta?

— Você adora música, estudou música durante toda a sua vida. Como pode dizer que essa desarmonia que estamos ouvindo, que essa discordância total... como pode chamar isso de música?

— Pobre Richard — disse ela. — Afortunado Richard! Você tem muito o que aprender sobre música. Tantas lindas sinfonias, sonatas e concertos que poderá ouvir pela primeira vez!

Ela parou o *tape*, rebobinou e tirou da máquina.

— Talvez seja um pouco cedo para Bartók. Mas lhe prometo que chegará o dia em que escutará o que acabou de ouvir e chamará de glorioso.

Ela examinou a sua coleção de fitas, escolheu uma e pôs no aparelho em que antes estivera o Bartók.

— Gostaria de ouvir um pouco de Bach... gostaria de ouvir a música do seu bisavô?

— Provavelmente me expulsará de sua casa invertida por dizer isso, mas só posso ouvi-lo por meia hora, depois me sinto perdido e um pouco entediado.

— Entediado? Escutando Bach? Então não sabe escutar! Nunca aprendeu a escutá-lo! — Ela apertou um botão e a fita começou a tocar; vovô em algum órgão monstruoso, era óbvio. — Primeiro, você tem de sentar direito. Venha sentar aqui, entre os alto-falantes. Este é o lugar em que sentamos quando queremos ouvir toda a música.

Eu me sentia como no jardim de infância musical, mas adorava estar com ela, sentado bem perto.

— Basta a complexidade para tornar a música irresistível. A maioria das pessoas escuta música horizontalmente, acompanhando a melodia. Mas pode-se escutar também *estruturalmente*. Já fez isso alguma vez?

— Estruturalmente? Não.

— A música antiga era toda linear — disse ela, sobre uma enxurrada de notas de órgão — melodias simples desenvolvidas uma de cada vez, temas primitivos. Mas seu avô criou temas complexos, com pequenos ritmos difíceis, reunindo-os a intervalos irregulares. Projetou assim estruturas intrincadas e também um sentido vertical... *harmonia*! Algumas harmonias de Bach são tão dissonantes quanto as de Bartók. E lembre-se que Bach as criou um século antes de alguém sequer pensar em dissonância.

Ela parou a fita, sentou-se no banco do piano e, sem qualquer hesitação, tocou no teclado o último acorde que saiu pelos alto-falantes.

— Pronto. — Parecia mais evidente no piano do que pelos alto-falantes. — Está vendo? Aqui está um tema... — Leslie tocou por um instante e depois acrescentou: — E aqui está outro... e mais outro. Observe agora como ele desenvolve. Começamos com o tema A na mão direita. O A torna a entrar quatro compassos depois na mão esquerda. Está ouvindo? Eles continuam juntos até... aqui vai o B. E o A lhe está subordinado agora. Aqui está o A entrando de novo na mão direita. E agora... o C!

Ela destacou os temas, um a um, depois reuni-os. Lentamente, a princípio, depois mais depressa. Eu mal conseguia acompanhar. O que era Adição Simples para ela constituía Cálculo Avançado para mim; fechando os olhos e comprimindo a testa com as mãos, eu podia quase compreender.

Ela recomeçou, explicando cada etapa. Enquanto tocava, uma luz começou a brilhar através de um salão sinfônico interior que permanecera escuro durante toda a minha vida.

Leslie estava certa! Havia temas entre os temas, dançando juntos, como se Johann Sebastian tivesse encerrado segredos em sua música para o prazer particular daqueles que aprendiam a ver abaixo da superfície.

— Mas que alegria! — exclamei, excitado por compreender o que ela estava dizendo. — Estou ouvindo! Está mesmo aí!

Ela sentiu-se tão contente quanto eu, esqueceu de vestir-se ou escovar os cabelos. Deslocou a pauta musical do fundo da estante de música do piano para a frente. *Johann Sebastian Bach* era o que dizia. Houve então uma tempestade de notas, ritmos, pontos, sustenidos, bemóis, ligaduras, trinados e súbitos comandos em italiano. Logo no início, antes que a pianista pudesse recolher o trem de aterrissagem e voar para aquela tempestade, era atingida por um *con brio*, que calculei estar destinado a ser tocado com exuberância, moderação ou maestria.

Impressionante. Minha amiga, com quem só recentemente eu emergira de lençóis quentes e sombras voluptuosas, com quem eu falava inglês à vontade, espanhol com riso, alemão e francês com muita perplexidade e experiência criativa, minha amiga desatara subitamente a cantar em uma língua nova e extremamente complicada, cujo aprendizado começava para mim naquele dia ao ouvir.

A música rompeu do piano como água fresca e cristalina de uma rocha tocada pelo profeta, despejando-se ao nosso redor, quando seus dedos saltavam e se estendiam, se enroscavam e enrijeciam, derretiam-se e faiscavam em passes de mágica, lançavam relâmpagos sobre o teclado.

Nunca antes ela tocara para mim, alegando que estava sem prática, inibida demais até para descobrir as teclas do instrumento enquanto eu me encontrava na sala. Alguma coisa, porém, acontecera entre nós... porque éramos amantes, agora, ela sentia-se livre para tocar ou era a mestra tão ansiosa em ajudar o discípulo surdo que nada podia mantê-la afastada da música?

Seus olhos acompanhavam cada gota de chuva daquele furacão no papel; esquecera que possuía um corpo, em que só as mãos permaneciam, os dedos toldados, um espírito que encontrava a sua canção no coração de um homem morto há 200 anos, erguendo-se triunfante do túmulo pelo desejo dela de música viva.

— Leslie! Santo Deus! Quem é você?

Ela virou ligeiramente a cabeça para mim e meio que sorriu, os olhos, a mente e as mãos ainda na música, trovejando para as alturas.

Depois, ela olhou para mim; a música parou no mesmo instante, a não ser pelos acordes ainda tremulando dentro do piano.

— E assim por diante, interminavelmente. — A música faiscava nos olhos de Leslie, em seu sorriso. — Percebe agora o que ele está fazendo aí? Percebe o que ele fez?

— Um pouquinho — murmurei. — E eu pensava que conhecia você! Deixou-me completamente tonto. Essa música é... é... você é...

— Estou um pouco sem prática, Richard. As mãos não funcionam como deveriam...

— Não, Leslie. Pare com isso. E escute. O que acabei de ouvir é pura... escute!... pura radiância, que você tirou das nuvens iluminadas e do nascer do sol, destilando nessa luz que posso ouvir! Sabe como é bom e maravilhoso o que faz com seu piano?

— Sabia que o piano foi a minha carreira escolhida?

— Uma coisa é saber disso em palavras, mas você nunca havia tocado antes! E agora acaba de me proporcionar mais um e totalmente diferente... paraíso!

Leslie franziu o rosto.

— ENTÃO NÃO SE SINTA ENTEDIADO COM A MÚSICA DO SEU AVÔ!

— Nunca mais isso acontecerá — murmurei, humildemente.

— É claro que nunca mais. Sua mente é muito parecida com a dele para não compreender. Cada linguagem possui a sua chave e o mesmo acontece com a de seu avô. Entediado... Essa não!

Ela aceitou a minha promessa de melhorar, depois de me arrasar a respeito, e foi escovar os cabelos.

# vinte e um

ELA VIROU-SE da máquina de escrever, sorriu para mim, sentado com uma xícara de chocolate e o esboço de um roteiro de cinema.

— Não precisa engolir tudo de uma vez, Richard. Pode tomar em goles, devagar. Pode assim fazer com que dure mais.

Ri de mim, junto com ela. Para Leslie, pensei, devo parecer um mero boneco de palha no sofá do seu escritório.

A mesa organizada, os arquivos em perfeita ordem, nem um único clipe fora do lugar. Ela própria parecia igualmente impecável, com uma calça bege confortável, blusa transparente metida para dentro, um sutiã tão transparente quanto a blusa, delineado por flores brancas. Os cabelos estavam escovados em ouro. Aqui está, pensei, como o esmero deve parecer!

— Nossos drinques não são pesos de papel — comentei. — A maioria das pessoas toma o chocolate quente. Mas você faz amizade com o seu. Posso tomar chocolate quente em quantidade suficiente para detestar o gosto pelo resto dos meus dias no tempo que você leva para travar conhecimento com uma única xícara!

— Não prefere beber uma coisa amiga a algo que mal conheceu?

— Íntima com seu chocolate, com sua música, com seu jardim, com seu carro, com sua casa, com seu trabalho. Eu estava ligado às coisas que conhecia por uma rede de fios de seda; ela se prendia às suas por cabos de prata trançada. Para Leslie, nada próximo era desprovido de valor.

Trajes profissionais e vestidos pendurados em seus armários, separados por cor e tonalidade de cor, cada um coberto por capas de plástico. Sapatos que combinavam no chão por baixo, chapéus que combinavam na prateleira por cima.

Livros nas estantes por assunto; discos e fitas por compositor, maestro e solista.

Uma desafortunada e desajeitada aranha tropeçou e caiu na pia? Tudo pára. Lá vem uma toalha de papel servindo como escada de socorro; depois que a criatura embarca, é levada para fora e largada gentilmente no jardim, com palavras suaves e advertências brandas de que pias não são lugares seguros para aranhas se divertirem.

Eu era completamente o oposto. O esmero, por exemplo, tinha uma prioridade inferior. As aranhas devem ser salvas das pias, é claro, mas não precisam ser mimadas. Levadas para fora e largadas na varanda, devem agradecer às suas estrelas-guia.

As coisas desaparecem num piscar de olhos; um vento bate e lá se vão para sempre. Os cabos de prata de Leslie... não se ligam tão fortemente às coisas e pessoas que, quando se vão, uma parte de nós não se perde também?

— É melhor nos ligarmos a pensamentos de eternidade do que a coisas do aqui e agora, desaparecidas no momento seguinte — comentei, quando seguíamos para o Music Center, Leslie ao volante. — Não concorda?

Ela assentiu, guiando 10 quilômetros acima do limite de velocidade, sempre alcançando os sinais verdes.

— A música é uma coisa eterna, Richard.

Como um gato salvo, eu era alimentado com a nata da música clássica, para a qual ela insistia que eu tinha ouvido e aptidão.

Leslie tocou no rádio e imediatamente violinos fluíram, no meio de uma peça alegre. Outro teste chegando, pensei. Eu gostava dos testes.

— Barroca, clássica ou moderna? — indagou Leslie, entrando numa faixa vazia, a caminho do centro da cidade.

Escutei a música com intuição, assim como com uma nova instrução. Uma estrutura muito profunda para ser barroca, não era bastante formal para ser clássica, não era ondulada o suficiente para ser moderna. Romântica, lírica, ligeira...

— Neoclássica — sugeri. — Parece música de um grande compositor, só que ele está se divertindo com esta peça. Eu diria que foi composta... em 1923?

Eu estava convencido de que Leslie conhecia a época, data, compositor, obra, movimento, orquestra, maestro, primeiro violino. Bastava-lhe ouvir uma música para conhecê-la; cantarolava em acompanhamento de cada uma das mil peças que acumulara. Cantarolava Stravinski, tão imprevisível quanto um cavalo xucro de rodeio, sem quase perceber que o fazia.

Bom palpite! — disse ela. — Muito perto! Compositor?

— Decididamente, não é alemão.

Não era bastante pesado; não tinha força impetuosa suficiente para ser alemão. Também não tinha o sabor de um francês, não sentia como um italiano e não parecia com um britânico. Não possuía o colorido da Áustria, não exibia ouro suficiente. Simples. Eu próprio podia cantarolar. Mas não era a simplicidade americana. Era dançante.

— Polonês? Dá-me a impressão de que foi composta nos campos a leste de Varsóvia.

— Bom palpite! Mas ele não é polonês. Um pouco mais ao leste. É russo.

Ela estava visivelmente satisfeita comigo. O Bantha não diminuiu a velocidade; os sinais verdes eram servos de Leslie.

— Russo? E onde está o anseio? Onde está o patético? Russo! Mas que coisa!

— Não se precipite com as generalizações, *wookie*. Nunca ouviu até agora qualquer música russa feliz. Mas tem razão numa coisa. Este é divertido.

— Quem é?

— Prokofiev.

— Mas quem diria! Ru...

— MALDITO IDIOTA! — Os freios rangeram, o Bantha derrapou furiosamente, desviou-se por um metro do caminhão que surgiu como um relâmpago negro. — *Viu aquele filho da puta?* Avançou direto o sinal! Quase nos matou... que porra ele pensa...

Leslie demonstrara reflexos como os de um piloto de corrida para se desviar da coisa que agora já sumia, descendo o Crenshaw Boulevard a meio quilômetro. O que me espantava não era o caminhão, mas a sua linguagem.

Ela olhou para mim, o rosto ainda franzido, percebeu a minha expressão, tornou a olhar, surpresa, empenhou-se para reprimir um sorriso, não conseguiu.

— Richard! Eu o choquei! Foi por causa do *porra*? — Ela sufocou o riso com imenso esforço. — Oh, meu pobre menino! Falei palavrão na sua frente! Desculpe!

Meio que senti raiva, meio que ri de mim mesmo.

— Muito bem, Leslie Parrish, então é isso! Desfrute ao máximo este momento, porque é a última vez que me verá chocado por causa de um *porra*!

Mesmo enquanto eu falava, a última palavra soava estranha em minha boca, sílabas contrafeitas. Como um abstêmio dizendo *martini*, um não-consumidor falando *cigarro*, *baseado* ou qualquer coisa do jargão tão fácil para os viciados. Não importa qual seja a palavra, se não a usamos nunca parece sair desajeitada. Até mesmo *fuselagem* parece esquisito ao sair de quem não gosta de aviões. Mas uma palavra é uma palavra, é um som no ar e não há motivo para que eu não seja capaz de dizer qualquer palavra que queira sem me sentir contrafeito.

Não falei por alguns segundos, enquanto Leslie faiscava para mim.

Como se pratica o palavrão? À melodia de Prokofiev, ainda saindo pelo rádio, pratiquei baixinho:

— Oh... porra porra porra/ porra porra porra/ PORRA PORRA PORRA/ Oh, po-rra po-rra po-rra/ Oh porraaaaa PORRA!

Ao perceber o que eu cantava e a determinação ansiosa com que o fazia, Leslie dissolveu-se em alegria ao volante.

— Pode rir quanto quiser, porra, *wookie*! Aprenderei essa porra direitinho! Mas que porra! Qual é o nome da porra dessa música?

— Oh, Richard — balbuciou ela, limpando as lágrimas. — É *Romeu e Julieta*...

Continuei com a minha canção e depois de umas poucas estrofes a palavra perdeu inteiramente o seu significado. Mais alguns versos e eu estaria porrando como o pior deles! E, além, havia outras palavras a conquistar! Por que eu não pensara em fazer exercícios de palavrão 30 anos antes?

Leslie teve de conter os meus palavrões quando entramos no salão de concerto.

Foi somente quando voltamos ao carro, depois de uma noitada em primeira fila de Tchaikovski e Samuel Barber, com Zubin Mehta conduzindo Itzhak Perlman e a Filarmônica de Los Angeles, que pude expressar meus sentimentos.

— Foi uma porra de uma música sensacional! Não acha que foi uma boa... isto é, uma porra maravilhosa?

Ela levantou os olhos para o céu, suplicante.

— Que mal eu fiz? O que estou criando?

— Qualquer que seja a porra que está criando, está fazendo uma porra de um trabalho sensacional!

Ainda associados nos negócios, insistimos que algum trabalho fosse feito naquelas semanas juntos. Assim, escolhemos um filme para pesquisar e saímos cedo para entrar na fila da sessão da tarde. O tráfego suspirava e sussurrava na rua enquanto esperávamos; contudo, o tráfego não estava ali, como se uma névoa encantada, começando na extensão de um braço ao nosso redor, transformasse tudo além em fantasmagórico, enquanto conversávamos em nosso planeta particular.

Eu não notara a mulher que nos observava, não muito longe na névoa. Mas, subitamente, ela tomou uma decisão que me assustou. Aproximou-se de Leslie, tocou em seu ombro, demoliu nosso mundo.

— Você é Leslie Parrish!

O sorriso deslumbrante de minha amiga se desvaneceu no mesmo instante. Ainda era um sorriso, mas subitamente congelado; ela se refugiara por dentro, cautelosa.

— Com licença, mas eu a vi na TV no filme *The Big Valley* e no cinema em *Jornada nas Estrelas*... Adoro o seu trabalho e acho que você é linda...

A mulher estava se mostrando sincera e um tanto tímida, fazendo com que os muros se afinassem.

— Hã... obrigada.

A mulher abriu a bolsa.

— Poderia... se não for muito incômodo... importa-se de dar um autógrafo para minha filha Corrie? Ela me mataria se soubesse que estive tão perto de você e não... — A mulher não estava tendo muita sorte em encontrar papel. — Tem de haver alguma coisa aqui...

Ofereci meu caderninho de anotações e Leslie acenou com a cabeça, aceitando-o.

— Tem aqui— disse ela à mulher, acrescentando depois para mim: — Obrigada, senhor.

Ela escreveu uma saudação para Corrie e depois assinou, arrancou a folha e entregou à mulher.

— Você foi também Violeta em *As Aventuras de Ferdinando* — disse a mulher, como se Leslie pudesse ter esquecido. — E trabalhou também em *Sob o Domínio do Mal*. Adorei.

— Ainda se lembra, depois de todo esse tempo? É muita gentileza...

— Muito obrigada. Corrie ficará tão feliz!

— Dê-lhe um abraço por mim.

Houve silêncio, depois que a mulher voltou a seu lugar na fila.

— Não diga uma só palavra! — resmungou Leslie.

— Foi comovente! E não estou brincando. Juro que achei.

Leslie se abrandou.

— Ela é doce e sincera. Há quem diga: "Você não é alguém?" Respondo que não e tento me esquivar. "Não, você é alguém, sei que é. O que já fez?" E querem que você enumere seus créditos... — Leslie sacudiu a cabeça, perplexa. — Não há meio sensível de lidar com as pessoas insensíveis. Ou será que há?

— Muito interessante. Eu não tenho esse problema.

— Não tem, *wookie*? Está querendo dizer que nunca teve uma pessoa grosseira se intrometendo em sua privacidade?

— Não em pessoa. Aos escritores, as pessoas insensíveis enviam cartas, mandam originais. Cerca de um por cento é assim, talvez nem tanto. O resto da correspondência é bastante agradável.

Fiquei ressentido com a velocidade da fila de ingresso. Em menos de uma hora tivemos de interromper nossas descobertas para entrar no cinema a negócios, sentar e assistir a um filme. Há tanto a ganhar de Leslie, pensei, segurando a sua mão no escuro, meu ombro encostando no seu, mais a dizer do que jamais houve! E agora havia entre nós a gentileza desvairada do sexo, mudando-nos, completando-nos.

Aqui está uma mulher incomparável em minha história, pensei, fitando-a no escuro. Não posso imaginar o que seria preciso para abalar e ameaçar o calor de sua proximidade. Aqui está a única mulher, entre todas as mulheres que conheço, com quem não pode haver qualquer dúvida do vínculo entre nós, por tanto tempo quanto vivermos.

Não é estranho como a certeza sempre surge antes do estilhaçar?

## vinte e dois

LÁ ESTAVA o lago mais uma vez, a Flórida cintilando sob as minhas janelas. Hidroaviões como libélulas faiscando ao sol deslizavam pela água e pelo ar. Nada mudou por aqui, pensei, largando a bolsa de vôo no sofá.

Um movimento na beira do meu campo de visão e pulei, vendo-a na porta, outro eu que esquecera: blindado, defendido e, no momento, enojado. Como voltar para casa de um passeio pela campina, margaridas nos cabelos, bolsos vazios de pedaços de maçã e cubos de açúcar para as corças, encontrando um guerreiro de armadura a aguardar friamente na casa.

— Você está sete semanas atrasado! — disse ele. — E não me falou onde estava. Será magoado pelo que devo dizer e eu poderia poupar-lhe essa dor. Richard, já viu Leslie Parrish em demasia. Esqueceu tudo o que aprendeu? Será que não percebe o perigo? A mulher ameaça toda a sua maneira de viver!

O manto de aço se mexeu, a armadura rangeu.

— Ela é uma mulher bonita.

Compreendi no mesmo instante que ele não perceberia o significado, lembrando-me das muitas mulheres bonitas que conhecia. Silêncio. Outro rangido.

— Onde está o seu escudo? Suponho que perdeu. É muita sorte que tenha voltado vivo.

— Precisamos conversar...

— Seu tolo. Acha que usamos armadura por diversão? — Olhos luziram, dentro do capacete. Um dedo em cota de malha percorreu os amassados e golpes no metal. — Cada marca foi feita por algum desígnio de mulher. Você foi quase destruído pelo casamento, escapou por milagre. Se não fosse pela armadura, teria sido cortado 10 vezes por amizades que se converteram em obrigação que se converteram em opressão. Um milagre que você merece. Há dezenas e é melhor você não contar.

— Tenho usado minha armadura — resmunguei para ele. — Mas você quer que eu a mantenha... durante todo o tempo? A cada momento? Há um tempo para flores também. E Leslie é especial.

— Leslie *era* especial. Cada mulher é especial por um dia, Richard. Mas o especial se transforma em lugar-comum, o tédio predomina, o respeito se desvanece, a liberdade se perde. Perca a sua liberdade... o que mais tem a perder?

O vulto era maciço, só que mais rápido e ágil do que um gato no combate, imensamente forte.

— Você me criou para ser o seu amigo mais íntimo, Richard. Não me projetou para ser belo, risonho, afetuoso ou dócil. Construiu-me para protegê-lo das ligações que se tornam ameaçadoras; construiu-me para garantir sua sobrevivência como uma alma livre. Só posso salvá-lo se fizer o que eu mandar. Pode me mostrar um casamento feliz? Um único que seja? Entre todos os homens que você conhece, há um único cujo casamento não tenha se tornado mais feliz através do divórcio e de uma amizade a substituí-lo?

Eu tinha de admitir:

— Não conheço ninguém.

— O segredo da minha força é que não minto. Até que você possa me apresentar uma argumentação melhor, mudar meu fato para ficção, eu estarei com você, para guiá-lo e protegê-lo. Outras mulheres foram bonitas para você ontem. Cada uma delas o teria destruído no casamento. Há uma mulher perfeita para você, mas habita em muitos corpos diferentes...

— Eu sei, eu sei...

— Você sabe. Quando encontrar uma mulher no mundo que possa lhe dar mais do que muitas mulheres, então desaparecerei.

Eu não gostava dele, mas não podia negar que estava certo. Ele me salvara de ataques que teriam matado quem eu era no momento. Não gostava de sua arrogância, mas a arrogância provinha da certeza. Era assustador ficar na mesma sala que ele, mas pedir-lhe para degelar era me tornar a baixa de cada descoberta que esta ou aquela mulher não era, no final das contas, a minha alma-irmã.

Desde quando eu podia lembrar, a liberdade igualava a felicidade. Um pouco de proteção... é um preço pequeno a se pagar pela felicidade.

Naturalmente, pensei, Leslie possui a sua própria pessoa de aço para protegê-la... muito mais homens haviam planejado a sua captura e casamento do que mulheres planejaram o mesmo em relação a mim. Se ela vivesse sem a armadura, estaria casada hoje, sem o momento de amor alegre que desfrutáramos. Sua alegria se baseava também na liberdade.

Como desaprovávamos as pessoas casadas que às vezes nos procuravam para ligações extraconjugais! Aja como acreditar, não importa o que seja — se acredita no casamento, viva-o honestamente. Se não acredita, descase o mais depressa possível.

Eu estaria casando com Leslie ao gastar tanto da minha liberdade com ela?

— Desculpe — murmurei para o meu amigo blindado. — Não tornarei a esquecer.

Ele me lançou um olhar longo e sombrio antes de se retirar.

Respondi à correspondência por uma hora, trabalhei num artigo de revista que não tinha um prazo determinado. Depois, irrequieto, desci para o hangar.

Sobre a enorme depressão pairava o mais tênue véu de algo errado... um vapor tão ligeiro que nada havia para se ver.

O pequeno jato BD-5 precisava voar, a fim de remover as teias de aranha das superfícies de controle.

Há teias de aranha também em mim, pensei. Nunca é sensato se perder a eficiência em qualquer avião, permanecer longe por tempo demais. O pequeno jato estava pedindo, o único avião que eu voara mais perigoso na decolagem do que no pouso.

Três metros e 60 centímetros do nariz à extremidade, tirado do hangar como uma carrocinha de cachorro-quente, sem o guarda-sol e igualmente sem vida. Não inteiramente sem vida, pensei. Era soturno. E eu também ficaria, se deixado sozinho por semanas, com aranhas no meu trem de pouso.

A cobertura removida, o combustível verificado, inspeção antes do vôo. Havia poeira nas asas.

Eu deveria contratar alguém para tirar a poeira dos aviões, pensei, resfolegando em desgosto. Mas que preguiçoso eu me tornara — contratar alguém para tirar a poeira dos meus aviões!

Eu constumava ter toda intimidade com um só avião, agora tenho um harém de lata; sou o xeque que aparece de vez em quando para uma visita. O Twin Cessna, o Widgeon, o Meyers, o Moth, o Rapide, o Lake anfíbio, o Pitts Special... uma vez por mês, se tanto, eu ligo seus motores. Somente o T-33 tem tempo recente em seu diário de vôo, voltando da Califórnia.

Tome cuidado, Richard, pensei. Estar distante do avião em que se voa é não criar condições propícias à longevidade.

Entrei na carlinga do pequeno jato, olhei para um painel de instrumentos que o tempo me tornara desconhecido.

Costumava ser, eu passava todos os dias com o Fleet, virava de cabeça para baixo na carlinga, tirava feno do chão, manchava as mangas de óleo ao limpar o motor, ajustar as válvulas, apertar cada parafuso. Hoje, sou tão íntimo dos meus muitos aviões quanto sou das minhas muitas mulheres.

O que Leslie pensaria a respeito, ela que tanto preza a tudo? Não éramos íntimos, ela e eu? Eu gostaria que ela estivesse aqui.

— Tudo checado! — gritei em advertência, por força do hábito, apertando o botão de partida.

A ignição disparou e finalmente um rumor de combustível de jato entrando no motor chegou a meus ouvidos. A temperatura aumentou, os mostradores adquiriram vida.

Assim é o hábito. A partir do momento em que aprendemos um avião, as mãos e os olhos sabem como fazê-lo funcionar, muito depois que nossas mentes esqueceram. Se mais alguém estivesse na carlinga e perguntasse como ligar o motor, eu não saberia responder... só depois que minhas mãos terminassem a seqüência é que poderia explicar o que haviam feito.

O perfume forte do combustível queimando penetrou na carlinga... recordações de mil outros vôos surgiram junto. Continuidade. Este dia é parte de uma vida passada a voar durante a maior parte do tempo.

Conhece outro significado para *voar*, Richard? *Escapar*. *Fugir*. Mas do que estou escapando e o que estou encontrando atualmente?

Taxiei para a pista, avistei uns poucos carros pararem na cerca do aeroporto para observar. Não havia muito para ser visto. O jato era tão pequeno que, sem o sistema de fumaça de *show* aéreo ligado, estaria fora de vista antes de chegar à extremidade da pista.

Não se esqueça de que a decolagem é crítica. Acione de leve o manche, Richard, bem de leve. Acelere para 85 nós, depois levante o nariz ligeiramente e deixe o avião alçar vôo por si mesmo. Tente forçar e estará morto.

Apontado pela linha branca no centro da pista, a capota fechada e trancada, comprimi o acelerador até o fundo e o pequeno aparelho se projetou para a frente. Com seu pequeno motor, o jato adquiria velocidade tão depressa quanto um carro de boi. Na metade da pista estava em movimento, mas ainda adormecido... 60 nós era devagar demais para se voar. Um longo tempo depois estávamos avançado a 85 nós, com a maior parte da pista para trás.

Levantei a roda dianteira do concreto e em poucos segundos estávamos no ar, mas com o aparelho ainda baixo e vagaroso, na extremidade da pista, fazendo o maior esforço para passar por cima das árvores.

Rodas recolhidas.

Galhos passaram faiscando três metros abaixo. A velocidade no ar aumentou para 100 nós, 120 nós, 150 nós, finalmente o aparelho despertou e comecei a relaxar na carlinga. A 180, a coisinha faria qualquer coisa que eu quisesse. Tudo o que precisava era de velocidade aerodinâmica e céu livre para se transformar num enorme prazer.

Como voar era importante para mim! Representava tudo o que eu amava. O vôo parece magia, mas é uma habilidade que se aprende e se pratica com uma companhia aprendizável e adorável. Princípios a conhecer, leis a seguir, disciplinas que orientam e conduzem, por mais estranho que possa parecer, à liberdade. Voar é tão parecido com música! Tenho certeza de que Leslie adoraria.

Ao norte, uma linha de cúmulos se acumula em tempestades. Dez minutos e estamos deslizando sobre os domos lisos, no ar rarefeito, mais de três quilômetros acima do ermo.

Quando eu era garoto, costumava me esconder no mato e observava as nuvens, vendo outro eu empoleirado lá em cima, na beira da nuvem como estou agora, acenando uma bandeira para o menino lá embaixo e gritando OI, DICKIE! Só que nunca dava para ouvir, por causa da altura. Com lágrimas nos olhos, ele queria tanto viver numa nuvem, nem que fosse por um minuto!

O jato virou à idéia, subiu e disparou para o topo da nuvem, uma rampa de esqui austríaca. Mergulhamos as asas por um instante pela neblina, levantamos e rolamos. E com toda certeza, diminuindo por trás de nós, lá estava uma bandeira branca se enroscando, uma bandeira de nuvem para assinalar o salto. *Oi, Dickie!*, pensei, mais alto do que um grito. Oi, Dickie fazendo um cruzamento para o garoto no solo 30 anos antes. Controle a sua paixão pelo céu e eu lhe prometo uma coisa, garoto: o que você ama encontrará um meio de arrebatá-lo da terra, projetando-o bem alto para as respostas alegres e assustadoras a cada pergunta que puder formular.

Éramos um foguete nivelado, a paisagem de nuvem mudando em alta velocidade ao nosso redor.

Ele ouviu?

Eu me lembro de ter ouvido então a promessa que apresentei neste momento ao garoto observando do mato de um ano diferente? Talvez. Não as palavras, mas o conhecimento absoluto de que eu algum dia voaria.

Reduzimos a velocidade, entramos em rolamento, invertemos, mergulhamos direto por um longo percurso. Que pensamento! Se pudéssemos conversar entre nós, de um tempo para outro, Richard — agora estimulando Dickie — então, encorajando não em palavras, mas em recordações profundas de aventuras ainda a serem vividas. Como rádio psíquico, transmitindo desejos, ouvindo intuições.

Quanto a aprender se pudéssemos passar uma hora, passar 20 minutos ao menos, com o nós-que-nos-tornaremos! Quanto poderíamos dizer ao nós-que-fomos!

Suave suave, com o mais gentil toque de um dedo no manche, o pequeno avião saiu de seu mergulho. Em velocidade aerodinâmica não se faz nada súbito com um avião, a fim de que não se torne uma explosão de peças separadas parando em pleno vôo, rodopiando pelo ar para caírem no pântano.

Nuvens mais baixas passaram velozmente como rajadas de pacífico fogo antiaéreo; uma estrada solitária surgiu abruptamente lá embaixo e logo desapareceu.

Que experiência seria! Dizer alô a todos os outros Richards que voaram antes de mim no tempo, encontrar um meio de escutar o que eles diriam! E o eu alternativo está em futuros alternativos, os que tomaram decisões diferentes pelo caminho, que viraram à esquerda nas esquinas em que eu virei à direita, o que teriam para me dizer? A vida deles é melhor ou não? Como a mudariam, sabendo o que sabem agora? E nada disso, pensei, é para mencionar os Richards em outras vidas, nos futuros distantes e nos passados distantes do Agora. Se todos vivemos o Agora, *por que não podemos nos comunicar?*

Pelo tempo em que o aeroporto surgiu à vista outra vez, o pequeno jato já me perdoara as negligências e éramos amigos outra vez. Era mais difícil perdoar a mim mesmo, mas isso geralmente acontece.

Reduzimos a velocidade e entramos no padrão de pouso, aquele mesmo padrão que eu observara no dia em que saltara do ônibus e me encaminhara para o aeroporto. Posso vê-lo agora, andando por ali, com seu saco de dormir e a notícia de que é um milionário? O que tenho a lhe dizer? Oh, Deus, o que tenho a dizer?

Tão fácil de aterrissar quanto era perigoso de decolar, o BD-5 desceu para a pista, tocou no solo com as rodas em miniatura, rolou em linha reta para a última taxiagem. Virou depois e em um minuto estávamos de volta ao hangar, o motor desligado, a turbina girando mais e mais devagar, até parar.

Afaguei a capota e agradeci pelo vôo, o costume de qualquer piloto que voou por mais tempo do que achava que merecia.

Os outros aviões observavam com inveja. Queriam também voar; precisavam voar. Lá está o pobre Widgeon, o óleo vazando do motor da direita. O lacre secara de ficar inativo por tanto tempo.

Eu poderia escutar também os futuros dos aviões, além do meu? Se eu praticasse e conhecesse o seu futuro então, não teria me sentido triste. Ele se tornaria um avião astro-de-televisão, abrindo cada episódio de uma série extremamente popular, voando para uma linda ilha, pousando na água e taxiando para o cais, cintilante e belo, sem qualquer vazamento de óleo. E não poderia ter esse futuro sem o presente que vivia neste momento, empoeirado em meu hangar, depois de voar comigo umas poucas centenas de horas.

Portanto, havia algum futuro para mim que podia não acontecer sem que eu primeiro vivesse este presente livre e solitário.

Subi a escada de volta à casa, absorvido na possibilidade de contato com os outros aspectos de mim, Richards-antes e Richards-que-ainda-seriam, os eus de outras vidas, outros planetas, outros espaços-tempos hipnóticos.

Qualquer um deles teria procurado por uma alma-irmã? Algum deles a teria encontrado?

A intuição — o futuro/passado sempre-eu — sussurrou naquele momento na escada:

Sim.

# vinte e três

ABRI O ARMÁRIO, tirei uma lata de sopa e um pouco de talharim, planejando fazer um excelente almoço italiano em um minuto. Podia não ser inteiramente italiano. Mas seria quente e nutritivo do tipo de inquérito que eu tinha de fazer.

Olhe ao seu redor neste momento, Richard. O que você vê é o tipo de vida que mais deseja levar?

É terrivelmente solitária, pensei, despejando a sopa numa panela no fogão, esquecendo de acender o fogo. Sentia saudade de Leslie.

Houve um chocalhar de armadura e suspirei.

Não se preocupe, pensei, não se incomode; sei o que você vai dizer, não posso encontrar qualquer falha em sua lógica. Viver juntos é a destruição irremediável. Suponho que não sinto saudade de Leslie. Sinto saudade do que ela representa para mim neste momento.

O guerreiro se afastou.

Surgiu outra idéia em seu lugar, um pensamento plenamente gentil: O *oposto da solidão, Richard, não é a vida em comum. É a intimidade.*

A palavra flutuou solta, uma bola prateada desvencilhando-se do leito de um mar escuro.

Isso!

É disso que tenho saudade!

Minha mulher perfeita de muitos corpos é tão quente quanto gelo no congelador. Ela é comunicação sem se importar; é sexo sem amor; é amizade sem compromisso.

Assim como não pode magoar ou ser magoada, ela é também incapaz de amar ou ser amada. Ela é incapaz de *intimidade.* E intimidade... pode ser tão importante para mim quanto a liberdade? É esse o motivo pelo qual passei sete semanas com Leslie, quando três dias seriam demais para passar com qualquer outra mulher?

Deixei a sopa fria no fogão, encontrei uma cadeira e sentei, os joelhos levantados sob o queixo, olhando pela janela, por cima do lago. Os cúmulos eram agora cúmulos-nimbos, bloqueando o sol. Na Flórida, durante o verão, pode-se acertar o relógio pelas tempestades.

Vinte minutos depois, eu olhava fixamente para uma muralha de chuva, mal a notando.

Eu tinha de alguma forma conversado hoje com Dickie, tão distante no meu passado; tinha de alguma forma transmitido uma mensagem a ele. Como posso entrar em contato com um Richard futuro? O que ele sabe sobre intimidade? O que aprendeu do amor?

Certamente os outros aspectos de quem somos devem ser amigos mais íntimos do que quaisquer outros... quem pode ser mais íntimo de nós do que nós mesmos, em outros corpos, em outras formas espirituais? Se somos cada um de nós entrelaçado em torno de um fio dourado interior, que cabo em mim se estende a todos os outros?

Eu me tornava mais e mais pesado, afundando na cadeira, ao mesmo tempo que me elevava por cima. Que estranho sentimento, pensei. Não o combata, não se mexa, não pense. Deixe que o leve aonde quiser. Ajudaria muito encontrar...

*Saltei de uma ponte de suave luz prateada para uma enorme arena, os assentos vazios se afastando em semicírculos, corredores vazios como aros se estendendo de um palco central. Não no palco, mas próximo, um único vulto se sentava, o queixo nos joelhos. Devo ter feito algum barulho, pois ele levantou os olhos, sorriu, endireitou-se, acenou em cumprimento.*

*— Não apenas pontual — disse ele — mas até chegou cedo!*

*Eu não podia divisar o rosto claramente, mas o homem era mais ou menos da minha altura, vestindo o que parecia um traje de neve, macacão de* nylon *preto, faixas brilhantes, amarelas e laranja, no peito e nas mangas.*

Bolsos com zíper, botas com zíper. Familiar.

— Claro que sim — respondi, tão casual quanto possível. — Não parece que o espetáculo começará por algum tempo.

Que lugar era aquele? Ele riu.

— O espetáculo já começou. Neste momento está em pleno andamento. Importa-se se sairmos daqui?

— Por mim, não há problema.

Na relva do parque, fora da arena, havia um pequeno avião, que podia pesar 100 quilos, com todos os equipamentos. Tinha uma asa alta, coberta de nylon laranja e amarelo, lemes de direção brilhantes nas extremidades das asas, estabilizador sobre tubos de alumínio na frente dos assentos, um pequeno motor popular montado na traseira. Eu conhecia muitos aviões, mas jamais vira algo como aquele.

Não era um traje de neve que ele estava usando, mas sim um traje de vôo, combinando com seu avião.

— O assento da esquerda, se você quiser.

Como era cortês e confiante de sua parte me oferecer o lugar do piloto!

— Ficarei na direita — murmurei.

Espremi-me para alcançar o assento do passageiro. Fiquei meio encolhido, porque tudo no avião era pequeno.

— Como quiser. Pode-se pilotá-lo de qualquer lado. Controles-padrão, mas pode observar que não temos pedais dos lemes de direção. Está tudo no manche. Um estabilizador muito sensível. Pense que é tão sensível quanto o manche de um helicóptero e não terá qualquer dificuldade.

Ele estendeu a mão para uma alavanca por cima, puxou-a e no mesmo instante o motor entrou em funcionamento, tão suavemente quanto um ventilador elétrico. Virou-se para mim.

— Pronto?

— Pronto.

— Ele empurrou para a frente uma alavanca de acelerador menor que a do meu pequeno jato. Sem mais barulho do que uma brisa aumentando suavemente, o aparelho arremessou-se para a frente. Em 15 metros já alçara vôo, inclinando-se para trás, subindo como um corredor com um enorme motor. O solo caiu, um amplo tapete verde a desprender-se de nós, caindo 300 metros por minuto. Ele empurrou o manche para a frente, puxou a alavanca do acelerador para trás, até que o ventilador zumbia suavemente por trás de nós, ao vento. Ele tirou as mãos dos controles, fez um gesto de que eu poderia pilotar o avião.

— É todo seu.

— Obrigado.

Era como pilotar um pára-quedas, só que não estávamos caindo do céu. Estávamos nos deslocando talvez a 50 quilômetros horários, a julgar pelo vento, num pequeno e delicioso aparelho, mais uma cadeira de jardim de oito dólares do que um avião. Sem paredes ou chão, era uma carlinga tão aberta que os biplanos pareciam túmulos trancados em comparação. Virei o avião e subi. Era tão sensível quanto ele avisara.

— Podemos desligar o motor? Podemos subir esta coisa como um planador?

— Claro.

Ele apertou um botão na alavanca e o motor parou. Deslizamos silenciosamente pelo que devia ser uma corrente de ar ascendente... não havia perda de altitude, ao que eu pudesse medir.

— Mas que aviãozinho perfeito! É sensacional! Como posso obter um para mim?

Ele me fitou de uma maneira estranha.

— Ainda não adivinhou, Richard?

— Não.

— Sabe quem eu sou?

— Mais ou menos.

Senti uma pontada de pavor.

— Só pela diversão — comentou ele — passe pelo muro entre o que você sabe e o que se atreve a dizer. Faça isso e depois me diga de quem é este avião e com quem você está voando.

Inclinei o manche para a direita e o avião descreveu uma curva suave, virando-se para um cúmulo no topo de sua corrente termal. Era uma segunda natureza, o motor desligado, procurando por elevação, apesar do aparelho leve como uma pena não estar perdendo altitude.

— Se eu tivesse de dar um palpite, diria que este avião é meu futuro e você é o sujeito que serei.

Não me atrevi a olhar para ele.

— Nada mal — respondeu ele. — Eu diria a mesma coisa. Também tenho o mesmo palpite.

— Um palpite? Quer dizer que não sabe com certeza?

— Fica complicado se você pensa muito a respeito. Eu sou um dos seus futuros, você é um dos meus passados. Acho que você é o Richard Bach no meio da tempestade de dinheiro. Não é isso? O autor que se tornou uma celebridade? Nove aviões e uma idéia impecável que projetou para uma mulher perfeita? É fiel, mas mesmo assim ela o deixa frio?

Tocamos na elevação de uma corrente térmica com a asa direita e inclinei bruscamente o aparelho.

— Não precisa fazer uma curva muito fechada — disse ele. — O raio de volta é muito pequeno, basta uma pequena inclinação para mantê-lo na ascensão.

— Está certo.

Aquela alegria de um avião me pertenceria! E ele seria eu. Que coisas ele devia conhecer!

— Tenho algumas perguntas a fazer — murmurei. — Quão distante você está em meu futuro? Vinte anos?

— Mais como cinco. E parecem 50. Eu poderia poupar-lhe 49 anos, se prestasse atenção. Há a diferença entre nós. Eu tenho as respostas de que você precisa, mas não há a menor possibilidade de que escute antes de ser achatado pelo Grande Rolo Compressor da Experiência.

Senti um aperto no coração.

— Acha que estou com medo do que você dirá? Tem certeza de que não o ouvirei?

— E vai ouvir?

— Em quem posso confiar mais do que você? Claro que o escutarei!

— Pode escutar, mas não agirá de acordo. Nós nos encontramos agora porque ambos estamos curiosos, mas duvido muito que me deixará ajudá-lo.

— Claro que vou deixar!

— Não vai, não — disse ele. — É como este avião. No seu tempo, não tem um nome, ainda não foi inventado. Quando for inventado, será chamado um "ultraleve" e revolucionará a aviação esportiva. Mas você não comprará este aparelho pronto, Richard. Nem contratará alguém para construí-lo para você. Haverá de construí-lo pessoalmente, peça por peça, Etapa Um, Etapa Dois, Etapa Três. O mesmo acontecerá com suas respostas, exatamente o mesmo. Não pode comprá-las prontas, não as aceitará se eu entregá-las de graça, se eu lhe disser palavra por palavra quais são.

Eu sabia que ele estava enganado e falei:

— Está esquecendo da rapidez com que posso aprender! Dê-me uma resposta e observe o que faço com ela!

Ele bateu no manche, um sinal de que queria voar a nossa pipa por algum tempo. Subimos 300 metros na corrente térmica, chegando quase à base da nuvem. Campos campinas florestas colinas rios se estendiam lá embaixo, *um tapete aveludado, verde e ondulante. Não havia estradas. Um sussurro suave, o mais gentil dos ventos ao nosso redor, enquanto planávamos para o alto.*

*Com o sorriso sereno de um jogador pagando para ver um blefe:*

*— Você quer encontrar a sua alma-irmã?*

*— Quero, sim! Sempre quis e você sabe disso muito bem!*

*— Sua armadura... — disse ele. — Protege-o de qualquer mulher que o destruiria, não resta a menor dúvida. Mas se não a tirar, vai protegê-lo também da única mulher que pode amá-lo, acalentá-lo, salvá-lo de sua própria proteção. Há uma mulher perfeita para você. Ela é singular, não plural. A resposta que procura é renunciar à sua Liberdade e Independência e casar com Leslie Parrish.*

*Ainda bem que ele assumira os controles antes de me dizer isso.*

*— Você está dizendo... O QUÊ? — Engasguei com o pensamento. — Você... está dizendo... CASAR? Não posso... Sabe o que penso a respeito do casamento? Não sabe que eu sempre digo nas minhas conferências que depois da Guerra e da Religião Organizada é o Casamento que traz mais infelici... acha que eu não acredito nisso? Renunciar à minha LIBERDADE!! À minha INDEPENDÊNCIA? Está querendo dizer que a minha resposta é CASAR? Está... afinal... está querendo dizer O QUÊ?*

*Ele riu. Eu não via nada de engraçado. Desviei os olhos para o horizonte.*

*— Está realmente assustado, não é mesmo? — disse ele. — Mas aí está a sua resposta. Se der atenção ao que sabe, ao invés do que teme...*

*— Não acredito em você.*

*— Talvez você esteja certo. Sou o seu futuro mais provável, não o único. — Ele virou-se no assento, estendeu a mão para trás e puxou uma alavanca. — Mas creio que é bastante provável que minha esposa Leslie venha um dia a ser sua. Ela está adormecida neste momento, em meu tempo, assim como sua amiga Leslie também está adormecida agora, em seu tempo, separada de você por todo um continente. O que aprendeu de cada uma de suas mulheres lhe proporciona a dádiva desta única mulher. Compreende isso? Quer mais respostas?*

*— Se esse é o sabor, não tenho certeza se quero — respondi. — Renunciar à minha liberdade? Moço, você não tem idéia de quem eu sou. Posso perfeitamente passar sem respostas como essa. Por favor!*

*— Não se preocupe. Esquecerá este vôo. Não se lembrará até muito depois.*

— Não eu — protestei. — Tenho uma memória como uma garra de aço.

— Eu o conheço muito bem, velho amigo — disse ele, suavemente. — Não fica jamais cansado de ser tão obstinado?

— Terrivelmente cansado. Mas se é esse o preço para levar a minha vida do jeito que quero, então continuarei a ser obstinado.

Ele riu e deixou que nosso aparelho voador saísse da corrente térmica ascendente. Planamos lentamente, mais balão do que avião. Eu não gostava de suas respostas, que me ameaçavam, assustavam e irritavam. Mas gravei na memória os detalhes do ultraleve, o tubo e peças de alumínio, a curva da asa, a junção dos cabos de aço inoxidável, até mesmo a curiosa insígnia de pterodáctilo, a fim de poder construí-lo do nada, se fosse necessário.

Ele encontrou uma corrente de ar descendente e fomos descendo em círculos, da mesma forma como subíramos na corrente ascendente. O encontro não iria se prolongar por muito mais tempo.

— Muito bem — falei. — Pode me acertar com mais algumas respostas.

— Acho melhor não — disse ele. — Queria alertá-lo, mas agora acho melhor não fazê-lo.

— Por favor. Desculpe ter-me mostrado tão obstinado. Lembre-se de quem sou.

Ele fez uma pausa prolongada e decidiu finalmente falar.

— Com Leslie, você será mais feliz do que jamais foi. O que é afortunado, Richard, porque tudo o mais vai direto para o inferno. Juntos, os dois serão pressionados pelo dinheiro que seus administradores perderam. Você não será capaz de escrever, para que o Serviço da Receita Federal não confisque as próprias palavras que põe no papel. Perderá seus aviões, até o último, sua casa, seu dinheiro, tudo enfim. Ficará falido. Completamente liquidado, ano após anos. A melhor coisa que já lhe aconteceu. A melhor coisa que lhe acontecerá.

Senti a boca ressequida, enquanto escutava.

— Isso é uma resposta?

— É dessa situação que sairá uma resposta.

Ele sobrevoou uma campina, no alto de um morro, olhou para baixo. Esperando à beira da relva estava uma mulher. Observando-nos, acenando ao avistar o aparelho.

— Quer pousar? — perguntou ele, oferecendo-me os controles.

— O campo é pequeno para o pouso de um estreante. Aterrisse você.

Ele parou o motor e descreveu um círculo largo, planando. Ao sobrevoarmos as últimas árvores, antes da campina, ele virou o nariz para baixo, mergulhou para as copas, tornando a levantar o nariz, suavemente. Ao invés de subir, o ultraleve flutuou por um segundo, tocou com as rodas no solo e rolou até parar junto a uma Leslie ainda mais empolgante do que aquela que eu deixara na Califórnia.

— Olá, vocês dois — disse ela. — Imaginei que os encontraria aqui, com seu avião.

Ela inclinou-se para beijar o outro Richard, desmanchou-lhe os cabelos.

— Está lhe falando de sua sorte?

— A perda de um, o ganho de outro — disse ele. — Tão adorável e terna! Ele pensará que você é um sonho!

Os cabelos daquela Leslie estavam mais compridos do que eu conhecia, o rosto era mais suave. Ela usava um vestido de seda diáfano, cor de limão, uma blusa harmoniosa de gola alta que seria formal se a blusa não fosse tão transparente. Uma faixa larga, cor do sol, servia como cinto. Calça branca, sem costura, descendo até a relva, cobrindo tudo, menos as pontas das sandálias. Meu coração quase parou, meus muros quase desmoronaram ali mesmo. Se tenho de passar os meus anos na Terra com uma mulher, pensei, então que seja esta.

— Obrigada — disse ela. — Vesti-me para a ocasião. Não é com freqüência que encontramos nossos ancestrais... pelo menos no meio de uma vida.

Ela enlaçou-o quando ele saiu do avião, depois virou-se para mim e sorriu.

— Como vai, Richard?

— Com uma profunda inveja — respondi.

— Pois não inveje — disse ela. — O avião será seu.

— Não invejo o avião de seu marido, mas sim a esposa que ele possui.

Ela corou.

— Não é você quem detesta o casamento? O casamento é "tédio, estagnação, perda inevitável de respeito"!

— Talvez não inevitável.

— Isso é animador — disse ela. — Acha que algum dia mudará de idéia em relação ao casamento?

— A acreditar em seu marido, mudarei. Não sei como, a não ser quando olho para você.

— Não é justo olhar depois de hoje — comentou o Richard futuro. —

*Mas esquecerá este encontro. Tem de aprender por si mesmo, para o melhor ou para o pior.*

*Ela fitou-o.*

*— Para o mais rico ou para o mais pobre.*

*Ele sorriu, o vestígio de um sorriso.*

*— Até que a morte nos una ainda mais.*

*Eles escarneciam de mim gentilmente com suas palavras e eu amava a ambos. Depois, ele disse a mim:*

*— Nosso tempo está esgotado. Aí está a resposta, para você esquecer. Pilote o avião, se quiser. Temos de correr de volta à terra da vigília, a um ano ou por aí do seu tempo, tão perto assim. Estou no meio de escrever o novo livro e, se tiver sorte, a primeira coisa que farei ao despertar será passar este sonho para o papel.*

*Ele estendeu a mão para o rosto dela, em câmara lenta, como a tocá-la, desaparecendo em seguida. A mulher suspirou, triste porque o tempo se esgotara.*

*— Ele está desperto agora e eu também estarei, dentro de um minuto.*

*Ela flutuou um passo em minha direção e, para meu espanto, beijou-me de leve.*

*— Não será fácil para você, pobre Richard — disse ela. — Também não será fácil para ela, a Leslie que eu fui. Tempos difíceis pela frente! Mas não receie. Se quer magia, largue a sua armadura. A magia é muito mais forte do que o aço.*

*Olhos como o céu ao crepúsculo. Ela sabia tanto!*

*E no meio do sorriso ela desapareceu. Fiquei sozinho na campina, com o ultraleve. Não tornei a voá-lo. Permaneci parado na relva, lembrando tudo que acontecera, gravando na mente — o rosto dela, suas palavras — até que a cena se desvaneceu.*

Quando acordei, a janela estava preta, salpicada de gotas de chuva e uma linha curva das luzes das casas no outro lado do lago. Estendi as pernas e sentei-me no escuro, tentando lembrar. Havia um bloco de anotações e uma caneta junto à cadeira.

*Sonho de vôo. Uma besta voadora pré-histórica, penas coloridas, levou-me para pousar diante da mulher mais linda que já conheci. Ela disse uma palavra: "Magia." O rosto mais lindo.*

Magia. Eu sabia que houvera mais, só que não conseguia lembrar.

O sentimento que persistia em mim era amor amor amor. Ela não era um sonho. Fora numa mulher de verdade que eu tocara! Vestida com a luz do sol. Uma mulher viva e eu não posso encontrá-la!

*Onde você está?*

Explodi em frustração, joguei o bloco de anotações contra a janela. Ricocheteou, as páginas se abrindo, foi colidir e parar contra as minhas cartas de pouso instrumental para o sul da Califórnia.

— *Agora!* Onde você está AGORA?

# vinte e quatro

EU ESTAVA em Madri quando aconteceu, tropeçando corajosamente numa excursão de publicidade para a edição espanhola do livro, dando entrevistas nessa língua que fazia os apresentadores de televisão e os repórteres de jornais sorrirem. Por que não? Eu não ficava encantado quando um visitante espanhol da América — ou um alemão, francês, japonês ou russo — recusava os tradutores e concedia as suas entrevistas em inglês? Não importa que a sintaxe seja um pouco estranha, que as palavras escolhidas não sejam exatamente as que um nativo preferiria; é sempre maravilhoso observar tais pessoas se equilibrarem bravamente na corda bamba, tentando nos falar diretamente!

— Señor Bach, acredita que os eventos e idéias sobre os quais escreve dão certo em seu caso?

A câmara tinha um ligeiro zumbido, esperando, enquanto eu traduzia a pergunta em minha mente. E respondi lentamente, no máximo de velocidade de que era capaz:

— Não há um só escritor em todo o mundo que possa escrever um livro de idéias em que não acredite. Só podemos escrever sinceramente sobre aquilo em que acreditamos sinceramente. Não que eu seja tão bom em... como é mesmo que se diz provar em espanhol?... em viver das idéias como gostaria, mas estou me tornando sempre melhor, a cada dia que passa!

As línguas são como enormes travesseiros fofos metidos entre as nações — c que os outros dizem é abafado e quase se perde neles, ficamos com a boca cheia de penas quando falamos a sua gramática. Mas vale a pena. Que prazer em formular uma idéia, mesmo em palavras infantis, lentamente, atravessando o abismo para outra língua, para um ser humano que fala de maneira diferente!

O telefone do hotel tocou tarde da noite e falei alô antes que pudesse pensar em espanhol. Uma vozinha tênue soou através da ligação internacional:

— Alô, *wookie*. Sou eu.

— Que surpresa maravilhosa! Você é linda por telefonar!

— Infelizmente você está com alguns problemas terríveis aqui e tive de telefonar.

— Que problemas?

Eu não podia imaginar que problemas seriam tão importantes para que Leslie telefonasse para Madri à meia-noite.

— Seu contador vem tentando insistentemente entrar em contato com você. Já soube do Serviço da Receita Federal? Alguém falou com você? O administrador dos seus recursos lhe disse alguma coisa?

A ligação crepitava e zumbia.

— Não. Ninguém me disse nada. O que está acontecendo afinal?

— O Serviço da Receita Federal quer que você pague um milhão de dólares até segunda-feira ou confiscarão tudo o que possui!

Era uma ameaça tão terrível que não podia ser verdadeira.

— Confiscar tudo? Até segunda-feira? Mas por que a segunda-feira?

— Apresentaram uma intimação há três meses. Seu administrador não lhe falou. Ele diz que você não gosta de más notícias...

Ela falou tão tristemente que eu sabia que não era brincadeira. Para que eu tinha um administrador dos meus negócios, um gerente financeiro... por que contratava esses profissionais? Certamente não precisaria contratar especialistas para fazerem uma coisa tão simples como levar o governo a confiscar meus bens. Poderia ter feito isso pessoalmente.

— Posso ajudá-lo em alguma coisa, Richard?

— Não sei.

Que estranho sentimento será ver outras pessoas tomarem os meus aviões, a minha casa...

— Farei qualquer coisa que você quiser, Richard. Tenho de fazer alguma coisa. Acho que você deve contratar um advogado.

— Boa idéia. Fale com o meu advogado em Los Angeles, descubra se ele tem alguém em seu escritório que conhece impostos. E não se preocupe. Só pode ser um equívoco. Pode imaginar um milhão de dólares em IMPOSTOS? O que aconteceu é que perdi um milhão de dólares e não haverá impostos. Algum fio cruzado. Falarei com o pessoal da Receita Federal quando voltar e verei o que está acontecendo. Pode estar certa de que esclareceremos tudo.

— Está bem — murmurou ela, visivelmente em dúvida. — Telefonarei para seu advogado e veremos o que é possível fazer. Volte depressa, por favor, o mais cedo que puder.

Ela parecia tensa e assustada.

— Tenho de ficar aqui mais dois dias. Mas não se preocupe. Resolveremos tudo e eu a verei em breve.

— Você também não se preocupe, Richard. Tenho certeza de que poderei fazer alguma coisa...

Muito estranho, pensei, voltando a me aconchegar sob as cobertas, em Madri. Ela está falando a sério! Como se fosse muito importante para ela, como se estivesse preocupada!

Pensei nos homens que contratara. Se era verdade, então cada um deles fracassara. Sou capaz de apostar que aquela mulher tem mais noção de negócios em sua fita nos cabelos do que o resto de nós amarrados juntos num nó cego.

Era isso — eu não comprara confiança com meus investimentos. Ou com salários generosos, títulos, responsabilidades ou verbas de representação. E quando os contratados falharam, compreendi subitamente, não eram eles que se arrebentavam, mas eu!

Ay, Richard, *qué tonto! Estoy un burro, estoy um burro estúpido!*

Muito interessante, pensei. Estou há menos de duas semanas na Espanha e já começo a pensar na língua!

# vinte e cinco

ESTAVA NUMA pasta marcada *Richard* em sua mesa, presumi que era para mim, abri e li:

*O azul sereno e luminoso do amanhecer*
*A se intensificar com o dia*
*Azul... mais azul... o mais azul,*
*Nuvens brancas de prazer,*
*Alegria transbordando,*

*Até o pôr-do-sol*
*Envolvendo-nos em suave rosa*
*E nos fundindo numa*
*Despedida de magenta ardente,*
*Alma-Terra e alma-Cósmica*
*Explodindo com beleza.*

*Quando a noite chegou,*
*A lua nascendo*
*Riu de lado no escuro.*
*Também ri*
*E pensei:*

*No outro lado do mundo*
*O seu céu*
*Está repleto com esse mesmo*
*Riso dourado,*
*E esperei que você,*
*Olhos Azuis Cintilantes,*
*Visse e ouvisse,*

*A fim de que nós três de alguma forma*
*Nos juntássemos em nossas alegrias,*
*Cada um em seu próprio espaço,*
*Juntos apartados,*
*A distância não importa.*

*E eu dormi*
*Num mundo*
*Cheio de sorrisos.*

Li uma vez, depois outra e mais outra, bem devagar.

— Pequena *wookie* — gritei — quem escreveu o poema com a lua sorrindo de lado no escuro? Na pasta em cima de sua mesa. Foi você quem escreveu?

Ela respondeu de sua sala de estar, onde estava cercada por montanhas de formulários de transações financeiras, pradarias de extratos de contas, rios de cheques cancelados; uma colona em território hostil, cercada por carroças de papel.

Ela conseguira impedir o confisco da Receita Federal. Agora, trabalhava em alta velocidade para organizar os fatos, a fim de que as negociações pudessem começar, dentro de duas semanas, a contar da quinta-feira.

— Como? — disse ela. — Fui eu. OH, POR FAVOR, NÃO LEIA ISSO!

— Tarde demais — murmurei, bastante baixo para ela não ouvir.

Especulamos às vezes se algum dia podemos conhecer de fato nossa amiga mais íntima, o que ela pensa e sente no fundo de seu coração. E depois descobrimos que ela derramou seu coração num papel secreto, tão claro quanto uma fonte na montanha.

Li mais uma vez. Estava datado do dia em que eu partira para a Espanha. Agora, um dia depois que eu voltava, descobria como ela se sentira, sem revelar a ninguém, exceto àquele papel. Que poetisa ela era! Confidente no papel, gentil, destemida. Escrever me comove quando há intimidade; assim como voar, cinema, conversa e contatos que parecem acidentais, mas não são.

Eu jamais conhecera ninguém, além de Leslie, com quem me atrevesse a ser tão infantil quando às vezes me sentia, tão tolo, tão consciente, tão sensual, tão íntimo e tão comovente. Se amor não era uma palavra distorcida e mutilada pela posse e hipocrisia, se era uma palavra que significava o que eu queria que significasse, então eu podia estar prestes a acreditar que me encontrava apaixonado por ela. Li as suas palavras novamente.

— É um lindo poema, Leslie.

Um comentário que parece débil e condescendente. Será que ela sabe que falo sério? Sua voz era uma corrente de prata, vibrando forte:

— Mas que diabo, Richard! Eu lhe pedi para não ler! Isso é particular! Quando eu quiser que você leia lhe direi! E agora, por favor, quer sair do escritório e vir até aqui me ajudar?

O poema se espatifou em minha mente, um disco de argila alvejado à queima-roupa. Uma fúria incandescente. Quem é você para gritar comigo, mulher? NINGUÉM grita comigo e torna a me ver! Não me quer, então não me tem! Adeus... adeus... ADEUS... ADEUS!

Esse acesso de raiva por dois segundos, depois a ira ardente comigo mesmo. Eu, que tanto prezo a privacidade, lera o seu poema particular! Violara o seu escrito particular... como me sentiria se ela violasse o meu? Era inadmissível. Leslie tinha o direito de me expulsar de sua casa para sempre. Eu detestava a perspectiva de que tudo terminasse assim, pois ela era a pessoa mais íntima com quem eu já tivera contato...

Comprimi os maxilares com toda força, não disse uma só palavra, passei para a sala de estar.

— Lamento muito — murmurei. — E peço desculpas. Foi imperdoável e nunca mais farei isso. Prometo que não tornará a acontecer.

A fúria esfriou, o chumbo derretido se converteu em gelo. O poema ficou poeira dispersa.

— Não se importa com isto? — Ela estava zangada, desesperada. — Os advogados nada podem fazer para ajudá-lo enquanto não tiverem com que trabalhar. E esta... confusão!... isto são os seus registros!

Ela folheou papéis, fez uma pilha aqui, outra ali.

— Tem cópias de suas declarações de rendimentos? Sabe onde estão?

Eu não tinha a menor idéia. Se abominava alguma coisa, depois de Guerra, Religião Organizada e Casamento, podia ser a Documentação Financeira. Ver uma declaração de rendimento era a mesma coisa que deparar com a Medusa de cabeça descoberta: ficava instantaneamente duro como pedra.

— Devem estar em algum lugar — murmurei, contrafeito. — Mas posso procurar.

Ela consultou a lista na prancheta em seu colo, levantou o lápis.

— Qual foi o seu rendimento no último ano?

— Não sei.

— Aproximadamente. Mais ou menos 10 mil dólares.

— Não sei.

— Essa não, Richard! Mais ou menos 50 ou 100 mil dólares?

— Juro que realmente não sei, Leslie.

Ela largou o lápis e fitou-me como se eu fosse alguma amostra biológica trazida da lama ártica.

— Em termos de um milhão de dólares — disse ela, falando bem clara e incisivamente. — Se você ganhou menos de um milhão de dólares no ano passado, então diga: "Menos de um milhão de dólares." Se ganhou mais de um milhão de dólares, então diga: "Mais de um milhão de dólares."

Pacientemente, como se estivesse falando com um menino estúpido, respondi:

— Talvez mais de um milhão, mas talvez menos e talvez dois.

Sua paciência se esgotou.

— *Richard! Por favor! Isto não é um jogo! Será que não percebe que estou tentando ajudar?*

— SERÁ QUE NÃO PERCEBE QUE NÃO SEI? NÃO TENHO A MENOR IDÉIA DE QUANTO DINHEIRO GANHEI, NÃO ME IMPORTA QUANTO DINHEIRO GANHEI! TENHO... TINHA PESSOAS EM QUEM CONFIAVA PARA SABEREM DE TODAS ESSAS COISAS, DETESTO PENSAR NESSAS COISAS, NEM SEI COMO FAZER! — Parecia uma cena de um *script*. — Eu não sei.

Ela encostou a borracha da ponta do lápis no canto da boca, fitando-me em silêncio por um longo tempo, antes de dizer:

— Você realmente não sabe, não é mesmo?

— Não, não sei.

Eu me sentia mal-humorado, incompreendido e sozinho.

— Acredito em você — disse Leslie, gentilmente. — Como pode não saber dentro da faixa de um milhão de dólares?

Ela percebeu a minha expressão e acenou com a mão para retirar o que acabara de dizer.

— Está bem, está bem! Você não sabe.

Sondei caixas por algum tempo, detestando. Papéis... olhe só para todos esses papéis. Números em letras desconhecidas, de máquinas de escrever diferentes, mas supostamente têm alguma relação comigo. Investimentos, corretores, impostos, contas bancárias...

— Aqui estão os impostos! — exclamei abruptamente. — Uma pasta cheia de impostos!

— Bom menino! — murmurou Leslie, como se eu fosse um *cocker spaniel* que acabara de desenterrar uma pulseira perdida.

— Au! Au! Au!

Ela não respondeu, examinando os títulos dos documentos, conferindo os registros.

Houve silêncio enquanto ela lia. Bocejei sem abrir a boca, um truque que aprendera nas aulas de inglês na escola secundária. Detestando tanto o trabalho burocrático, teria de aprender agora, algo mais mortífero do que a gramática? Por quê? Eu não ignorara aquele trabalho, contratara pessoas para realizá-lo! Depois de contratar e pagar outros, por que me encontro agora nesta confusão, procurando por declarações de rendimentos? Por que Leslie está suportando a carga deixada por seis empregados muito bem pagos? Não é justo!

Quando alguém escreve um *bestseller*, canta uma canção gloriosa ou faz um filme maravilhoso, deve receber um grosso manual, juntamente com os cheques, correspondências dos fãs e pilhas de dinheiro:

INTRODUÇÃO E ADVERTÊNCIA

Parabéns por qualquer coisa que você fez para ganhar todo esse dinheiro. Embora pareça lhe pertencer e você ache que deve ser seu, por dar qualquer talento que possua à sociedade, somente um décimo pode terminar realmente sob o seu controle, SE FOR EFICIENTE COM O PAPELÓRIO.

O resto vai para agentes, impostos, contadores, advogados, governos, sindicatos e empregados que você tem de contratar para cuidar de tudo isso. Você terá também de pagar os impostos do governo sobre esses empregados. Não importa que você não saiba onde contratar as pessoas para isso, que não saiba em quem confiar ou que não conheça todas as pessoas que tem de pagar; tem de pagar assim mesmo.

Por favor, comece pela Página Um e leia direto até a página 923, memorizando cada linha. Depois, pode sair e ter um jantar dedutível, se levar uma pessoa que lhe seja associada nos negócios, falar de negócios, guardar o recibo e escrever quem o acompanhou na refeição. Se não fizer isso, terá gasto duas vezes a quantia que pensava quando pagou a conta.

Daqui por diante, leve sua vida rigorosamente de acordo com as regras aqui apresentadas; assim, nós, o seu governo, podemos lhe conceder existir por um pouco mais de tempo. Caso contrário, pode renunciar a toda e qualquer esperança.

Nem mesmo um panfleto. Cada pessoa que escreve uma canção para nos encantar é presumivelmente uma contadora competente, guarda-livros, guardiã de créditos e débitos pagáveis a agências invisíveis da cidade, estado e nação. Se algumas dessas pessoas não se ajustam a tais tarefas ou não são abençoadas com uma mente ordenada que compreenda o registro meticuloso de contas, então suas estrelas no firmamento são apanhadas pela malha fina e metidas numa cela de prisão. Ali, devem transformar todo o seu talento para aprender os caminhos da cela, para dominar o assunto tedioso, por mais amargo que seja o gosto. Devem passar anos em escuridão opressiva, antes que sua estrela possa brilhar outra vez, se ainda lhe restar qualquer centelha.

Quanta energia desperdiçada! Quantos outros filmes, quantos outros livros, quantas outras canções ficam por serem criados, enquanto essas horas, meses e anos se consomem nos luxuosos escritórios de advogados, contadores, assessores, conselheiros e consultores, pagos em desespero na busca de ajuda?

Calma, Richard. Você está espreitando o seu futuro. Se resolver permanecer neste país, a atenção meticulosa ao dinheiro e seus registros será uma canga em seu pescoço. Arremeta contra isso, lute contra isso e será estrangulado. Aceite tudo, docilmente, avance devagar, concorde com cada departamento e agente que encontrar, sorria debilmente... faça isso e terá permissão para respirar sem ser enforcado até a morte pela canga.

E a minha liberdade! Tentei arremeter. Ai! Respiração ofegante. Puxa, mas que colar terrível!

Minha liberdade é agora uma opção entre escapar para algum outro país e o trabalho lento e cuidadoso neste monte de cacos que foi o meu império. Richard-antes tomou algumas decisões cegas e cometeu alguns erros estúpidos pelos quais Richard-agora terá de pagar.

Observei Leslie estudando as declarações de rendimentos, escrevendo páginas e mais páginas de anotações para os advogados.

Richard-agora, pensei, não está fazendo absolutamente nada. Leslie-agora é que se encarrega de tudo e ela não é absolutamente responsável pelo que aconteceu. Leslie não voou os aviões mais velozes; nem sequer teve uma chance de salvar o império do desastre. Leslie recolherá os cacos, se puder. Que recompensa por se tornar uma amiga de Richard Bach!

E depois ele fica furioso porque ela alteou a voz quando ele leu a sua poesia particular!

Richard, pensei, já considerou a possibilidade de que você pode ser na verdade um filho da puta imprestável? Pela primeira vez na vida, considerei a sério essa possibilidade.

# vinte e seis

A ÚNICA DIFERENÇA pode ter sido a de que ela estava mais quieta do que o habitual. Mas não notei isso.

— Não posso aceitar que você não tenha o seu próprio avião, Leslie. Afinal, um encontro em San Diego fica a apenas meia hora de distância!

Verifiquei o óleo no motor do Meyers 200 que eu voara para oeste desta vez, a fim de vê-la. Verifiquei se as tampas de combustível estavam bem ajustadas, as cobertas por cima fechadas e trancadas.

— O que foi mesmo que disse, *wookie*? — indaguei. — Não a ouvi direito.

Ela limpou a garganta.

— Eu disse que consegui sobreviver até hoje sem um avião.

Pus a sua pasta atrás, ajeitei-me no assento da esquerda, ajudei-a a se acomodar no assento da direita, fechei a porta por dentro, sempre falando:

— Eu disse na primeira vez em que vi este painel: "Ei, olhe só para todos esses mostradores, botões, alavancas, rádios e não sei mais o quê!" O Meyers possui mais do que a cota habitual de instrumentos, mas a gente se acostuma depois de algum tempo e é bastante simples.

— Isso é ótimo — murmurou Leslie, numa vozinha sumida.

Ela olhou para o painel da mesma forma que eu contemplara o cenário do filme no dia em que me levara ao estúdio da MGM. Não com tanta reverência, mas dava para perceber que ela não fazia aquilo com freqüência.

— HÉLICE EM AÇÃO! — gritei.

Leslie me fitou com olhos arregalados, como se alguma coisa estivesse errada, pelo fato de eu gritar. Calculei que não estava acostumada a qualquer coisa menor do que uma poltrona de Jumbo.

— Está tudo bem, Leslie. Sabemos que não há ninguém por perto do avião, mas mesmo assim gritamos *Hélice em ação!*, *Cuidado com a hélice!* ou qualquer outra coisa parecida, a fim de que qualquer pessoa próxima saiba que estamos ligando o motor e se afaste. Uma velha cortesia na aviação.

— Isso é ótimo — repetiu ela.

Chave geral ligada, manete de combustível aberto um centímetro, bomba de combustível ligada (apontei para o medidor, a fim de mostrar que tínhamos plena pressão de combustível), chave de ignição ligada, botão de arranque ligado.

A hélice girou; o motor disparou imediatamente, pegando em quatro cilindros, depois cinco. depois seis, se acalmando num ronronar satisfeito de leão, só para ser despertado outra vez. Agora, agulhas dos instrumentos se moviam por todo o painel: pressão do óleo, vacuômetro, amperímetro, voltímetro, indicador de direção, horizonte artificial, indicadores de navegação. Luzes se acenderam para mostrar as freqüências de rádio; vozes soaram nos alto-falantes. Uma cena que eu representara 10 mil vezes em um que outro avião, desde que era garoto recém-saído da escola secundária. Continuava a gostar agora tanto quanto antes.

Recebi da torre a autorização de decolagem, conversei com o controle que éramos um Meyers e não um pequeno Navion, soltei os freios e taxiei quase um quilômetro para a pista. Leslie observava o painel, os outros aviões taxiando, pousando, decolando. Ela me observava.

— Não consigo entender uma só palavra do que eles estão dizendo — comentou ela.

Seus cabelos estavam penteados austeramente para trás, metidos sob um gorro escocês bege. Eu me sentia como um piloto de companhia com a linda presidente a bordo pela primeira vez.

— É uma linguagem aeronáutica, uma espécie de código — informei. — Podemos compreendê-la porque sabemos exatamente o que será dito: números do avião, números da pista, seqüências de decolagem, ventos, tráfego. Diga alguma coisa que a torre de controle não espera: "Aqui é Meyers Três-Nove-Mike, estamos comendo sanduíches de queijo, espere um pouco, por favor." A voz da torre prontamente dirá: "Como? Como? Pode repetir, por favor?" *Sanduíche de queijo* é uma coisa que não existe na linguagem aeronáutica.

Uma grande parte da audição, pensei, é escutar o que se espera e tirar o resto de sintonia. Estou condicionado a ouvir a linguagem aeronáutica; ela está condicionada a ouvir música que eu nem mesmo posso dizer que existe. A mesma coisa acontece com a visão? Dessintonizamos visões de nossos olhos, como OVNIs e fantasmas? Dessintonizamos os gostos, reprimimos os sentidos, até descobrirmos que o mundo físico é o que esperamos que seja e não um milagre a mais? Como pareceria o nosso dia se víssemos em infravermelho e ultravioleta, se pudéssemos nos condicionar a ver auras, futuros por formar, passados persistentes?

Ela escutava o rádio atentamente, procurando decifrar repentinos arroubos de fala da torre. Pensei por um segundo do âmbito a se alargar de serenas aventuras que estava vivendo com ela.

Qualquer outro naquele momento veria a empresária aprumada e atraente, a caminho de uma reunião para discutir finanças de produção de filme, custos previstos e imprevistos, programação de filmagens e locações. Contudo, estreitando os olhos, eu podia contemplá-la como se apresentara uma hora antes, trajando apenas o ar quente de dois secadores de cabelos, depois do banho de chuveiro, piscando para mim quando passei por sua porta, rindo um segundo depois quando bati na parede.

Que pena, pensei, que tais prazeres sempre levem ao chamado fato consumado, a arrufos e discussões, a todos os destroços do casamento, casados ou não. Apertei o botão do microfone no volante de controle.

— Meyers Dois-Três-Nove-Mike pronto para Dois-Um.

— Três-Nove-Mike autorizado para a decolagem, por favor apresse-se. Avião em acesso final.

— Mike, *Roger*. — Inclinei-me pela frente da presidente da companhia, a fim de verificar se a sua porta estava devidamente trancada. — Está pronta?

— Estou, sim — murmurou Leslie, olhando fixamente para a frente.

O ronronar do Meyers elevou-se para uma muralha de som de 300 cavalos. Fomos comprimidos para trás nos assentos, enquanto o avião arremetia pela pista, já mudando de asfalto e linhas pintadas para um borrão comprido e depois Santa Monica caindo para trás.

Desloquei a alavanca do trem de aterrissagem para a posição de levantado.

— As rodas estão subindo agora — informei a Leslie. — E agora os flapes... está vendo se retraírem na asa? Voltaremos agora à potência de subida e ficará um pouco mais quieto aqui dentro...

Girei o manete algumas vezes, depois o botão da hélice, depois o controle de mistura para elevar a temperatura de descarga ao ponto a que pertencia.

Três luzes vermelhas brilhavam no painel... as rodas estavam recolhidas, devidamente levantadas e trancadas. Alavanca de engrenagem para ponto neutro, fechamento da bomba hidráulica. O avião acomodou-se na subida, elevando-se a menos de 300 metros por minuto. Não subia como o T-33, mas também não estava queimando 600 galões de combustível por hora.

A linha da costa se movia lá embaixo, com centenas de pessoas na praia. Se o motor falhar agora, pensei, temos altitude suficiente para voltar e pousar no campo de golfe; ou retornar agora à própria pista. Descrevemos uma curva larga sobre o aeroporto, depois entramos no curso para San Diego. Esse curso levou-nos sobre o Aeroporto Internacional de Los Angeles. Leslie apontou para uma fila esparsa de jatos em aproximação final para o pouso.

— Estamos no caminho deles?

— Não — respondi. — Há um corredor sobre o aeroporto. Estamos nele agora. O lugar mais seguro para nós é exatamente sobre as pistas, pois todos os grandes jatos se aproximam de um lado para pousar e decolam pelo outro. Está vendo? "Fieira de pérolas", como dizem os controladores. À noite transformam numa fieira de diamantes, com as luzes acesas.

Reduzi a potência para cruzeiro, o motor se tornando ainda mais quieto. Leslie fez perguntas com os olhos quando mudei coisas no avião. Expliquei o que estava acontecendo:

— Estamos agora nivelados. Está vendo a agulha da velocidade aerodinâmica se mexer? Subirá mais ou menos até aqui, indicando cerca de 300 quilômetros horários. Este mostrador é a nossa altitude. O ponteiro pequeno indica milhares, o grande mostra centenas. Qual é a nossa altitude?

— Três mil... e quinhentos?

— Diga sem o ponto de interrogação.

Ela inclinou-se para mim, a fim de verificar o altímetro direito.

— Três mil e quinhentos.

— Certo!

Um Cessna 182 voou em nossa direção pelo corredor, 300 metros acima de nossa altitude, que era de 3.500 pés ou 1.140 metros.

— Está vendo ali? Aquele avião voa a cerca de 1.500 metros de altitude, seguindo na direção oposta. Seguimos regras para evitar que voemos muito perto. Mesmo assim, aponte para mim qualquer avião que avistar, ainda sabendo que também estou vendo. Sempre queremos olhar ao redor, vermos e sermos vistos. Temos luzes estroboscópicas na ponta da cauda e por baixo, a fim de ajudar os outros aviões a nos avistarem.

Ela assentiu, procurando por outros aviões. O ar estava liso como um lago de creme exceto pelo zumbido do motor, podíamos estar voando numa cápsula espacial em velocidade reduzida, numa passagem pelo planeta Terra. Inclinei-me e ajustei o botão de equilíbrio longitudinal no painel de instrumentos. Quanto mais depressa o avião voava, mais necessário se tornava o ajuste, caso contrário subiria.

— Quer pilotar?

Leslie se encolheu, como se pensasse que eu ia lhe entregar o motor.

— Não, obrigada, *wookie*. Não sei como.

— O avião voa sozinho. O piloto apenas indica para onde ir. Gentilmente, gentilmente. Ponha a mão no volante de controle à sua frente. Bem de leve. Apenas o polegar e dois dedos. Está bom assim. Prometo que não lhe deixarei fazer qualquer coisa desastrosa.

Ela pôs os dedos no volante cautelosamente, como se fosse uma armadilha de aço preparada para arrancar-lhe os dedos.

— Tudo o que precisa fazer é empurrar para baixo, suavemente, no lado direito.

A roda deslocou-se um centímetro sob o seu contato e é claro que o Meyers inclinou-se ligeiramente para a direita, começando a fazer uma volta. Ela prendeu a respiração.

— E agora puxe a roda para trás, apenas um centímetro...

Quando o aeroporto de San Diego ergueu-se no horizonte, Leslie terminara a sua primeira aula de vôo. Apontou para aviões do tamanho de partículas de poeira a 25 quilômetros de distância. Seus olhos eram tão aguçados quanto bonitos; era um prazer tê-la ao lado enquanto voávamos.

— Você se tornará uma excelente piloto, se algum dia quiser. Sabe ser gentil com o avião. Dizemos a todas as pessoas para serem gentis, mas a maioria, na primeira vez, termina agarrando os controles com tanta tensão que o pobre avião começa a se sacudir todo... se eu fosse um avião, adoraria ter você a me pilotar.

Ela lançou-me um olhar de esguelha, depois voltou a procurar por outros aviões, enquanto baixávamos para San Diego.

De novo em casa, em Los Angeles, naquela noite, depois de um vôo de volta tão suave quanto o da manhã, Leslie desabou na cama.

— Vou lhe contar um segredo, *wookie*.

— Pode contar. Qual é?

— Tenho pavor de voar! PAVOR! Especialmente em pequenos aviões! Até hoje, se alguém aparecesse e encostasse uma arma na minha cabeça, dizendo entre neste pequeno avião ou puxarei o gatilho, eu responderia: "Puxe o gatilho!" Não posso acreditar no que fiz hoje. Estava apavorada mas mesmo assim voei com você!

Mas como?, pensei.

— Apavorada? Mas por que não me disse? Poderíamos ter seguido no Bantha...

Eu não podia acreditar. Uma mulher de quem gosto tanto tem *medo* de avião?

— Você teria me odiado, Richard.

— Mas de jeito nenhum eu odiaria você! Pensaria que você era uma tola, mas não a odiaria. Muitas pessoas não gostam de voar.

— Não é que eu não goste... eu *não suporto* voar! Até mesmo um avião grande, um jato. Vôo no maior avião possível e somente quando é absolutamente necessário. Embarco, sento, seguro os braços da poltrona e faço o maior esforço para não chorar. E isso antes mesmo de ligarem os motores!

Abracei-a ternamente.

— Pobre coisinha! E não disse uma só palavra. Pelo que podia imaginar, aqueles eram os últimos minutos de sua vida, dentro do Meyers, não é mesmo?

Ela balançou a cabeça em meu ombro.

— Que moça corajosa que você é!

Mais aceno de cabeça.

— E agora está tudo acabado! Todo aquele medo se dissipou e daqui por diante iremos a toda parte de avião. Você aprenderá a pilotar e terá o seu próprio avião...

Leslie se mantivera acenando com a cabeça até "daqui por diante iremos a toda parte"; parou então, recuou no meu abraço para fitar-me angustiada, os olhos enormes, o queixo tremendo, enquanto eu continuava a falar. Ambos desatamos a rir.

— Mas não estou brincando, Richard. Tenho mais pavor de voar do que qualquer outra coisa no mundo. Sabe agora como me sinto em relação ao meu amigo Richard...

Segui na frente para a cozinha, abri o *freezer*, empilhei sorvete e calda de chocolate no balcão.

— Isso exige uma comemoração. — Eu tentava assim encobrir a minha confusão pelo que Leslie dissera: "Sabe agora como me sinto em relação ao meu amigo Richard." Superar o medo de voar exigiria uma confiança e afeição tão fortes quanto o próprio amor... e o amor é um passaporte para o desastre.

Cada vez que uma mulher dizia que me amava, estávamos a caminho do final de nossa amizade. Minha linda amiga Leslie estaria perdida para mim na tempestade de uma posse ciumenta? Ela nunca dissera que me amava e eu nunca lhe diria isso nem em mil anos. Eu já advertira a uma centena de audiências:

— Sempre que alguém disser que ama, tome cuidado!

Ninguém precisava aceitar apenas pela minha palavra, qualquer um podia observar em sua própria vida: pais espancando filhos, gritando como os amam; maridos e mulheres que se matam verbalmente, fisicamente, em discussões violentas, amando-se um ao outro. As descortesias e eternas desqualificações de uma pessoa por outra que alega amá-la. De um amor assim, por favor, que o mundo fique livre. Por que uma palavra tão promissora fora crucificada na árvore da obrigação, atormentada por deveres, enforcada pela hipocrisia, estrangulada pelo hábito? Depois de "Deus", "amor" é a palavra mais deturpada em todas as línguas. A forma mais elevada de consideração entre seres humanos é amizade; e quando o amor entra em cena, a amizade morre.

Despejei para ela a calda de chocolate quente. Certamente não era isso o que ela queria dizer. "Sabe agora como me sinto" fala em confiança e respeito, desses picos elevados que os amigos podem escalar. Ela não podia estar se referindo a amor. Por favor, não! Eu detestaria perdê-la!

# vinte e sete

As estrelas são sempre constantes amigas, pensei. Um punhado de constelações, aprendidas quanto eu tinha 10 anos; mais os planetas visíveis e umas poucas estrelas, amigos hoje como se não transcorresse uma noite desde que nos conhecêramos.

Suaves verdes luminosos se contraíam e enroscavam na esteira do barco à vela, através da escuridão da noite, pequenos turbilhões brilhantes e tornados luzindo por um instante e logo se desvanecendo.

Velejando sozinho pela costa oeste da Flórida, ao sul de Sanibel para os Keys, levei o barco um ponto para estibordo, a fim de ajustar a constelação Corvo ao mastro, uma vela de estrelas. Uma vela pequena demais para acrescentar muita velocidade.

Brisa negra amena, leste-nordeste.

Imagino se há tubarões na água. Detestaria cair no mar, pensei automaticamente. E depois... detestaria realmente cair no mar?

Como é se afogar? Pessoas que passaram por quase-afogamento dizem que não é tão ruim assim; garantem que se torna um tanto sereno, depois de algum tempo. Muitas pessoas estiveram quase-mortas e reviveram. Morrer é o momento mais belo da vida, pelo que nos dizem; e seu medo da morte desaparece.

Preciso das luzes de navegação quando estou sozinho por aqui? Desperdício de energia deixa as baterias fracas.

Uma embarcação de 31 pés é o tamanho certo. Mais do que isso se a pessoa quer uma tripulação. Estou contente por não precisar de uma tripulação.

Sozinho sozinho sozinho. Quanto de nossa vida é passado sozinho. Leslie está certa. Diz que eu a distancio.

— Eu distancio todo mundo, *wook*! Não é por ser você, mas porque não deixo ninguém chegar perto demais de mim. Jamais quis ficar ligado a quem quer que fosse.

— Por quê?

Havia irritação em sua voz. Estava acontecendo com mais freqüência agora. Sem qualquer aviso, as nossas conversas saíam dos trilhos e ela se irritava comigo pela menor coisa.

— O que há de tão terrível em se ligar a alguém?

Porque eu posso fazer um enorme investimento de esperança em um ser humano e depois perder tudo. Presumo que sei quem ela é e depois descubro que é uma pessoa inteiramente diferente, tenho de voltar à prancheta, projetar tudo de novo. Depois de algum tempo, concluo que não há ninguém que eu possa conhecer plenamente, exceto a mim mesmo, o que já é bastante problemático. A única coisa em que posso confiar é que uma pessoa será fiel ao que é; e se vai explodir em iras estranhas de vez em quando, a melhor coisa a fazer é me afastar um pouco, a fim de não ser destruído na explosão. Não é óbvio, tão claro quanto ontem?

— Porque então eu não seria tão independente quanto quero ser — respondi.

Ela inclinara a cabeça para o lado e me observava atentamente.

— Está me contando a maior verdade que conhece?

Há momentos, pensei, em que ter uma leitora de pensamentos como a melhor amiga é de fato desconfortável.

— Talvez seja hora de eu me afastar por algum tempo.

— Então é isso — disse ela. — Fuja! É melhor fazê-lo logo. Já se foi mesmo quando está aqui. Sinto a sua falta. Está aqui e tenho saudade de você!

— Leslie, não sei o que fazer. Acho que é o momento de me afastar. E, de qualquer forma, tenho de levar o barco para Key West. Preciso voltar, ver como estão indo as coisas pela Flórida.

Ela franziu o rosto.

— Você disse que não pode nunca ficar com uma mulher por mais que três dias; ficaria louco de tédio. Pois passamos meses juntos e choramos quando tivemos de nos separar! Mais felizes do que jamais fomos, nós dois! O que aconteceu? O que mudou?

Corvo desgarrou-se de seu lugar no mastro; um raio da roda do leme para bombordo trouxe-a de volta ao lugar. Mas se eu a mantivesse ali durante a noite inteira, pensei, estaria em algum lugar ao largo do Yucatán ao amanhecer, ao invés de permanecer no curso para Key West. Navegue pela mesma estrela, sem querer mudar, e se descobrirá não apenas fora do curso, mas também perdido.

Mas que diabo, Corvo, está tomando o lado dela? Elaborei cuidadosamente este excelente sistema, este esquema da mulher perfeita de primeira classe, tudo corria muito bem até que Leslie começou a se intrometer, fazendo perguntas sobre as quais não me atrevo a pensar, muito menos responder. É claro que eu quero amá-la, minha dama, mas como posso saber o que você faria se isso acontecesse?

Qual seria a sensação de cair no mar agora? Lá estaria eu, um borrifo no oceano verde fosforescente; lá estaria o enorme barco, num segundo por cima de mim, no seguinte fora de alcance e um minuto depois desaparecido na escuridão, as luzes de sua esteira se desvanecendo.

Eu nadaria para a praia... era isso o que aconteceria. Estávamos a apenas 15 quilômetros da praia e se eu não pudesse nadar essa distância, em água quente, merecia mesmo me afogar.

E se eu estivesse a mil quilômetros da praia? O que aconteceria nesse caso?

Algum dia, Richard, pensei, você vai aprender a controlar sua mente tola. É como disse o garoto ao piloto que perambulava de um lugar para outro e pousou em seu campo:

— Moço, o que faria se *o motor parasse*?

— Ora, meu amigo, eu simplesmente planaria e pousaria. O avião é um bom planador e não precisa de motor para planar.

— Mas o que faria se *as asas caíssem*?

— Se as asas caíssem, eu teria de pular fora, usando o pára-quedas.

— E se *o pára-quedas não abrisse*?

— Eu tentaria então cair em cima de uma pilha de feno.

— E se houvesse *pedras por toda parte*?

Os garotos não passam de um bando de abutres. O mesmo acontecia com o que eu era. O que ainda sou... "E se estivesse a mil quilômetros da praia?" Sou muito curioso, o garoto em mim quer descobrir agora o que existe no outro lado da morte. Haverá um tempo para isso e não vai demorar muito. Minha missão está praticamente concluída, com os livros escritos. Mas ainda pode haver uma ou duas lições para aprender, neste lado da morte.

Como amar uma mulher, por exemplo. Richard, lembra-se de quando parou de perambular de um lado para outro em seu avião, a fim de encontrar seu verdadeiro amor, sua alma-irmã, sua suprema amiga, através de um milhão de vidas? Parece que foi há muito tempo. Quais são as possibilidades de que tudo que aprendi a respeito do amor esteja errado, que haja uma mulher em todo o mundo?

O vento aumentou de intensidade, o barco se inclinou para estibordo. Deixei Corvo se afastar e me guiei pela bússola para Key West.

Por que tantos pilotos de avião também gostam de navegar barcos à vela? Os aviões têm liberdade no espaço, os veleiros têm liberdade no tempo. Não é o instrumento que queremos, é a ausência de grilhões que esse instrumento representa. Não é um enorme avião que apreciamos, mas a velocidade e poder que provêm de controlar o seu vôo. Não uma chalupa, mas o vento, a aventura, a pureza funcional da vida que o mar exige, que o céu exige. Desligado das coações exteriores. Navegar por anos a fio num barco, se assim quiser.

Os barcos possuem o seu próprio tempo. O máximo que um avião voa é algumas horas; mais do que isso, é uma proeza. Alguém deve inventar um avião que tenha tanta liberdade no tempo como um barco.

Tenho a liberdade de todas as outras mulheres-amigas; por que não de Leslie? Elas não me criticam por estar distante, por deixá-las quando quero; por que isso acontece com Leslie? Ela não sabe? Muito tempo juntos e até a cortesia desaparece... as pessoas são mais corteses com estranhos do que com suas próprias esposas e maridos! Duas pessoas amarradas uma à outra como cães famintos, lutando por todas as migalhas. Olhe para nós, até mesmo para nós. Você alteou a voz para mim! Não entrei em sua vida para deixá-la furiosa. Se não gosta de mim como sou, basta dizer e irei embora! Juntos por muito tempo e teremos correntes, deveres, responsabilidades, sem prazeres, sem aventura, sem obrigado!

Horas depois, através da noite, a primeira insinuação de claridade no horizonte ao sul. Não o amanhecer, mas as luzes das ruas de Key West, ricocheteando na neblina muito alta.

Velejar é lento demais, pensei. Você muda de idéia, não quer mais ficar onde está; num avião, pode tomar uma providência imediata, basta pouco tempo para levá-lo por um longo percurso. Num barco a vela, você muda de idéia, mas não pode sequer atracá-lo e desembarcar! Não pode planar se está muito alto, subir se está muito baixo. O veleiro está sempre na mesma altitude. Não há mudança. Tedioso. Mudar é aventura, em veleiros ou em mulheres. Que outra aventura existe além da mudança?

Leslie e eu concordamos em determinadas regras de amizade: total igualdade, liberdade, cortesia, respeito, ninguém toma ninguém como um fato consumado, um pacto não-exclusivo. Se as regras não são mais do seu agrado, ela deve me dizer. Todo este caso está se tornando sério demais.

Com toda certeza ela dirá: Não há espaço em sua vida, Richard Bach, para algo mais além de regras?

Eu gostaria de poder dizer não e me afastar.

Eu gostaria de poder conversar com ela sobre isso agora.

Eu gostaria que os veleiros fossem muito mais velozes, que pudessem voar.

O lamentável estado do mundo. Colocamos pessoas na lua, mas não somos capazes de construir um veleiro que possa voar.

## vinte e oito

— PRONTO PARA partir, *wookie*? — indagou Leslie.

Estou novamente passando muito tempo com ela, pensei. Tempo demais. É tão organizada quanto um computador... tudo em que toca passa a funcionar em ordem, de forma clara e honesta. Tão bela que ainda me ofusca, divertida, afetuosa, amorosa. Mas as regras garantem que me destruirei se passar muito tempo com uma só mulher... e estou passando muito tempo com Leslie.

— Está pronto para partir? — ela perguntou outra vez.

Ela vestia um costume cor de âmbar, seda dourada no pescoço; os cabelos presos atrás para uma longa reunião de negócios.

— Claro.

Curioso. Ela é que está me tirando dos escombros perigosos do império, realizando o trabalho de todos os meus empregados despedidos.

Stan, calmo até o fim, disse ao me deixar que lamentava muito que eu tivesse perdido tanto dinheiro. Isso acontece às vezes, comentou ele, o mercado se vira contra a gente.

O advogado fiscal de Stan pediu desculpas, lamentava ter perdido o prazo da Receita Federal, achava que eles não estavam sendo justos... só se atrasara duas semanas na apresentação da apelação, mas eles se recusaram a considerá-la. Se não fosse por isso, ele assegurou, poderia provar que eu não devia absolutamente nada.

Harry, o gerente dos meus negócios, sorriu, disse que o problema da Receita Federal era lamentável; não gostava tanto quanto eu, fizera o possível para evitar que chegasse ao meu conhecimento durante o máximo de tempo que pudera. Por falar nisso, ele agradeceria se eu pudesse saldar prontamente o último salário.

Se não fosse por Leslie, eu teria partido para a Antártida ou Basutolândia, tão repugnado me sentia com dinheiro, impostos, contas, extratos. Sentia vontade de rasgar qualquer papel com números.

— Adeus — disse ela, quando entrei no carro.

— Adeus?

— Você partiu outra vez, Richard. Adeus.

— Desculpe. Acha que eu deveria me candidatar à cidadania antártica?

— Ainda não. Depois desta reunião, talvez. A menos que você possa apresentar um milhão de dólares, mais os juros.

— Não consigo entender. Como posso estar devendo tanto em impostos?

— Talvez não devesse, mas o prazo foi perdido. É tarde demais agora para discutir. E isso me deixa furiosa. Como eu gostaria de poder estar com você antes que fosse tarde demais! Eles podiam pelo menos tê-lo avisado!

— Eu sabia em outros níveis, *wook*. Creio que parte de mim queria que toda a coisa explodisse. Não estava funcionando, não estava me deixando feliz.

— Estou surpresa que saiba disso.

Richard!, pensei. Não sabe nada disso! E é claro que o deixava feliz! Não tinha todos os aviões... não continua a ter? E sua mulher perfeita? Claro que o fazia feliz!

Que mentira. O império se encontrava em ruínas, dinheiro pregado ao redor como papel de parede colocado por amadores, sendo eu mesmo o pior. Tinha um gosto de vida imperial e era como creme batido, com uma colher de negligência doce como arsênico para dar sabor. O veneno estava agora em ação.

— Não é assim que deveria ser, Richard. Você se sairia muito melhor se não tivesse contratado ninguém. Bastava continuar sozinho, agindo como antes.

— Foi o que aconteceu. Eu tinha mais brinquedos, mas ainda era o mesmo. Meu velho eu nunca fui capaz de cuidar de contas.

— Ah...

Sentamos em torno da mesa de John Marquart, o advogado que Leslie contratara quando eu me encontrava na Espanha. Foram servidas xícaras de chocolate quente, como se alguém soubesse que a reunião seria prolongada. Ela abriu sua pasta executiva, tirou as listas de anotações que fizera. Mas o advogado se dirigiu primeiro a mim:

— Você apresentou uma perda de capital contra o rendimento normal. É esse o problema, em resumo?

— Acho que o problema é que contratei um mago financeiro que sabia menos do que eu sobre dinheiro... ou seja, menos do que zero. O dinheiro que ele investia não era números no papel, mas dinheiro de verdade e abruptamente desintegrou-se no mercado. E a Receita Federal não tem um formulário fiscal para essa desintegração. Acho que é isso, em resumo. Para ser franco, não sei o que o cara apresentou. E estava meio esperando que você me apresentasse respostas, ao invés de problemas. Afinal, sou eu quem o está contratando e esta é supostamente a sua especialidade...

Marquart fitou-me de uma maneira cada vez mais estranha, pegou o seu café, espiou por cima da xícara, como se esperasse que pudesse protegê-lo de um cliente desvairado.

Leslie interveio nesse momento e ouvi sua voz em minha mente, pedindo-me para ficar sentado quietinho, se fosse possível.

— Na minha maneira de ver a situação — disse ela — o dano já está causado. O advogado fiscal de Richard... isto é, o advogado fiscal que seu gerente financeiro contratou... não respondeu à Receita Federal no prazo e o governo ganhou o processo à revelia. E quer agora um milhão de dólares. Richard não dispõe de um milhão de dólares em caixa para efetuar o pagamento imediatamente. Portanto, a questão é a seguinte: ele pode efetuar os pagamentos parcelados? Pode oferecer uma boa soma de entrada e prometer o resto à medida que liquidar os seus bens? O governo lhe dará tempo para isso?

O advogado virou-se para Leslie com evidente alívio.

— Não vejo por que não. É um procedimento bastante comum nesses casos. É o que se chama de Oferta de Acordo. Trouxe os dados que pedi?

Fiquei observando Leslie, maravilhado ao constatar como ela se sentia à vontade num escritório de advocacia. Ela foi pondo na mesa as listas tituladas.

— Aqui está Dinheiro Disponível Agora. Esta é Bens a Serem Liquidados. E aqui está Projeção de Rendimentos para os Próximos Cinco Anos. As somas indicam que ele pode saldar o débito total em dois anos, três no máximo.

Enquanto eu velejava, pensei, Leslie pesquisava esquemas de pagamento de impostos! Eu estava sendo liquidado, não enriquecendo... por que ela se importava tanto?

Não demorou muito para que os dois estivessem analisando meus problemas como se eu não me encontrasse na sala. E não estava mesmo. Sentia-me como um mosquito num enorme cofre de banco... não podia encontrar meio de romper o tédio opressivo de penhoras, bens, liquidações, prazos de pagamento. O sol brilhava lá fora. Podíamos sair para um passeio, comprar biscoitos de chocolate...

— Prefiro estruturar o pagamento ao longo dos próximos cinco anos, ao invés de três — Marquart estava dizendo. — Afinal, a receita dele pode não ser a projetada. Se ele puder pagar mais depressa, ótimo. Mas terá um ônus fiscal elevado com esse tipo de rendimento e queremos ter certeza de que não se defrontará com novos problemas.

Leslie assentiu e os dois continuaram a falar, definindo os detalhes. Uma calculadora disparava números na mesa, entre eles; as anotações de Leslie marchavam em boa ordem.

— Posso compreender o problema do ponto de vista deles — disse ela, ao final. — Não se importam com as pessoas que Richard contratou, se ele sabia ou não o que estava acontecendo. Querem apenas o seu dinheiro. E receberão, com juros, se esperarem apenas um pouquinho. Acha que eles concordarão em esperar?

— É uma boa oferta — assegurou o advogado. — Tenho certeza de que aceitarão.

Quando nos retiramos, o desastre já fora domado. Houvera um tempo em que eu descobrira um milhão de dólares na minha conta bancária com um único telefonema; conseguir uma quantia tão modesta, ao longo de cinco anos inteiros, seria muito simples. Vender a casa na Flórida, vender os aviões, com exceção de um ou dois, terminar a produção do filme... muito simples.

E agora tenho Leslie e um advogado fiscal profissional de Los Angeles para impor ordem à minha vida, não haverá mais problemas a surgirem sob pressão.

Houvera uma tempestade no mar; eu caíra de cabeça. Aquela mulher pulara nas ondas e me arrancara, salvara a minha vida financeira.

Deixamos o escritório do advogado transbordando de esperança.

— Leslie? — murmurei, segurando a porta aberta para ela, quando saímos do prédio.

— O que é, Richard?

— Obrigado.

— De nada, *wookie*, de nada!

## vinte e nove

— PODE VIR ATÉ aqui, *wookie*? — A voz de Leslie soava fraca, ao telefone. — Infelizmente, preciso de sua ajuda.

— Sinto muito, Leslie, mas não posso estar aí esta noite.

Por que era tão desconfortável lhe dizer? Conheço as regras. Eu as fiz. Não poderíamos ser amigos sem elas. Ainda assim é difícil dizer, mesmo pelo telefone.

— *Wook*, estou me sentindo horrível, tonta e doente. Ficaria muito melhor se você estivesse aqui. Não quer ser meu médico e vir me curar?

Empurrei para o armário a parte de mim que desejava salvá-la e curá-la, tranquei a porta.

— Não é possível. Tenho um encontro esta noite. Posso ir amanhã, se você quiser.

— Você tem um encontro? Vai sair com alguém quando estou doente e preciso de você? Richard, não posso acreditar...

Devo dizer a ela outra vez? Nossa amizade é não-possessiva, aberta, baseada na liberdade mútua de se manter longe um do outro sempre que desejarmos, por qualquer motivo ou sem motivo. Agora, eu estava assustado. Já fazia tanto tempo que eu não via qualquer outra mulher em Los Angeles, tinha a sensação de que resvalávamos para um casamento formal, sentia que esquecíamos da necessidade de nossos tempos-separados, assim como dos tempos-juntos.

O encontro tinha de ser mantido. Se eu me sentisse na obrigação de estar com Leslie, só porque me encontrava em Los Angeles, então havia algo de errado com a nossa amizade. Se eu perdera a liberdade de estar com quem me aprouvesse, então nosso propósito em comum terminara. Rezei para que ela compreendesse.

— Posso ficar com você até as sete...

— Até as sete? Não me ouviu, Richard? *Preciso* de você. Preciso de alguma ajuda sua agora!

Por que ela estava me pressionando? A melhor coisa para ela dizer naquele momento seria que não havia problema, daria um jeito, esperava que eu me divertisse. Será que ela não sabe que não deve agir de outra forma? É um erro fatal! Não serei pressionado, não serei possuído por quem quer que seja, em qualquer lugar, sob quaisquer condições!

— Lamento muito. Gostaria que tivesse me avisado antes. Agora é tarde demais para cancelar o meu encontro. Não daria certo para mim e não quero fazer isso.

— Ela é tão importante assim para você, quem quer que seja? Qual é o nome dela?

Leslie estava com ciúme!

— Deborah.

— Deborah é tão importante assim para você que não pode telefonar e dizer que sua amiga Leslie está doente e é melhor adiar o encontro ardente para amanhã, a próxima semana ou qualquer dia do próximo ano? Ela é tão importante que você não pode telefonar e dizer isso?

Havia angústia na voz de Leslie. Mas ela pedia algo que eu não poderia dar sem destruir a minha independência. E seu sarcasmo em nada contribuía para ajudar.

— Não, ela não é tão importante assim. O que importa é o princípio que ela representa... que somos livres para estar com qualquer pessoa que desejarmos...

Leslie estava gritando agora:

— Dane-se a sua liberdade, Richard Bach! Trabalho como uma danada para salvar o seu maldito império de ser destruído completamente, não consigo dormir pela preocupação de haver alguma coisa em que não pensei, em que ninguém pensou... para salvá-lo... porque você é tão importante para mim... estou tão cansada que mal consigo ficar de pé... e você não quer estar comigo quando preciso porque tem um encontro com alguma Deborah que mal conhece, alegando que ela representa algum maldito *princípio*?

Falei sobre muralhas de um metro de espessura, aço maciço:

— Isso mesmo.

Houve um silêncio prolongado ao telefone.

A voz de Leslie mudou. O ciúme desapareceu, a angústia desapareceu. Ela estava agora calma e suave.

— Adeus, Richard. E divirta-se.

Enquanto eu dizia obrigado por compreender como era importante... ela desligou.

# trinta

Ela não atendeu ao telefone no dia seguinte e no outro. E um dia depois, esta carta:

*Noite de quarta-feira, 21/12*

*Caro Richard:*

*É muito difícil saber como e por onde começar. Estive pensando por muito tempo e a fundo, através de muitas idéias, tentando encontrar um meio...*

*Finalmente me ocorreu uma pequena idéia, uma metáfora musical, através da qual pude pensar claramente e encontrar a compreensão, se não mesmo a satisfação. Quero partilhá-la com você. Assim, por favor, peço que me suporte, enquanto passamos por outra lição musical.*

*A forma mais comumente usada para as grandes obras clássicas é a da sonata. É a base de quase todas as sinfonias e concertos. Consiste de três partes principais: a exposição ou abertura, em que pequenas idéias, temas e miscelâneas diversas são lançados e apresentados uns aos outros; o desenvolvimento, em que essas pequenas idéias e motivos são explorados ao máximo, expandidos, muitas vezes passando de maior (feliz) para melhor (infeliz) e voltando, sendo desenvolvidos e entrelaçados em complexidade maior, até que finalmente vem: a recapitulação, em que existe uma reapresentação, uma gloriosa expressão da maturidade plena e rica que as pequenas idéias alcançaram, através do processo de desenvolvimento.*

*Você pode perguntar como isso se aplica a nós, se ainda não percebeu.*

*Eu nos vejo embatucados numa abertura interminável. A princípio, foi a coisa real, pura delícia. É a parte de um relacionamento em que a pessoa se mostra em seu melhor: divertida, encantadora, excitada, excitante, interessante, interessada. É um tempo em que a pessoa se sente mais tranqüila e mais cativante, porque não experimenta a necessidade de levantar suas defesas; assim, a parceira aconchega um ser humano afetuoso, ao invés de um cacto gigantesco. É um tempo de prazer para ambos e não é de admirar que você goste tanto de aberturas que se empenhe em tornar a sua vida uma sucessão delas.*

*Mas os primórdios não podem ser prolongados interminavelmente; não podem simplesmente ser expostos e reexpostos. Devem seguir adiante e se desenvolverem — ou morrer de tédio. Não é bem assim, você diz. Deve se afastar, ter mudanças, outras pessoas, outros lugares, a fim de que possa voltar a um relacionamento, como se fosse novo, para ter constantes princípios novos.*

*Nós seguimos adiante numa sucessão prolongada de reaberturas. Algumas foram causadas por separações profissionais que eram necessárias, mas se mostraram desnecessariamente duras e rigorosas para duas pessoas tão chegadas como nós. Algumas foram fabricadas por você, a fim de dispor de mais oportunidades de voltar à novidade que tanto deseja.*

*Obviamente, a parte de desenvolvimento é um anátema para você. Pois é a parte em que você pode descobrir que tudo o que possui é uma coletânea de idéias bastante limitadas que não funcionam, não importa quanta criatividade lhes acrescente, ou — que é ainda pior para você — que tem o material para alguma coisa gloriosa, uma sinfonia, em cujo caso há trabalho a realizar: profundezas devem ser sondadas, entidades separadas cuidadosamente entrelaçadas, o melhor para glorificarem a si mesmas e umas às outras. Suponho que é análogo ao momento de escrever em que não se pode fugir ou não se deve fugir à idéia de um livro.*

*Não resta a menor dúvida de que fomos muito mais longe do que você jamais tencionou. E paramos pouco antes do que eu considerava como os nossos próximos passos, lógicos e maravilhosos. Tenho testemunhado o desenvolvimento com você continuamente contido, passei a acreditar que nunca faremos mais do que tentativas esporádicas em nosso potencial de aprendizado, em nossas espantosas similaridades de interesses, não importa quantos anos possamos ter — porque nunca teremos um tempo ininterrupto juntos. Assim, torna-se impossível o crescimento que tanto prezamos e sabemos que é possível.*

*Ambos tivemos uma visão de algo maravilhoso que nos aguarda. Contudo, não podemos chegar lá, a partir do ponto em que nos encontramos. Estou diante de uma sólida muralha de defesas e você tem a necessidade de construir mais e ainda mais. Anseio pela riqueza e plenitude do desenvolvimento adicional e você procurará meios de evitá-lo, enquanto estivermos juntos. Nós dois ficamos frustrados; você é incapaz de voltar, eu sou incapaz de seguir adiante, num estado de luta constante, com nuvens e sombras escuras sobre o tempo limitado que você nos concede.*

*Sentir a sua constante resistência a mim, ao crescimento desse algo maravilhoso, como se eu e isso fôssemos alguma coisa horrível — experimentar as várias formas que a resistência assume, algumas cruéis — muitas vezes me causa sofrimento, em um nível ou outro.*

*Tenho um registro de nosso tempo juntos e fiz uma análise profunda e sincera. Entristeceu-me e até mesmo me chocou, mas foi-me útil para enfrentar a verdade. Recordo os dias do princípio de julho e as sete semanas que se seguiram como nosso único período realmente feliz. Isso foi a abertura e foi linda. Depois, houve as separações, com os desligamentos arrebatados e para mim inexplicáveis — e a igualmente terrível evitação-resistência em suas voltas.*

*Longe e apartados ou juntos e apartados é uma situação por demais infeliz. Estou me observando virar uma criatura que chora muito, uma criatura que até deve chorar muito, pois quase parece que a compaixão é necessária antes que a bondade seja possível. E sei que não cheguei até este ponto da minha vida para me tornar digna de compaixão.*

*Ser informada que cancelar o seu encontro para me ajudar, quando eu me encontrava em estado de crise, "não daria certo para você", fez com que a verdade desabasse em cima de mim com a força de uma avalanche. Encarando os fatos tão honestamente quanto me é possível, sei que não posso continuar, não importa o quanto assim deseje; não posso me inclinar ainda mais.*

*Espero que você não considere isto como o rompimento de um acordo, mas sim como a continuação dos muitos e muitos finais que você tem iniciado. Acho que é uma coisa que ambos devemos saber. Eu devo aceitar que fracassei em meu esforço de fazê-lo conhecer as alegrias da afeição.*

*Richard, meu precioso amigo, isto é dito suavemente, até mesmo ternamente, com amor. E os tons suaves não servem para camuflar uma raiva por trás; são autênticos. Não há acusações, responsabilidades ou culpas. Estou simplesmente tentando compreender e estancar a dor. Estou enunciando o que fui forçada a aceitar: que você e eu nunca teremos um desenvolvimento, muito menos a gloriosa expressão climática de um relacionamento desenvolvido ao máximo.*

*Tenho sentido que se alguma coisa em minha vida mereceu um afastamento de padrões anteriormente estabelecidos, indo além de todas as limitações conhecidas, foi justamente o nosso relacionamento. Suponho que poderia estar justificada em me sentir humilhada por todos os meus esforços para que desse certo. Em vez disso, porém, sinto-me orgulhosa de mim mesma e contente por saber que reconheci a rara e maravilhosa oportunidade que desfrutamos enquanto a tivemos. Dei tudo o que eu podia, no sentido mais puro e elevado, a fim de preservá-la. É o que me conforta agora. Neste momento horrível do final, posso sinceramente dizer que não conheço nenhuma outra coisa que poderia fazer para nos levar ao lindo futuro que poderíamos ter.*

*Apesar do sofrimento, estou feliz por tê-lo conhecido desta maneira especial e sempre guardarei na memória o tempo que passamos juntos. Cresci com você e aprendi muito. Sei também que fiz grandes e positivas contribuições a você. Ambos somos pessoas melhores por havermos entrado em contato.*

*A esta altura, tão tardia, ocorre-me que uma metáfora do xadrez poderia também ser útil. O xadrez é um jogo em que cada parte possui o seu próprio objetivo singular, mesmo quando se confronta com a outra; um meio do jogo em que se desenvolve e intensifica uma luta, em que se perdem fragmentos de cada lado, ambos ficando reduzidos; e um fim de jogo em que uma parte acua e paralisa a outra.*

*Creio que você vê a vida como uma partida de xadrez; eu vejo como uma sonata. E por causa dessas diferenças tanto o rei como a rainha são perdidos, a canção é silenciada.*

*Ainda sou sua amiga, como sei que você também é meu amigo. Envio esta carta com um coração repleto do mais profundo e terno amor, com toda a consideração que tenho por você, como não ignora, além de um imenso pesar por ficar incumprida uma oportunidade tão cheia de promessa, tão rara e tão bela.*

*Leslie*

Fiquei olhando pela janela para o nada, um barulho estrondeando em minha cabeça.

Ela está errada. É claro que está errada. A mulher não compreende quem eu sou ou como penso.

É uma pena, pensei.

Depois, amassei a carta e joguei-a para longe.

## trinta e um

NADA MUDARA além da janela uma hora depois.

Por que minto para mim mesmo?, pensei. Ela está certa e sei que está, mesmo que nunca o admita, mesmo que nunca mais torne a pensar nela.

Sua história da sinfonia e do xadrez... por que não percebi essas coisas? Sempre fui tão terrivelmente inteligente, exceto em relação a impostos, mais perceptivo do que qualquer outra pessoa que já viveu... como ela pode perceber essas coisas, quando eu não posso? Não sou tão brilhante quanto ela? Contudo, se ela é tão esperta, onde está o seu sistema, seu escudo para evitar o sofrimento? Eu tenho a minha Mu...

AO DIABO com a sua Mulher Perfeita! É um pavão de meia tonelada que você inventou, guarnecendo de penas falsas, cores estranhas, que nunca voará! Seu pavão pode correr em círculos, bater as asas e guinchar ao invés de cantar, mas nunca será capaz de deixar o solo. E você, apavorado com o casamento, sabia que casou com isso?

A imagem, um pequeno eu numa fotografia de casamento, com um pavão de seis metros, era verdadeira! Eu me casara com uma idéia que era errada.

Mas tinha a restrição à minha liberdade! Se eu ficar com Leslie, acabarei entediado!

Foi mais ou menos nesse momento que me dividi em duas pessoas diferentes: o eu que comandara as coisas por tanto tempo e um arrivista querendo destruí-lo.

O tédio é a menor de suas preocupações, seu filho da puta, disse o recém-chegado. Não percebe que ela é mais esperta do que você, conhece mundos que você tem medo de tocar? Vá em frente, encha a minha boca de algodão e me afaste, como faz com todas as outras partes de você que se atrevem a dizer que suas teorias onipotentes estão erradas! É livre para fazer isso, Richard. E é livre para passar o resto de sua vida em relacionamentos superficiais com mulheres, tão apavorado quanto é da intimidade. O igual atrai o igual, seu arrogante. A menos que tivesse um mínimo de bom senso, que não tem a menor possibilidade de encontrar nesta vida, pertence à sua ficção covarde e assustada da Mulher Perfeita, até morrer de solidão.

Você é tão cruel quanto gelo. Pertence a seu xadrez cruel-como-gelo e a seu céu cruel-como-gelo; arruinou uma oportunidade gloriosa com aquele seu império asnático; agora, toda a coisa é um monte de estilhaços com um governo... e tudo penhorado a um governo!

Leslie Parrish era uma oportunidade mil vezes mais gloriosa do que qualquer império, mas ficou apavorado porque ela é mais esperta do que você jamais será e por isso vai alijá-la também. Ou foi ela quem o alijou? Não vai magoá-la, companheiro, porque ela não é uma perdedora. Ficará triste e chorará por algum tempo, porque não tem medo de chorar quando morre alguma coisa que podia ter sido linda. Mas ela haverá de superar, de se elevar acima de tudo.

Você também vai superar, em cerca de um minuto e meio. Basta fechar as suas malditas portas de aço, batê-las com toda força e nunca mais pensar nela outra vez. Ao invés de se erguer acima, irá direto para o fundo. Não se passará muito tempo para que seja um sucesso espetacular em suas tentativas de suicídio subliminares, despertando angustiado porque recebeu uma vida de fogo-e-prata, de diamante-laser, pegou o seu martelo e destruiu tudo. Está diante da maior opção de sua vida e sabe disso. Ela resolveu não aturar mais seu selvagem medo estúpido e sente-se feliz neste momento por estar livre do peso morto que é você.

Vá em frente, faça o que sempre fez: fuja. Corra para o aeroporto, acione o seu avião e decole pela noite. Voe, voe! Encontre uma boa moça com um cigarro numa das mãos e um copo de rum na outra, observe-a usá-lo como um degrau para o algo melhor de que você fugirá esta noite. Corra, seu estúpido covarde. Corra para me calar. A próxima vez em que me verá é o dia de sua morte e poderá então me contar qual é a sensação depois que queimou a sua última ponte...

Bati as portas sobre o barulho e a sala ficou tão silenciosa quanto o mar.

— Não somos emocionais! — declarei em voz alta.

Peguei a carta, recomecei a lê-la, deixei que caísse de novo na cesta.

Se ela não gosta de quem eu sou, é muita gentileza sua dizer isso. É uma pena... se ao menos ela fosse diferente, poderíamos permanecer amigos. Mas não posso admitir o ciúme! Ela pensa que sou sua propriedade pessoal, que decide com quem passo meu tempo e quando? Eu disse a ela claramente quem sou, o que penso e como pode esperar que leve a minha vida, mesmo que não seja a simulação do eu-te-amo que está querendo de mim. Pois não terá o eu-te-amo de mim, Leslie Parrish. Serei sincero comigo mesmo, embora isso me custe o transbordamento de alegria de cada momento feliz que passamos juntos.

Uma coisa que eu nunca fiz, minha cara Leslie... nunca menti, lesei-a ou enganei-a; vivi o que acredito exatamente como lhe disse que faria. Se isso agora se torna inaceitável para você, não há outro jeito; lamento e gostaria que tivesse me avisado antes, o que pouparia muitos problemas a ambos.

Partirei amanhã, ao nascer do sol, pensei. Levarei minhas coisas para o avião e decolarei a caminho de um lugar em que nunca estive antes. Wyoming, talvez Montana. Deixo o avião para a Receita Federal, se puderem encontrá-lo, e desapareço. Tomo emprestado um biplano em algum lugar e sumo por completo.

Mudo meu nome. Winnie-the-Pooh, a personagem das histórias infantis, viveu sob o nome de Sanders. Eu também posso fazer a mesma coisa. Será divertido. James Sanders. Podem ficar com as contas bancárias e os aviões, com tudo o mais que quiserem. Ninguém jamais saberá o que aconteceu com Richard Bach, o que será um alívio bendito.

Qualquer coisa que eu venha a escrever, se é que alguma coisa, será com o novo nome. Posso fazer isso, se quiser. Largar tudo. Talvez James Sanders vagueie até o Canadá, viaje para a Austrália. Talvez o velho Jim se perca nas florestas de Alberta ou vá para o sul, até Sunbury ou Whittlesea, voando um Tiger Moth. Ele pode aprender australiano, transportar uns poucos passageiros, o suficiente para sobreviver.

E depois...

E depois...

E depois o que, Sr. Sanders? É o governo quem está assassinando Richard Bach ou você? Quer matá-lo porque Leslie o cortou? Sua vida será tão vazia sem ela que não faz diferença para você se ele morrer?

Pensei a respeito por muito tempo. Seria excitante decolar, mudar de nome, fugir. Mas... é isso o que você mais quer?

É *essa* a sua maior verdade?, ela perguntaria.

Não.

Sentei-me no chão, encostado na parede.

Não, Leslie, essa não é a minha maior verdade.

A minha maior verdade é que tenho muito o que aprender sobre amar outra pessoa. A maior verdade é de que a minha Mulher Perfeita é boa na melhor das hipóteses para um pouco de conversa, um pouco de sexo... ligações transitórias, procurando afastar a solidão. Ela não é o amor que o garoto no portão tinha em mente, há tanto tempo.

Eu sabia o que estava certo quando era o garoto e novamente quando deixei de perambular de avião: encontrar minha companheira-da-vida alma-eterna anjo-convertido-em-mulher com quem aprender e para amar. Uma mulher que desafiará o inferno a sair de mim, que me forçará a mudar, crescer, prevalecer, quando de outra forma fugiria.

Leslie Parrish podia ser a pessoa errada. Podia não ser a minha alma-irmã que vinha me encontrar no caminho ao seu encontro. Mas ela é a única... tem a mente de Leslie no corpo de Leslie, uma mulher por quem não tenho de sentir pena, não tenho de salvar, não tenho de explicar a ninguém, a qualquer lugar que vá. E ela é tão esperta que a pior coisa que poderia acontecer é que eu aprendesse muito antes que me deixasse.

Se uma pessoa é bastante cruel, pensei, bastante antivida, até mesmo sua alma-irmã se afasta, deixando-a sozinha, disposta a esperar por outra vida, antes de um novo alô.

E se eu não fugir? O que tenho a perder além da minha centena de toneladas de placas de aço, que deveriam me proteger dos sofrimentos? Estendo as asas sem a blindagem e talvez eu possa voar bastante bem para não ser abatido. Na próxima vez posso mudar meu nome para Sanders e decolar para Port Darwin!

Aquele falador atrevido a quem eu calara estava certo. Abri as portas, pedi desculpas, deixei-o em liberdade; contudo, ele não disse mais nenhuma palavra.

Eu estava diante da maior opção de minha vida, ele não precisava dizê-lo novamente.

Isso não poderia ser um teste, planejado por uma centena de outros aspectos de mim, de diferentes planetas e tempos? Estarão reunidos neste momento por trás de um espelho de visão só por um lado, observando-me, esperando que eu largue o aço? Ou estarão rezando para que eu resista? Por acaso farão apostas sobre o que farei?

Se isso acontece, eles se mantêm muito quietos por trás de seu espelho. Não há qualquer som. Até mesmo o troar em minha cabeça desapareceu.

A estrada se dividiu em duas direções, à minha frente.

Os dois futuros eram duas vidas diferentes: Leslie Parrish ou minha tão segura Mulher Perfeita?

Escolha, Richard. Agora. Está virando noite lá fora. Qual delas?

## trinta e dois

— Alô? — A voz estava sem fôlego, quase abafada por guitarras e tambores.

— Leslie? Sou eu, Richard. Sei que é tarde, mas você tem tempo para conversar?

Não houve resposta. A música trovejou, enquanto eu esperava pelo estalido do seu telefone sendo desligado. Toda aquela luta com opções, pensei, e a decisão já foi tomada; Leslie não estava mais interessada em gente como eu.

— Tenho, sim — disse ela, finalmente. — Deixe-me desligar a música. Eu estava dançando.

O telefone ficou mudo e um momento depois ela voltou.

— Oi.

— Oi. Recebi sua carta.

— Ótimo.

Levantei o telefone e comecei a andar, para a esquerda e direita, sem saber que me movia.

— Quer realmente parar com tudo, sem mais nem menos?

— Não tudo — respondeu Leslie. — Espero que ainda possamos trabalhar juntos no filme. E gostaria de continuar a pensar em você como meu amigo, se não se incomoda. A única coisa com que desejo parar é o sofrimento.

— Eu jamais quis magoá-la.

Não é possível para mim magoá-la, pensei. Ninguém pode ser magoado a menos que se sinta primeiro magoado...

— Pois dói de qualquer forma, Richard. Acho que não sou muito boa em relacionamentos abertos. A princípio não houve qualquer problema, mas depois éramos tão *felizes* juntos! Desfrutávamos tanto prazer, nós dois! Por que continuar a se dividir por pessoas que não tinham importância ou por princípios abstratos? Simplesmente não dava certo.

— E por que não dava certo?

— Eu tinha uma gata. Amber, uma persa grande e peluda. Passávamos juntas cada minuto que eu estava em casa. Ela jantava ao mesmo tempo que eu, sentávamos juntas para escutar música, ela dormia em meu ombro à noite. Cada uma sabia o que a outra estava pensando. E depois Amber teve filhotes. Tão lindos quanto podiam ser. Absorviam seu tempo e amor, absorviam meu tempo e amor. Amber e eu não estávamos mais juntas a sós, tínhamos de cuidar dos filhos, distribuímos nosso amor. Nunca me senti tão chegada a ela depois que os gatinhos nasceram, ela nunca foi tão chegada a mim, até o dia em que morreu.

— A *profundeza da intimidade que sentimos é inversamente proporcional ao número de outras pessoas em nossas vidas?* — Temendo que ela encarasse a pergunta como um escárnio, acrescentei: — Acha que você e eu deveríamos ter sido exclusivos um para o outro?

— Isso mesmo. Aceitei as suas muitas namoradas, a princípio. O que fazia quando não estava comigo era somente da sua conta. Mas quando Deborah surgiu, o princípio de Deborah, como você diria, compreendi subitamente que estava transferindo o seu harém para oeste e planejava me incluir. Não quero isso, Richard.

"Sabe o que aprendi com você? Aprendi o que é *possível* e agora devo resguardar o que pensei que nós tínhamos. Quero estar ligada a alguém que respeito, admiro e amo, alguém que sinta a mesma coisa em relação a mim. Isso ou nada. Compreendi que aquilo que você está procurando não é a mesma coisa que eu procuro. Você não quer o que eu quero.

Parei de andar, sentei-me no braço do sofá. A escuridão entrava pelas janelas e me envolvia.

— O que você pensa que eu quero?

— Exatamente o que você tem. Muitas mulheres que conhece um pouco e de quem não gosta muito. Ligações superficiais, uso mútuo, nenhuma possibilidade de amor. Essa é a minha idéia de inferno. O inferno é um lugar, um tempo, uma consciência, Richard, em que não há amor. Horrível! Deixe-me fora disso.

Ela falava como se a sua decisão estivesse tomada e a minha também. Como se não houvesse qualquer possibilidade de esperança. Não pedia coisa alguma; estava me comunicando a sua verdade maior, sabendo que eu nunca concordaria.

— Eu tinha o maior respeito e admiração por você, Richard. Pensava que era a pessoa mais maravilhosa que já conhecera. Agora, começo a descobrir em você coisas que não quero ver. E gostaria de terminar pensando que você é maravilhoso.

— O que eu temia, Leslie, é que começássemos a possuir um ao outro. Minha liberdade é tão importante para mim quanto...

— Sua liberdade para fazer o quê? Sua liberdade para não ser íntimo? Sua liberdade para não amar? Sua liberdade para se abrigar contra a alegria na inquietação e no tédio? Tem razão... se continuássemos juntos, eu não haveria de querer que você tivesse essas liberdades.

Grande!, pensei, como se as suas palavras fossem um lance de xadrez.

— Falou muito bem... — murmurei. — Compreendo agora o que está dizendo. Obrigado.

— Não há de quê.

Mudei o telefone para o outro ouvido. Algum dia um mágico ainda inventará um telefone que não será incômodo depois de um minuto.

— Acho que há muito para dizer. Há alguma possibilidade de nos encontrarmos e conversarmos um pouco?

Uma pausa e depois:

— Eu preferia que não. Não me incomodo de falar pelo telefone, mas não quero vê-lo pessoalmente, pelo menos por algum tempo. Espero que compreenda.

— Claro. Não há problema. Tem de desligar agora?

— Não. Posso continuar no telefone.

— Acha que há alguma possibilidade de nós dois ainda podermos ser bem chegados? Jamais conheci alguém como você e creio que sua idéia de amizade é uma carta cordial e um aperto de mão ao final de cada ano fiscal.

Ela riu.

— Ora, não é tanto assim. Um aperto de mão semestral. Ou trimestral, já que fomos tão bons amigos. Só porque a nossa ligação amorosa não durou, Richard, isso não significa que fracassou. Creio que aprendemos o que precisávamos aprender.

— Talvez a liberdade de que eu falava... uma grande parte... talvez seja a liberdade de mudar, de ser diferente na próxima semana do que sou hoje. E se duas pessoas estão mudando em direções diferentes...

— Se mudamos em direções diferentes, Richard, então não temos qualquer futuro, não é mesmo? Acho que é possível para duas pessoas mudarem juntas, crescerem juntas e enriquecerem ao invés de se diminuírem mutuamente. A soma de um e um, se são os certos, pode ser o infinito! Mas quase sempre uma pessoa arrasta a outra para baixo. Uma pessoa quer subir como um balão e a outra é um peso morto. Sempre me perguntei o que seria se as duas pessoas, um homem e uma mulher, quisessem subir como balões!

— Conhece casais assim?

— Uns poucos.

— Quantos?

— Dois. Três.

— Pois não conheço nenhum. Isto é... conheço um. Entre todas as pessoas que conheço, apenas um casamento feliz. O resto é... ou a mulher é uma alegria e o homem um peso morto ou o inverso. Quando ambos não são pesos mortos. Dois balões são extremamente raros.

— Pensei que pudéssemos ser assim, Richard.

— Seria maravilhoso.

— Tem razão.

— O que acha que seria necessário para voltarmos a ser como éramos, Leslie?

Senti que ela queria dizer "Nada", mas não falava porque seria precipitação. Estava pensando a respeito e por isso não a espicacei, não a apressei.

— Creio que nada poderia nos levar de volta ao jeito que éramos. Não quero isso. Tentei ao máximo mudar. Tentei até sair com outros homens quando você estava ausente, querendo descobrir se podia equilibrar a sua Mulher Perfeita com o meu Homem Perfeito. Não deu certo. Chato, chato, chato. Sem a menor graça. Uma estúpida perda de tempo. Não sou uma de suas garotas de programa, Richard. Mudei tanto quanto estou disposta a mudar. E se você quer restabelecer a sua ligação comigo, então é a sua vez de mudar.

Fiquei rígido.

— Que tipo de mudança você ofereceria por minha consideração?

A pior coisa que ela poderia dizer seria algo que eu não teria condições de aceitar, pensei, o que não era pior do que tínhamos naquele momento. Leslie pensou por algum tempo, antes de responder:

— Sugeriria que considerássemos uma ligação amorosa exclusiva, somente você e eu. Uma chance de descobrirmos se somos dois balões.

— Eu não seria livre... teria de suspender totalmente os encontros pessoais com as minhas amigas?

— Isso mesmo. Todas as mulheres com quem você vai para a cama. Nenhuma outra ligação amorosa.

Foi a minha vez agora de ficar calado e a dela de esperar calmamente no outro lado da linha. Eu me sentia como um coelho acuado por caçadores. Os homens que eu conhecia e que aceitaram tais condições, depois se arrependeram. Foram alvejados implacavelmente e só conseguiram sobreviver por um triz.

E, no entanto, como eu era diferente com Leslie! Somente com ela podia ser o tipo de pessoa que mais gostava de ser. Não era tímido com ela, não me mostrava contrafeito. Admirava-a, aprendia com ela. Se Leslie queria me ensinar a amar, eu podia pelo menos fazer uma tentativa.

— Você e eu somos muito diferentes, Leslie.

— Somos diferentes e somos iguais. Você pensava que nunca encontraria uma palavra para dizer a uma mulher que não pilotasse aviões. Eu não podia me imaginar passando qualquer tempo com um homem que não amasse música. Não seria possível que o mais importante não seja sermos iguais, mas sim curiosos? Porque somos diferentes, podemos ter a diversão de trocar mundos, dar um ao outro nossas paixões e emoções. Você pode aprender música, eu posso aprender a voar. E isso é apenas o começo. Creio que continuaria para nós por tanto tempo quanto vivêssemos.

— Vamos pensar a respeito, Leslie... vamos pensar a respeito. Ambos tivemos casamentos e quase-casamentos, ambos tivemos cicatrizes, prometemos que não voltaríamos a cometer erros. Não vê qualquer outra possibilidade de continuarmos juntos do que tentar... do que tentar sermos casados?

— Dê-me algumas sugestões.

— Eu me sentia muito feliz do jeito que era, Leslie.

— Muito feliz não é o suficiente. Posso ser mais feliz sozinha, sem ter de escutá-lo a inventar desculpas para fugir, para me afastar, para construir muralhas contra mim. Serei a sua única amante ou não serei a sua amante. Tentei a coisa pela metade e não dá certo... não para mim.

— É muito difícil... o casamento tem tantas limitações...

— Detesto o casamento tanto quanto você, Richard, quando torna as pessoas apáticas e insípidas, quando as torna enganadoras ou as encerra em gaiolas. Tenho evitado por mais tempo do que você, pois já se passaram 16 anos desde o meu divórcio. Mas sou diferente de você numa coisa... acredito que há outro tipo de casamento que nos deixa mais livres do que jamais poderíamos ser sozinhos. Não há muita possibilidade de que você compreenda isso, mas creio que nós dois poderíamos ser assim. Uma hora atrás eu diria que não havia a menor possibilidade. Não poderia imaginar que você telefonaria.

— Ora, deixe disso. Você sabia que eu ligaria.

— Não sabia, não. Pensei que jogaria a minha carta no lixo e partiria para qualquer lugar em seu avião.

Leitora de pensamentos, pensei. Acionei outra vez a imagem da minha fuga para Montana. Muita ação, novas paisagens, novas mulheres. Mas era tedioso sequer pensar a respeito. Já fiz isso, pensei, sei como é, conheço cada parte na superfície; não me comove, não me muda, não importa. É ação que não significa coisa alguma. Por isso vôo para longe... e daí?

— Eu não partiria sem uma palavra. Não iria embora deixando-a furiosa comigo.

— Não estou furiosa com você.

— Apenas o bastante para acabar com a mais linda amizade que já tive.

— Não estou realmente furiosa com você, Richard. Fiquei furiosa e desesperada naquela noite. Depois, me senti triste e chorei. Mas parei de chorar e pensei muito. Compreendi finalmente que você está sendo a melhor pessoa que sabe ser, que tem de viver com isso até mudar. E ninguém, além de você, poderá fazer com que isso aconteça. Como posso estar furiosa por você fazer o melhor de que é capaz?

Senti uma onda de calor no rosto. Que pensamento difícil e cheio de amor! Era incrível que ela compreendesse, naquele momento, que eu estava fazendo o melhor que sabia! Quem mais no mundo inteiro compreenderia isso? O arroubo de respeito por Leslie desencadeou uma suspeita de mim mesmo.

— E se eu não estiver fazendo o melhor?

— Então estou furiosa com você.

Ela quase riu quando disse isso e relaxei um pouco, no sofá. Se ela podia rir, não era o fim do mundo. Ainda não.

— Poderíamos escrever um contrato, chegar a um acordo definido e objetivo das mudanças exatas que queremos?

— Não sei, Richard. Parece um jogo e é importante demais para isso. Um jogo e sua litania de velhas frases, de velhas defesas. Não quero mais isso. Se você tem de se defender contra mim, se tenho de provar interminavelmente que sou sua amiga, que o amo e não vou magoá-lo, destruí-lo ou entediá-lo até a morte, então não dá. Acho que você me conhece bastante bem e sabe como se sente em relação a mim. Se tem medo, então tem medo. Eu o deixarei partir e me sentirei muito bem por isso. Vamos deixar assim. E continuamos amigos, está bem?

Pensei no que ela acabara de dizer. Eu me acostumara a estar certo, a prevalecer em qualquer debate. Mas agora, por mais que tentasse encontrar fios soltos em seu pensamento, não conseguia. Sua argumentação só ruiria se estivesse me mentindo, se estivesse a fim de me magoar, trapacear ou destruir. E nisso eu não podia acreditar. O que ela podia fazer com qualquer outro, eu sabia, também poderia fazer comigo um dia. E eu nunca a vira enganar ninguém ou desejar o mal a qualquer pessoa, até mesmo aos que lhe haviam sido cruéis. Ela os perdoara, até o último, sem ressentimentos.

Se eu me permitisse a palavra, naquele momento, diria que estava apaixonado por ela.

— Você também está fazendo o seu melhor, não é mesmo, Leslie?

— Estou, sim.

— Não lhe parece estranho que seríamos a exceção, você e eu, quando quase mais ninguém consegue fazer com que a intimidade dê certo? Sem gritos e sem bater de portas, sem perder o respeito, sem tédio?

— Não acha que você é uma pessoa excepcional, Richard? E não acha que eu também sou?

— Somos diferentes de todas as pessoas que já conheci.

— Se eu ficar furiosa com você, não creio que haja nada de errado em gritar e bater portas. Ou arremessar coisas, se ficar bastante furiosa para isso. Mas não significaria que não o amo mais. E isso não faz qualquer sentido para você, não é mesmo?

— Absolutamente nenhum. Não há qualquer problema que não possamos resolver com calma e discussão racional. Quando discordamos, o que há de errado em dizer "Leslie, eu discordo e estas são as minhas razões"? E depois você me diz: "Tem toda razão, Richard. Suas razões me convenceram que o seu é o melhor caminho." E tudo termina por aí. Não há cacos para varrer ou portas para consertar.

— Não é bem assim, Richard. Os gritos surgem quando eu me sinto assustada, quando penso que não está me ouvindo. Talvez até escute as minhas palavras, mas não está *compreendendo*. E eu me sinto apavorada que você faça alguma coisa que magoe a nós dois, que nos levará ao arrependimento. Percebo um meio de evitar e, se você não ouve, tenho de falar em voz bastante alta para que preste atenção.

— Está querendo dizer que não precisará gritar se eu prestar atenção?

— Isso mesmo. Provavelmente não terei de gritar. E mesmo que eu o faça, tudo acabará em poucos minutos. Recupero o controle e me acalmo.

— Enquanto isso, eu permaneço todo encolhido e assustado...

— Se não quer a ira, Richard, então não me deixe furiosa! Eu me tornei uma pessoa bastante calma e ajustada. Não vivo prestes a explodir pela menor coisa. Mas você é uma das pessoas mais egoístas que já conheci. Precisei da minha raiva para impedir que você me pisoteasse, para que ambos soubéssemos quando é o bastante.

— Eu lhe disse que era egoísta há muito tempo. Prometi que sempre agiria de acordo com o que julgasse o meu melhor interesse e esperava que você fizesse a mesma coisa...

— Poupe-me as suas definições, por favor! É por não pensar sempre em si mesmo, se conseguir isso, que poderá algum dia ser feliz. Até que abra espaço em sua vida para alguém que lhe seja tão importante quanto você mesmo, será sempre solitário, procurando, perdido...

Conversamos durante horas, como se o nosso amor fosse um fugitivo apavorado, parado de olhos arregalados numa platibanda no 12º andar, determinado a pular, no instante em que parássemos de tentar salvá-lo.

Continue falando, pensei. Se continuarmos a falar, ele não vai saltar e cair gritando para a rua. Contudo, nenhum dos dois queria que o fugitivo vivesse, a menos que fosse são e forte. Cada comentário e idéia que partilhávamos era um vento soprando pela platibanda — às vezes o nosso futuro comum cambaleava à beira da platibanda, em outras se encostava trêmulo na parede.

Quanta coisa morreria se ele caísse! As horas maravilhosas apartadas do tempo, quando éramos a única coisa que importava um para o outro, quando eu me deliciava ofegante com aquela mulher. Tudo levará a nada, a pior do que nada: a esta perda terrível.

O segredo de encontrar alguém para amar, ela me dissera um dia, é primeiro encontrar alguém de quem gostar. Fôramos os melhores amigos muito antes de nos tornarmos amantes. Eu gostava dela, admirava, confiava. Isso mesmo, confiava! Agora, tanta coisa boa pesava na balança.

Se nosso fugitivo escorregasse, os *wookies* morreriam na queda. O porco atracado a um *sundae*, a feiticeira, a deusa do sexo; o Bantha morreria, o xadrez, os filmes e o pôr-do-sol desapareceriam para sempre. Os dedos de Leslie voando sobre o teclado. Eu nunca mais tornaria a ouvir a música de Johann Sebastian, nunca mais escutaria as suas harmonias secretas, porque aprendera-as com Leslie. Nunca mais haveria outro teste sobre um compositor, nunca mais veria flores sem pensar nela, nunca mais teria uma pessoa tão íntima. Construa mais muralhas, ponha pontas de ferro no topo, depois construa mais muralhas por dentro destas, mais pontas de ferro...

— Você não precisa de suas muralhas, Richard. Se nunca mais tornarmos a nos ver, será que não pode perceber que as muralhas não representam qualquer proteção? Só servem para isolá-lo!

Ela está tentando ajudar, pensei. Nos minutos finais da nossa separação, esta mulher quer que eu aprenda. Como podemos deixar um ao outro?

— E Porco... Porco não... não precisa morrer... Cada 11 de julho... eu prometo... farei um *sundae*... com calda de chocolate... e lembrarei... meu querido Porco...

Ela não conseguiu continuar. Ouvi-a comprimindo o telefone contra um travesseiro. Oh, Leslie, não, pensei, escutando o silêncio sufocado das penas. Tem mesmo de desaparecer, nossa cidade encantada de dois, uma miragem que só surge uma vez na vida, apenas para se desvanecer no nevoeiro e no mundo do cotidiano? O que está nos matando?

Se algum estranho interviesse, tentasse nos separar, levantaríamos as garras e o mandaríamos para o inferno. Mas este é um trabalho interno, o forasteiro sou eu!

E se somos almas-irmãs?, pensei, enquanto ela chorava. E se somos as pessoas que procuramos por todas as nossas vidas? Tivemos um contato e partilhamos este breve gosto do que pode ser o amor na Terra. E agora, por causa dos meus medos, vamos nos separar e nunca mais nos encontrar? Continuarei pelo resto dos meus dias a procurar pela mulher que já encontrei e estava apavorado demais para amar?

As coincidências impossíveis!, pensei, que nos levaram a encontrar num momento em que nenhum dos dois estava casado ou comprometido com o casamento, quando nenhum dos dois estava devotado a representar, escrever, viajar, procurar aventuras ou envolvido cegamente em qualquer outra atividade. Nós nos conhecemos no mesmo planeta, na mesma era, na mesma idade, crescendo na mesma cultura. Se tivéssemos nos encontrado anos antes, não teria acontecido... e nos encontramos antes, viajando num elevador, só que não era o tempo certo. E nunca mais tornará a ser o tempo certo.

Fiquei andando de um lado para outro, um semicírculo na extensão do fio do telefone. Se eu concluir dentro de 10 ou 20 anos que não deveria tê-la largado, onde ela estará então? E se eu voltar daqui a 10 anos para dizer Leslie, desculpe!, descobrindo que ela se tornou a Sra. Leslie Parrish-Alguém? E se não conseguir encontrá-la, descobrir a casa vazia, ela se mudando sem deixar o novo endereço? E se ela estiver morta, por alguma coisa que nunca a teria matado se eu não tivesse voado amanhã?

— Desculpe — murmurou Leslie, voltando ao telefone, as lágrimas sob controle. — Sou uma tola. Gostaria às vezes de ter o seu controle. Você sabe manipular as despedidas muito bem, como se não tivessem a menor importância.

— Tudo depende de decidir quem está no comando — expliquei, contente pela mudança de assunto. — Se deixarmos nossas emoções comandarem, então momentos como este não são muito divertidos.

— Tem razão — disse ela, fungando. — Não são mesmo divertidos.

— Finja que é amanhã agora, talvez o próximo mês. Como se sente então? Tento isso e não me sinto melhor sem você. Imagino o que é estar sozinho, sem ninguém para falar por nove horas pelo telefone, pagando uma conta de 100 dólares por uma ligação local. Sentirei muita saudade de você.

— Também sentirei saudade de você. Richard, como se leva alguém a olhar além de uma esquina quando ele ainda não chegou lá? A única vida que vale a pena viver é a mágica e esta é magia! Eu daria qualquer coisa para que você pudesse ver o que há para nós... — Ela parou por um momento, pensando no que mais dizer. — Mas se está fora de vista para você, acho que não existe, não é mesmo? Mesmo que eu esteja olhando, não está realmente ali.

Ela parecia cansada, resignada. E prestes a desligar. Se era porque eu estava cansado e apavorado, talvez as duas coisas, nunca saberei. Não houve aviso; alguma coisa estalou, alguma coisa rompeu dentro da minha cabeça e nada tinha de feliz.

RICHARD!, gritou a coisa. O QUE ESTÁ FAZENDO? FICOU COMPLETAMENTE LOUCO? Não é uma metáfora que está balançando na platibanda, é VOCÊ! É o seu futuro; se cair, você se torna um ZUMBI, um morto-vivo, deixando o tempo passar até se matar por completo! Está se empenhando em jogos com ela pelo telefone a nove horas. PARA QUE PENSA QUE ESTÁ NESTE PLANETA? PARA PILOTAR AVIÕES? Está aqui, seu filho da puta arrogante, para aprender tudo sobre o AMOR! Ela é sua mestra e dentro de 25 segundos vai desligar, você nunca mais tornará a vê-la! Não fique sentado aí, seu filho da puta idiota! Tem 10 segundos e depois ela se vai! Dois segundos! Fale!

— Leslie, você tem razão. Estou errado. Quero mudar. Tentamos à minha maneira e não deu certo. Vamos tentar agora à sua maneira. Nada de Mulher Perfeita, nada de muralhas contra você. Apenas você e eu. Veremos o que acontece.

Houve silêncio na linha.

— Tem certeza? Está mesmo convencido ou apenas fala por falar, Richard? Porque, se é o segundo caso, só servirá para tornar a situação ainda pior. Sabe disso, não é mesmo?

— Sei, sim. E tenho certeza. Podemos conversar sobre isso?

Outro silêncio.

— É claro que podemos, *wookie*. Por que não desliga e vem para cá? Tomaremos juntos o café da manhã.

— Está certo, meu bem. Até já.

Depois de desligar, murmurei para o telefone vazio:

— Eu a amo, Leslie Parrish.

Em absoluta privacidade, sem ninguém para ouvir, as palavras que eu tanto desprezara, que nunca usara, soavam tão verdadeiras quanto a luz. Pus o fone no gancho.

— ESTÁ FEITO! — gritei para a sala vazia. — ESTÁ FEITO!

O fugitivo se encontrava outra vez em nossos braços, retirado são e salvo da platibanda. Eu me sentia leve como uma asa delta lançada de uma montanha no verão para a estratosfera.

Há um eu alternativo neste momento, pensei, desviando-se abruptamente, virando para a esquerda na encruzilhada da estrada, quando antes sempre seguia pela direita. Neste momento, num tempo diferente, Richard-então se ligou a Leslie-então, em uma ou dez horas não fazia diferença, pois não teria telefonado para ela se não quisesse que isso acontecesse. O outro largou a carta na cesta de papel, pegou um táxi para o aeroporto, decolou e subiu para nordeste, nivelou a três mil metros e fugiu para Montana. Depois disso, quando o procurei, tudo escureceu.

## trinta e três

— NÃO POSSO fazer isso — disse ela. — Eu bem que tento, Richie. Estou apavorada, mas tento. Começo o parafuso, estamos mergulhando e girando... e depois eu apago! A próxima coisa que sei é que estamos nivelando outra vez e Sue diz: "Leslie, você está bem?" — Ela fez uma pausa, fitando-me com uma expressão desolada, desesperançada. — Como ela pode me ensinar... como posso aprender parafusos se apago?

Hollywood desaparecia 650 quilômetros pelo horizonte a oeste, minha casa na Flórida fora vendida. Vivíamos num *trailer*, estacionado em 25 mil quilômetros quadrados de artemísias e montanhas do Arizona, à beira de um aeroporto para planadores. Estrella Sailport. Pôr-do-sol como nuvens encharcadas em combustível de jato e incendiadas por um fósforo silencioso. Os planadores estacionados eram como esponjas para a luz, escorrendo em vermelho e ouro derretido para poças na terra.

— Minha querida *wook*, você sabe, você sabe. É inútil lutar contra a verdade: não há nada que Leslie Parrish não possa fazer, quando assim se decide. E, diante disso, uma coisinha tão simples como aprender parafusos num planador não tem a menor chance. Você está no controle daquela máquina voadora!

— Mas eu desmaio — murmurou ela, sombriamente. — É difícil manter o controle quando se está inconsciente.

Fui ao pequeno armário do *trailer*, peguei a nossa pequena vassoura, levei para Leslie, sentada na beira da cama.

— Aqui está o seu manche, o cabo desta vassoura. Faremos juntos, aqui mesmo, em solos, tantos parafusos que acabará achando tedioso.

— Não me sinto entediada, mas sim apavorada!

— Não ficará mais. A vassoura é seu manche, imagine que os pés repousam sobre os pedais do leme de direção. Está bem alta, voando reto, nivelada. Puxe o manche para trás, devagar, bem devagar, o nariz do planador sobe. Vai tremer agora, entrar em estol do jeito que quer. Mantenha o manche para trás e o nariz cairá. Agora pise até o fundo o leme de direção da direita. Isso mesmo. Mantenha o manche atrás e conte os parafusos: um... dois... três... conte cada vez que o Pico Montezuma virar. Três e pise no leme de direção da esquerda. Ao mesmo tempo, empurre o manche para a frente, um pouco além do ponto neutro. O parafuso já cessou e você levanta o nariz suavemente para vôo nivelado. Isso é tudo. O que há de tão difícil?

— Nada aqui no *trailer*.

— Faça mais aqui e descobrirá que se torna fácil também no avião. Passei pela mesma coisa e sei do que estou falando. Também tinha pavor de parafusos. Faça outra vez. Estamos em vôo nivelado e você puxa o manche para trás...

Parafusos, a lição mais assustadora em vôo básico. Tão assustador que o governo eliminou a exigência de parafuso na instrução há muitos anos... os estudantes chegavam ao treinamento de parafuso e desistiam de voar. Mas Laszlo Horvath, o campeão americano de planador que possui Estrella, insistia que cada estudante aprendesse a recuperação de parafuso antes no solo. Quantos pilotos haviam morrido por entrarem em parafuso e não saberem como sair? Ele garantia que eram muitos e não admitia que acontecesse ali.

— Você quer que o fundo caia direto, Leslie. É isso o que deve acontecer. Quer que o nariz aponte diretamente para baixo e o mundo comece a girar ao seu redor. Se isso não acontecer, então está saindo errado! Vamos de novo...

Era o teste de Leslie para enfrentar o medo, dominá-lo e aprender a voar um avião que nem mesmo possuía um motor para mantê-lo no ar.

Meu teste era para um medo diferente. Prometi que aprenderia com ela como amar, a abandonar minha congelada Mulher Perfeita e deixar que Leslie ficasse tão chegada a mim quanto eu a ela. Cada um confiava que o outro seria gentil, que não haveria agressões naquele lugar tranqüilo.

O *trailer* no deserto fora idéia minha. Se a experiência de exclusividade tinha de explodir, eu queria que explodisse o mais depressa possível, acabando logo com aquilo. E que melhor teste do que vivermos num pequeno cômodo, sob um teto de plástico, sem um canto particular para onde escapar? Como desafiar melhor pessoas intensamente particulares? Se pudéssemos encontrar satisfação naquela situação, mês após mês, é que encontráramos um milagre.

Ao invés de rosnar, comprimidos tão juntos, estávamos vicejando.

Corríamos juntos ao amanhecer, excursionando pelo deserto com manuais de flores e guias práticos do deserto nos bolsos, voávamos em planadores, tínhamos conversas de dois dias, conversas de quatro dias, estudávamos espanhol, respirávamos um ar puro, fotografávamos o pôr-do-sol, iniciávamos o aprendizado de uma vida para compreender um outro — e somente um — ser humano além de nós: de onde vínhamos, o que aprendêramos, como poderíamos construir um mundo diferente, se nos fosse dada a oportunidade?

Usávamos as melhores roupas para jantar, flores do deserto num vaso, na mesa iluminada por velas; conversávamos e escutávamos música, até as velas se derreterem.

— O tédio entre duas pessoas não provém de estarem juntas fisicamente — comentou Leslie uma noite. — Provém de estarem separadas mental e espiritualmente.

Óbvio para ela, era um pensamento tão surpreendente para mim que o anotei. Até agora, pensei, não precisamos nos preocupar muito com o tédio. Mas nunca se pode fazer promessas para o futuro...

O dia chegou, fiquei no solo e observei-a enfrentar o seu dragão, sob a lufada ruidosa do avião-reboque, levando-a pelo alto para o exercício de parafuso. Em poucos minutos, a cruz branca do planador soltou-se do cabo lá em cima, sozinho e silencioso. A velocidade diminuiu, parou no ar e abruptamente o nariz caiu, as asas turbilhonaram, uma semente de bordo cor de algodão caindo, caindo... e se recuperando suavemente, saindo do mergulho, diminuindo a velocidade, parando no ar e voltando ao parafuso.

Leslie Parrish, há muito tempo prisioneira do seu medo de aviões leves, hoje no controle do mais leve de todos os aviões, obrigando-o às manobras mais assustadoras: parafusos pela esquerda, parafusos pela direita, meias-voltas e recuperação, três voltas e recuperação, por toda a descida até a altitude mínima, depois flutuando no padrão correto e pousando.

O planador tocou no solo, rolou suavemente em sua única roda para uma faixa branca de cal na pista de terra, parou a poucos metros. A asa esquerda gradativamente se inclinou para baixo, até encostar no chão. O teste estava concluído.

Corri para ela ao longo da pista, ouvi um grito de triunfo através da distância, saindo do interior da carlinga, sua instrutora se regozijando.

— Você conseguiu! Fez o parafuso sozinha! Hurra, Leslie!

E depois a capota se abriu, lá estava ela, um sorriso no rosto, olhando timidamente, à espera do que eu poderia dizer. Beijei seu sorriso.

Um vôo perfeito, *wook*, parafusos perfeitos! Estou orgulhoso de você!

Ela voou solo no dia seguinte.

Que fascinação maravilhosa ficar de lado e observar nossa amiga mais querida se apresentar no palco sem nós! Uma mente diferente se insinuara em seu corpo e usava-o para destruir uma besta-medo que espreitara e ameaçara por décadas. Essa mente se mostrava agora em seu rosto. Dentro dos olhos azuis havia centelhas douradas, eletricidade dançando numa usina. Ela é a própria energia, pensei. Nunca se esqueça disso, Richard: não está olhando para uma mulher comum, não tem à sua frente um ser humano convencional.

Eu não era tão bem-sucedido com os meus testes quanto Leslie com os dela.

De vez em quando, sem qualquer motivo, eu me mostrava frio com ela, calado, deixava-a de lado, sem saber a causa. Ela sentia-se magoada nessas ocasiões e não hesitava em dizê-lo:

— Você foi grosseiro comigo hoje. Estava falando com Jack quando pousei e corri ao seu encontro. Mas você me virou as costas, como se eu não estivesse ali! Como se eu estivesse ali, mas você não quisesse que eu estivesse!

— Leslie, por favor! Eu não sabia que você se achava ali. Estávamos conversando. Tenho de parar tudo por sua causa?

Eu sabia que ela estava ali, mas não reagi, como se fosse uma folha caída ou uma brisa de passagem. Por que me sentia aborrecido quando ela protestava?

Aconteceu novamente, entre os passeios, música, vôo e luz de velas... por hábito, ergui novas muralhas, escondi-me por trás, usei velhos escudos contra ela. E Leslie não ficou tão furiosa quanto se mostrou triste.

— Oh, Richard! Você está amaldiçoado por um demônio que odeia tanto o amor? Prometeu remover as barreiras e não erguer outras entre nós!

Ela deixou o *trailer*, caminhou de um lado para outro, sozinha, por toda a extensão da pista de planadores, no escuro. De um lado para outro, por quilômetros.

Não estou amaldiçoado por um demônio, pensei. Um momento impensado e ela diz que estou amaldiçoado por um demônio. Por que ela tem de reagir com tanto exagero?

Sem dizer nada, imersa em seus pensamentos quando voltou, ela escreveu por horas em seu diário.

Era a semana de exercício para a corrida de planadores em que nos inscrevêramos; eu era o piloto e Leslie a equipe de terra. De pé às cinco horas da manhã, lavando, polindo, preparando o avião, antes que a temperatura da manhã se elevasse além dos 37°C, empurrando-o para o seu lugar na fila, na pista, enchendo as asas com lastro de água. Ela mantinha toalhas com gelo picado em torno do meu pescoço até o momento da decolagem, enquanto permanecia ao sol.

Depois da minha decolagem, ela se mantinha em contato pelo rádio, enquanto ia à cidadezinha para comprar alimentos e água, sempre pronta para ir me buscar e ao avião se pousássemos a 150 quilômetros de distância. E lá estava ela com cerveja não-alcoólica gelada quando eu pousava, ajudava a empurrar o planador de volta ao lugar em que passaria a noite, devidamente amarrado. E depois se transformava na grande estrela de cinema, servia o jantar à luz de velas e escutava as minhas aventuras do dia.

Ela me dissera certa ocasião que era sensível ao calor, mas não demonstrava qualquer sinal agora. Trabalhava como um soldado, sem descansar, assim persistindo por cinco dias consecutivos. Estávamos obtendo excelentes tempos em nossos exercícios, uma boa parcela do crédito lhe pertencia. Ela era tão perfeita como equipe de terra quanto em tudo o mais que resolvia fazer.

Por que escolhi justamente esse momento para distanciá-la? Pouco depois que nos encontrávamos no instante do pouso, lá estavam as minhas muralhas outra vez. Fiquei conversando um dia com outros pilotos, não notei que ela se afastara. Tive de empurrar o planador sozinho, o que não era pouca coisa ao sol, mas que se tornou mais fácil com a minha raiva por seu afastamento.

Quando entrei no *trailer*, ela estava deitada no chão, simulando exaustão.

— Oi — murmurei, cansado do trabalho. — Muito obrigado pela ajuda.

Não houve resposta.

— Exatamente o que eu precisava, depois de um vôo realmente árduo.

Nada. Ela continuou deitada no chão, recusando-se a dizer uma só palavra.

Provavelmente percebeu que eu me encontrava um pouco distante, lendo meus pensamentos outra vez, e ficou furiosa.

Jogos de silêncio são uma tolice, pensei. Se alguma coisa a incomoda, se não gosta do que estou fazendo, por que não diz logo de uma vez? Ela não quer falar, então eu também não falarei.

Passei por cima do seu corpo no chão, liguei o ar-condicionado. Depois, estendi-me no sofá, abrindo um livro e começando a ler, pensando que não havia muito futuro para nós, se ela insistisse em se comportar dessa maneira.

Ela se mexeu depois de algum tempo. Mais tarde ainda, levantou-se, exibindo um cansaço infinito, arrastou-se para o banheiro. Ouvi a água correndo. Ela estava desperdiçando a água porque sabia que eu tinha de buscar cada gota da cidade, encher pessoalmente os tanques do *trailer*. Queria providenciar trabalho para mim.

A água parou.

Baixei o livro. A maravilha de Leslie e nossa vida comum no deserto estariam sendo corroídas por ácidos do meu passado? Não posso aprender a perdoar-lhe os espinhos? Ela entendia erroneamente e sentia-se magoada. Posso ser bastante grande para perdoar, não é mesmo?

Nenhum som no banheiro; a pobre coitada provavelmente está chorando.

Fui até a pequena porta, bati duas vezes e disse:

— Sinto muito, *wookie*. Eu a perdôo...

— AAAAAAAAAIIIIIIIIIIII!

Uma besta explodiu lá dentro. Vidros se espatifaram contra a madeira; potes, escovas, secadores de cabelos foram arremessados contra as paredes.

— SEU MALDITO (PAM!) FILHO DA PUTA! EU (CATAPAM!) O ODEIO! NUNCA MAIS QUERO VÊ-LO! ESTAVA (CRÁS!) DEITADA NO CHÃO DESFALECIDA QUASE MORTA DE INSOLAÇÃO DE TRABALHAR NA PORRA DO SEU PLANADOR E VOCÊ ME IGNORA E VAI LER SEU LIVRO! EU PODIA MORRER QUE VOCÊ NEM SE IMPORTAVA! (TUM!TUM!TUM!) POIS TAMBÉM NÃO QUERO MAIS SABER DO MALDITO RICHARD BACH! SAIA DAQUI! SUMA DAQUI! DEIXE-ME EM PAZ, SEU... NOJENTO EGOÍSTA! (CRÁS!)

Nunca; ninguém; em toda a minha vida; falara assim; comigo. Nem eu vira alguém se comportar daquela maneira. Ela estava *quebrando* coisas lá dentro!

Consternado, furioso, saí do *trailer*, batendo a porta, corri para o Meyers, estacionado ao sol. O calor era tão implacável quanto as formigas eram abundantes; mal notei. O que há com ela? Por sua causa, renunciei à minha Mulher Perfeita! Que tolo eu fui!

Quando eu perambulava de avião, minha cura para a fobia de multidão era simples: afastava-me prontamente das multidões, levantava vôo e ficava sozinho. Era um remédio tão eficaz que eu passara a usá-lo também para a fobia de pessoas, que curava igualmente bem. Se não gostava de alguém, tratava de partir, não havendo depois uma só palavra ou pensamento para a pessoa.

Na maior parte do tempo funciona perfeitamente... deixar é uma cura instantânea para quem quer que o aflija. Exceto, é claro, na chance de um-em-dois-bilhões de que a pessoa que o aflige por acaso seja a sua alma-irmã.

Eu tinha a sensação de que estava preso num instrumento de tortura, sendo esticado. Queria fugir, fugir, fugir. Entre no avião ligue o motor não verifique o tempo não verifique nada apenas decole aponte o nariz para qualquer direção comprima o acelerador e VÁ! Aterrisse em algum lugar, qualquer lugar, abasteça, ligue o motor, decole e VÁ!

*Ninguém* tem o direito de gritar comigo! Basta gritar uma vez comigo. Não terá outra chance, porque eu vou partir para sempre, permanentemente. Tudo estará definitivamente acabado!

Mas fiquei, os dedos na alça ardente da porta do avião.

Minha mente, desta vez, não me permitia fugir.

Minha mente assentia, está bem, está bem... então ela está furiosa comigo. Tem o direito de estar furiosa comigo. Fiz novamente algo impensado.

Saí andando pelo deserto, andando para esfriar minha raiva, minha mágoa.

Este é um dos meus testes. Provarei que estou aprendendo se não fugir. Não temos um problema de verdade. Ela é apenas um pouco... mais expressiva do que eu.

Andei por algum tempo, até me lembrar, do treinamento de sobrevivência, que as pessoas podem morrer se ficarem por muito tempo expostas a um sol como aquele.

ELA *ficara tempo demais ao sol?* Desfalecera não de desdém, mas *de calor?*

A irritação e a mágoa se desvaneceram. Leslie desmaiara do *calor* e eu classificara de simulação! Richard, poderia ser um idiota maior?

Voltei apressadamente ao *trailer*. No caminho, encontrei uma flor do deserto diferente de todas as que víramos até então. Desenterrei-a rapidamente, envolvi com uma folha do meu caderninho de anotações.

Quando entrei, ela estava deitada na cama, chorando.

— Desculpe, *wookie* — murmurei, afagando-lhe os cabelos. — Sinto muito. Eu não sabia...

Ela não disse nada.

— Encontrei uma flor...trouxe para você uma flor do deserto. Acha que precisa de água?

Ela sentou-se, limpando as lágrimas, examinou gravemente a pequena planta.

— Precisa, sim.

Fui encher com água uma xícara para colocar a planta e um copo para eu beber.

— Obrigada pela flor — disse ela, depois de um momento. — Obrigada pelo pedido de desculpas. E procure se lembrar, Richard: quem quer que deseje manter em sua vida... nunca deixe de lhe conceder a devida importância!

Ao final da tarde de sexta-feira ela desceu feliz de um vôo, exuberante e maravilhosa; permanecera no ar por mais de três horas, pousando não porque não pudesse encontrar uma corrente ascendente, mas porque outro piloto precisava do aparelho. Beijou-me, contente e faminta, relatando-me o que aprendera.

Preparei uma salada, misturei no ar, por cima da tigela, servi em duas porções, enquanto ela falava.

— Observei novamente o seu pouso — comentei. — Foi como a

grande estrela de cinema posando para as câmaras. Seu pouso foi leve como o de um pardal!

— Não tive essa intenção. Precisei baixar inteiramente os *spoilers* na aproximação final, caso contrário teria rolado para cima das artemísias. Foi um erro de cálculo!

Mas dava para perceber que ela estava orgulhosa de seu pouso. Quando era elogiada, Leslie freqüentemente mudava o assunto para algo não tão perfeito. Atenuava assim o choque do elogio, tornando-o mais aceitável. E pensei então: este é o momento de dizer a ela.

— *Wook*, acho que vou decolar por algum tempo.

Ela compreendeu no mesmo instante o que eu estava dizendo, fitou-me assustada, ofereceu-me uma oportunidade de mudar de idéia no último momento, falando em dois níveis ao mesmo tempo:

— Não se dê ao trabalho de decolar agora. Todas as correntes térmicas estão frias.

Ao invés de bater em retirada, tratei de seguir em frente:

— Não estou me referindo a decolar num planador. Tenciono partir. Depois da corrida amanhã. O que acha? Preciso ficar sozinho por algum tempo. Você também não precisa?

Ela largou o garfo, recostou-se no assento.

— Para onde vai?

— Não sei. E não importa. A qualquer lugar. Só preciso ficar sozinho, por uma ou duas semanas.

Por favor, queira-me bem, pensei. Por favor, diga que compreende, que também precisa ficar sozinha, que talvez volte a Los Angeles e filme alguma coisa para a televisão. Ela ficou olhando para mim, com uma pergunta na expressão.

— Exceto por uns poucos problemas, estamos tendo o momento mais feliz de nossas vidas, estamos mais felizes do que jamais fomos. E, de repente, você quer fugir para algum lugar, ficar sozinho? Será sozinho ou precisa da companhia de uma de suas mulheres para poder começar tudo de novo comigo?

— Isso não é justo, Leslie! Prometi mudanças, efetuei mudanças. Prometi que não haveria outras mulheres e não houve. Se nosso teste não estivesse dando certo, se eu quisesse ver outra mulher, pode estar certa de que lhe diria. Sabe que sou bastante cruel para dizer.

— É verdade.

Não havia qualquer expressão nos adoráveis planos e sombras de seu rosto... a mente estava analisando e processando, tão veloz quanto a luz: razões, sugestões, opções, alternativas.

Pensei que ela deveria estar esperando por isso, mais cedo ou mais tarde. Meu destruidor cético, a víbora em minha mente, duvidava que nossa experiência durasse mais do que duas semanas, mas já vivíamos no *trailer* há seis meses sem um único dia de separação. Desde o meu divórcio, pensei, nunca ficara mais de seis dias com qualquer mulher. Mesmo assim, era chegado o momento para uma pausa.

— Por favor, Leslie! O que há de errado em nos afastarmos por algum tempo? Essa é a coisa mortífera que acontece no casamento...

— Oh, Deus, ele vai entrar agora em seu sermão! Se tenho mesmo de escutar a litania de razões que você tem para não amar... — Ela levantou a mão para conter-me. — ... sei que odeia a palavra amor, acha que teve todo o sentido desvirtuado, já me disse mil vezes que não quer jamais usá-la, mas é o que farei agora!... a litania de razões que você tem para não amar ninguém, além do céu ou do seu avião, se eu tenho mesmo de escutar, acho que vou começar a gritar!

Fiquei sentado em silêncio, tentando me colocar na mente de Leslie. Não consegui. O que podia haver de errado em férias mútuas? Por qûe a idéia de nos mantermos fora de contato por algum tempo seria tão ameaçadora para ela?

— Gritar seria altear a voz.

Fiz o comentário com um sorriso, como a dizer que se posso me divertir à custa das minhas próprias regras sagradas então a situação não podia ser tão horrível assim. Mas ela se recusou a sorrir.

— Você e suas malditas regras! Por quanto tempo... oh, Deus!... por quanto tempo arrastará essas coisas ao seu redor?

Um afluxo de raiva me deixou tenso.

— Se não fossem autênticas, eu não me incomodaria com elas. Será que não entende? Essas coisas importam para mim. São verdadeiras para mim. Vivo por essas coisas. E, por favor, modere a sua linguagem quando falar comigo.

— Está agora me dizendo como falar! Direi a porra que eu quiser e como quiser!

— É livre para dizer, Leslie. Mas eu não tenho a obrigação de escutar...

— Você e seu estúpido orgulho!

— Se há uma coisa que não posso suportar é ser tratado sem respeito!

— E se há uma coisa que não posso suportar é ser ABANDONADA!

Ela enterrou o rosto nas mãos, os cabelos cascateando, uma cortina dourada, para encobrir seu sofrimento.

— Abandonada? — repeti. — Mas não vou abandoná-la, *wook*! Tudo o que eu disse...

— Vai, sim! E não posso suportar... ser abandonada...

As palavras foram entremeadas de soluços, abafadas através das mãos, através do ouro.

Aproximei-me da mesa, sentei ao seu lado no sofá, puxei o corpo encurvado e rígido para se aconchegar no meu. Ela não relaxou; não parou de chorar.

Estava transformada naquele momento, voltara a ser a garotinha que nunca desaparecera e que se sentira abandonada abandonada abandonada quando os pais se divorciaram. Desde então, ela reunira e amara os dois, mas cicatrizes da infância nunca sumiriam.

Leslie lutara pelo caminho para chegar onde estava, por si mesma, levara a sua vida sozinha, fora feliz sozinha. Agora, deixara-se convencer, porque passáramos tantos meses felizes juntos, que estava pela primeira vez livre da parte de sua independência que significava ser sozinha. Tinha as suas próprias muralhas e eu me encontrava dentro delas naquele momento.

— Estou aqui, *wook*, estou aqui...

Ela tem razão em relação ao meu orgulho, pensei. Fico tão empenhado no esforço de me proteger, ao primeiro sinal de tempestade, que me esqueço de que foi ela quem passou pelo inferno. Por mais forte e esperta que ela seja, ainda é uma garotinha assustada.

Ela fora em Hollywood o centro de muito mais atenção do que eu jamais tivera de enfrentar. No dia seguinte à nossa conversa telefônica de nove horas, ela deixara os amigos, agente, estúdio, política; deixara a todos sem se despedir, sem explicações, sem saber se voltaria em breve ou nunca. Simplesmente partira. Olhando para oeste, eu podia ver pontos de interrogação pairando sobre a cidade que ela deixara para trás: O *que aconteceu com Leslie Parrish?*

E ela é o centro agora de muita coisa no deserto. Ao invés de sua velha e querida gata, que morreu pacificamente, há cascavéis e escorpiões não tão pacíficos, areia e pedras para o conforto, seu mundo mais próximo é o do vôo, de uma violência suave. Ela está jogando tudo, deixando Hollywood desmoronar. Confia em mim nesta terra inóspita, sem nada para defendê-la além da força que envolve a nós dois quando estamos felizes juntos.

Os soluços foram se tornando mais lentos, embora ela continuasse enroscada e dura como um carvalho, encostada em mim.

Não quero que Leslie chore, mas a culpa é dela! Concordamos que isto era uma experiência, passaríamos tanto tempo juntos. Não fazia parte do acordo que não poderíamos passar umas poucas semanas sozinhos. Quando ela adere a mim, nega a minha liberdade de ir para onde quero e quando quero. Por que ela não pode compreender esse fato tão simples? Assim que nos tornamos carcereiros, nossos prisioneiros querem escapar.

— Oh, Richard — balbuciou ela, desolada e cansada — eu quero que a nossa vida comum dê certo. Você não quer também?

— Quero, sim.

Quero, se me deixar ser quem eu sou, pensei. Nunca haverei de me interpor entre você e qualquer coisa que deseje; por que não pode fazer a mesma coisa em relação a mim?

Ela se desenroscou e sentou-se apartada de mim, na outra extremidade do sofá, em silêncio. Não havia mais lágrimas, embora pairasse no ar o peso de tanta discórdia entre nós, a distância entre nossas duas ilhas.

E foi então que aconteceu uma coisa estranha: compreendi que aquele instante acontecera antes. O céu se transformando em sangue a oeste, a silhueta de uma árvore retorcida logo além da janela, Leslie abatida sob a carga de diferença entre nós; ocorrera exatamente assim num tempo diferente. Eu quisera partir e ela argumentara comigo. Chorara, depois ficara em silêncio, depois dissera: Quer que dê certo? E eu respondera: Quero, sim. Agora, ela diria em seguida: *Tem certeza?* Ela dissera essas palavras antes e agora as diria novamente.

Ela levantou a cabeça e fitou-me nos olhos.

— Tem certeza?

Minha respiração parou.

Palavra por palavra, eu conhecia a minha resposta. A minha resposta a isso fora:

— Não. Para ser sincero, não tenho certeza...

E então tudo se apagou. As palavras, o pôr-do-sol, a árvore, tudo se apagou. E com esse rápido vislumbre de um agora diferente veio uma tristeza maciça, um pesar tão opressivo que eu não podia ver através das lágrimas.

— Você está melhor — disse Leslie, lentamente. — Sei que mudou do que era em dezembro. É terno, na maior parte do tempo, levamos juntos uma vida boa. E vejo um futuro tão maravilhoso, Richard! Por que você quer fugir? Vê esse futuro e não o quer ou, depois de todo esse tempo, simplesmente não vê?

Estava quase escuro no *trailer*, mas nenhum dos dois se mexeu para acender a luz.

— Leslie, acabei de ver algo mais. Isso já aconteceu antes?

— Está querendo dizer que este momento já aconteceu antes? *Déjà vu?*

— Isso mesmo. Onde você conhece cada palavra que vou dizer. Já teve esse sentimento?

— Não.

— Pois eu tive. Sabia exatamente o que você ia dizer... e você disse.

— O que aconteceu depois?

— Não sei. Tudo se apagou. Mas fiquei terrivelmente triste.

Ela estendeu a mão, tocou em meu ombro; percebi a insinuação de um sorriso no escuro.

— Foi bem merecido.

— Deixe-me tentar. Dê-me 10 minutos.

Ela não protestou. Deitei-me no tapete, fechei os olhos. Uma respiração profunda.

Meu corpo está completamente relaxado...

Outra respiração profunda.

Minha mente está completamente relaxada...

Outra.

Estou de pé junto a uma porta e a porta está agora se abrindo para um tempo diferente...

O trailer. *Pôr-do-sol. Leslie enroscada numa carapaça defensiva no outro lado do sofá, tão real quanto um filme tridimensional.*

*— Oh, Richard — balbuciou ela, desolada e cansada — eu quero que a nossa vida em comum dê certo. Você não quer também?*

*— Quero, sim.*

*Quero, se me deixar ser quem eu sou, pensei. Nunca haverei de me interpor entre você e qualquer coisa que deseje; por que não pode fazer a mesma coisa em relação a mim?*

*Ela se desenroscou e sentou apartada de mim, na outra extremidade do* sofá, em silêncio. Não havia mais lágrimas, embora pairasse no ar o peso de tanta discórdia entre nós, a distância entre nossas duas ilhas.

— Tem certeza? Tem certeza de que quer que dê certo?

— Não! Para ser sincero, não tenho certeza. Não creio que eu possa suportar as cordas, sentir que estou preso. Viro-me para um lado e você não gosta, viro para o outro e você grita comigo. Somos muito diferentes e você me assusta. Dei a esta experiência uma tentativa justa. Mas se você não me deixar partir, a fim de ficar sozinho por duas semanas, não tenho certeza se desejo que dê certo. Não posso ver muito futuro.

Ela suspirou. Mesmo no escuro, eu podia ver as suas muralhas se erguendo, comigo do lado de fora.

— Também não posso ver qualquer futuro, Richard. Você me disse que era egoísta e não dei atenção. Tentamos, mas não deu certo. Tudo tinha de ser à sua maneira, exatamente à sua maneira, não é mesmo?

— Receio que sim, Leslie.

Quase a chamei de wookie; quando não o fiz, compreendi que a última vez que usara essa palavra fora a última vez para sempre.

— Não posso viver sem a liberdade...

— Não fale de novo sobre as suas liberdades, por favor. Chega de sermão. Eu nunca deveria ter permitido que você me persuadisse a mais uma tentativa. Desisto. Você é quem você é.

Tentei remover um pouco do peso.

— Você fez o solo no planador. Nunca mais voltará a ter medo de voar.

— Tem razão. Obrigada por me ajudar a conseguir isso. — Ela levantou-se, acendeu a luz, olhou para o relógio. — Não há um avião que parte para Los Angeles ao final da noite? Pode me levar de carro até Phoenix para pegá-lo?

— Se é isso o que você quer. Ou podemos voar juntos no Meyers.

— Não, obrigada. O avião de carreira está ótimo.

Ela arrumou suas roupas em 10 minutos, comprimindo tudo em duas pilhas, fechou as tampas.

Não houve uma só palavra entre nós.

Levei as malas para o caminhão, esperei por ela na noite do deserto. Havia uma lua fina, em quarto crescente, ainda baixa, a oeste. Uma lua rindo de lado, ela escrevera. A mesma lua agora, apenas umas poucas voltas depois, tênue e lamentando.

Lembrei a nossa conversa telefônica de nove horas, quando salváramos por um triz a nossa vida comum. O que estou fazendo? Ela é a mulher mais querida, mais sensata e mais linda que já entrou na minha vida e estou afastando-a!

E as cordas, Richard? Você concedeu uma tentativa justa.

Senti toda uma vida de felicidade e maravilha, aprendizado e alegria com aquela mulher a se desprender, se agitar, inflar como uma gigantesca vela prateada sob a lua, vibrar uma vez, inflar de novo, desvanecer, desvanecer, desvanecer...

— Quer trancar o trailer? — disse ela.

O trailer era agora o meu lugar, não o dela.

— Não tem importância.

Ela deixara-o destrancado.

— Quer que eu guie, Richard?

Ela jamais gostara da maneira como eu guiava; em sua opinião, era muito distraída, desatenta.

— Não faz diferença — murmurei. — Mas já que estou sentado diante do volante, posso muito bem guiar.

Seguimos juntos em silêncio, 60 quilômetros pela noite, até o aeroporto de Phoenix. Estacionei o carro, esperei em silêncio que ela despachasse a bagagem, desejando encontrar para dizer alguma coisa que ainda não fora dita, acompanhei-a a caminho do portão.

— Não precisa se incomodar, Richard. Posso seguir sozinha daqui. Seremos amigos, está bem?

— Claro.

— Adeus, Richard. Guie...

Com cuidado, ela teria dito, guie com cuidado. Não agora. Agora posso guiar de qualquer maneira que quiser.

— Adeus.

Inclinei-me para beijá-la, mas ela virou a cabeça.

Minha mente era um borrão cinzento e vagaroso. Eu estava fazendo uma coisa irremediável, como saltar pela porta de um avião de pára-quedistas e a três quilômetros de altitude.

Agora eu me encontrava ao seu alcance; poderia tocar-lhe o braço, se assim quisesse.

Ela se afastou.

Agora era tarde demais.

Uma pessoa ponderada analisa, toma uma decisão, age de acordo. Nunca *é sensato voltar e mudar. Ela fizera isso comigo uma vez e errara. Fazer de novo não valia outra palavra entre nós.*

*Mas eu a conheço bem demais, Leslie, pensei, para você partir! Eu a conheço melhor do que qualquer outra pessoa no mundo e você me conhece. Não sabe que eu a amo? Nunca amei ninguém e eu amo você!*

*Por que eu não fora capaz de lhe dizer isso? Ela ainda está se afastando, sem olhar para trás. E depois ela passou pelo portão e se foi.*

*Havia outra vez em meus ouvidos aquele som como vento, uma hélice virando devagar, paciente, esperando que eu tornasse a embarcar e esgotasse minha vida.*

*Observei o portão por um longo tempo, parado ali, olhando fixamente, como se ela pudesse subitamente voltar correndo e dizer oh Richard como ambos fomos tolos, que besteira fazer uma coisa assim um ao outro!*

*Ela não voltou e não corri através do portão para alcançá-la.*

*A verdade é que estamos sozinhos neste planeta, pensei, cada um está totalmente sozinho e, quanto mais cedo aceitarmos isso, melhor será para nós.*

*Muitas pessoas vivem sozinhas: casadas e solteiras, pesquisando sem encontrar, finalmente esquecendo que algum dia procuraram. Assim foi para mim antes e assim tornará a ser. Mas nunca, Richard, nunca mesmo, permita que alguém chegue tão perto de você quanto esta mulher chegou.*

*Deixei o aeroporto, sem pressa, voltei ao caminhão, saí guiando do terminal, também sem qualquer pressa.*

*Lá está um DC-8 decolando para oeste. Ela estará a bordo?*

*Seguiu-se um Boeing 727, depois outro. Inclinações máximas, as rodas subindo, flaps subindo, a correção para o curso. Era no meu céu que ela estava voando naquele momento. Como pode me deixar em terra?*

*Tire isso da sua mente. Trate de tirar isso de sua mente. Pense no depois. Depois.*

*Meu tempo de lançamento, no dia seguinte, deixou-me como o 18º planador na fila para a decolagem. Lastro de água nas asas, equipamento de sobrevivência a bordo, coberta trancada, tudo conferido.*

*Como o* trailer *estivera vazio durante toda a noite insone, como parecera silencioso!*

*É mesmo verdade que ela foi embora? De certa forma, não posso acreditar...*

*Recosto-me no assento do piloto. Depois de conferir os controles de vôo, acenei para indicar que estava tudo certo ao meu ajudante lá fora, cujo nome* nem mesmo sabia, balancei os pedais do leme de direção esquerda-direita-esquerda: Vamos embora, avião-reboque, vamos embora.

Como um lançamento de catapulta num porta-aviões, em câmara lenta. Um solavanco grande e o barulho do avião-reboque lá na frente, na outra extremidade do cabo, arrastamos para a frente por alguns metros, depois mais depressa, mais depressa. A velocidade dá potência aos ailerons, ao leme de direção, aos estabilizadores horizontais. Agora nos elevamos meio metro acima do solo e esperamos, a pista se tornando indistinta por baixo, enquanto o avião-reboque conclui a sua decolagem e começa a subir.

Ontem à noite cometi um erro espetacular ao falar o que eu disse, ao deixá-la ir embora. É tarde demais para pedir a ela que volte?

Cinco minutos depois, uma subida na extremidade do cabo de reboque, um mergulho para aliviar a tensão, puxo a alavanca para uma soltura fácil.

Há uma boa corrente térmica perto do aeroporto e está cheia de planadores. O primeiro encontra a corrente ascendente e os demais seguem, como lêmingües, num enorme turbilhão de fibra de vidro branca, um bando de planadores circulando interminavelmente, cada vez mais alto no ar quente subindo.

Cuidado, Richard, olhe ao redor! Entre na corrente térmica no fundo, circulando na mesma direção que todos os outros. Uma colisão em pleno ar pode estragar todo o seu dia.

Apesar de todo o meu tempo de vôo, ainda me sinto nervoso, sobressaltado como um pato assustado quando entro neste pequeno espaço aéreo com tantos aviões.

Volta fechada. Volta rápida. Pegue o centro da elevação e é uma subida rápida até o topo... 150 metros por minuto, 200, 300 metros. Não é a melhor corrente térmica do Arizona, mas é bastante boa para a primeira subida do dia.

Ela atenderia ao telefone se eu ligasse? E se atendesse, o que eu diria?

Leslie, lamento profundamente?

Vamos voltar ao ponto em que estávamos?

Eu já disse isso antes, já usei o lamento-muito.

No outro lado da corrente térmica está um AS-W 19, espelho do meu próprio planador, número de corrida CZ, pintado na asa e na cauda. Mais abaixo, três outros planadores entram juntos na corrente térmica; por cima, há pelo menos uma dúzia. Olhar para cima é como contemplar através do olho de um ciclone que acaba de atingir uma fábrica de aviões, um sonho turbilhonante de escultura aérea silenciosa.

*Eu queria afastá-la? O preciso-ficar-sozinho era uma pílula que eu sabia que ela não engoliria jamais; era a maneira de um covarde de largá-la? É possível almas-irmãs se encontrarem e depois se separarem para sempre?*

*Gradativamente, subi além do CZ na corrente térmica, um sinal de que estou voando bem, por mais cansado que esteja. Nossa corrida é um triângulo de 230 quilômetros por cima da terrível desolação crestada que é o deserto. Mas há elevação suficiente para manter um planador no ar durante toda a tarde, em alta velocidade.*

*Olhe bem, Richard! E com todo cuidado. O próximo por cima de mim é um Libelle, depois um Cirrus e um Schweizer 1-35. Posso subir mais que o Schweizer, talvez superar o Cirrus, mas não o Libelle. Não demorará muito para chegarmos ao topo, entrarmos no curso. Não será tão apertado demais.*

*E depois o quê? O resto da minha vida sozinho, correndo em planadores? Como um fugitivo veterano escapa de viver sem a mulher que nasceu para encontrar? Leslie! Lamento tanto!*

*Sem aviso, uma luz estroboscópica brilhante como o sol disparada em meus olhos. Um relâmpago, uma chuva de* plexiglas, *a carlinga estremecendo, lufada de vento em meu rosto, luz vermelha intensa.*

*Sou projetado contra as correias nos ombros, depois comprimido contra o assento, a força da gravidade tentanto primeiro me expelir e depois me esmagar.*

*A carlinga vira como* shrapnel *voando. O tempo se arrasta.*

*Richard, você foi atingido! E não resta muita coisa do seu avião. Se quer viver, tem de sair dessa coisa e puxar o cordão do pára-quedas.*

*Sinto os destroços levarem um solavanco, se despedaçarem, rolarem mais depressa.*

*Num nevoeiro vermelho tem o céu turbilhando para rochas turbilhonando para o céu. Fragmentos de asa numa nuvem irregular ao meu redor. Céu-solo-céu... Parece que não consigo levar as mãos à tranca do cinto de segurança.*

Não muito melhor pela experiência.
Devagar para avaliar o problema.

*Oi, companheiro! Pode me dar uma mãozinha? Eles vão dizer que fiquei preso nos destroços. Não estou preso. Acontece apenas que a força de gravidade é tão pesada... não posso...*

Diz "não posso" quando está tencionando "não quero".

*Mas eu quero... soltar esta tranca...*

Escute o observador nos últimos segundos.
Curioso final para a vida.

PRONTO!

*No instante em que puxo a tranca, a carlinga desaparece. Agarro o cordão do pára-quedas, puxo, rolo para ver o solo antes do pára-quedas abrir... tarde demais.* Wook, *lamento muito. Lamento tanto...*

*escuridão*

No chão do *trailer*, meus olhos se abrem no escuro, piscando.

— Leslie...

Estou deitado no chão, respirando fundo, o rosto molhado de lágrimas. Ela ainda está ali, no sofá.

— Você está bem? — disse ela. — W*ookie*, você está bem?

Levantei-me do chão, enrosquei-me ao seu lado tanto quanto era possível, abracei-a firmemente.

— Não quero deixá-la, pequena *wookie* — murmurei. — Não quero jamais deixá-la. Eu a amo.

Houve a mais tênue ondulação através de seu corpo na noite, silêncio por um momento que parecia a eternidade.

E, depois, ela disse:

— Você o quê?

# trinta e quatro

POR VOLTA DE duas horas da madrugada, a discórdia esquecida, entrelaçados na cama, no meio de uma conversa sobre flores, sobre invenções, sobre o que uma vida perfeita para nós podia ser, deixei escapar um suspiro.

— Lembra da minha velha definição? — indaguei. — Que uma alma-irmã é alguém que atende a todas as nossas necessidades, durante todo o tempo?

— Lembro.

— Então acho que não somos almas-irmãs.

— Por que não?

— Não tenho uma necessidade de discutir. Não tenho uma necessidade de brigar.

— Como sabe? — disse ela, suavemente. — Como sabe que não é a única maneira pela qual pode absorver algumas lições? Se não precisasse brigar, a fim de aprender, não criaria tantos problemas! Há ocasiões em que não o compreendo até que fica furioso... e não há ocasiões em que você não sabe o que estou querendo até que me ponho a gritar? Há uma regra de que não podemos aprender qualquer coisa a não ser através de palavras ternas e beijos?

Pisquei os olhos, surpreso.

— Pensei que almas-irmãs deveriam ter cada momento perfeito. *Como então almas-irmãs podem brigar?* Está querendo dizer, *wookie*, que isso é perfeição também? Está querendo dizer que há magia mesmo quando nos engalfinhamos? Quando um atrito materializa a compreensão entre nós que não existia antes?

— Ah, a vida com um filósofo... — ela murmurou na escuridão dourada.

## trinta e cinco

NOSSO TEMPO de lançamento para a corrida, no dia seguinte, deixou-me como o 23º planador na fila para a decolagem, o penúltimo. Lastro de água nas asas, equipamento de sobrevivência a bordo, coberta marcada, tudo checado. Leslie entregou-me os mapas e os códigos do rádio, deu-me um beijo de boa sorte, arriou a coberta, tranquei-a por dentro. Recostei-me no assento do piloto, verifiquei os controles de vôo, acenei que estava tudo certo, soprei-lhe um último beijo, balancei os pedais do leme de direção de um lado para outro: Vamos embora, avião-reboque, vamos embora.

Cada lançamento é diferente, mas todos são como o lançamento de catapulta num porta-aviões, em câmara lenta. Um solavanco grande e o barulho do avião-reboque lá na frente, na outra extremidade do cabo, nos arrastamos para a frente por alguns metros, depois mais depressa, mais depressa. A velocidade dá potência aos *ailerons*, ao leme de direção, aos estabilizadores horizontais. Agora nos elevamos meio metro acima do solo e esperamos, enquanto o avião-reboque conclui a sua decolagem e começa a subir.

Leslie se mostrara maliciosa naquela manhã, generosamente me esfriando com água gelada nos momentos que eu menos esperava. Ela estava feliz e eu também. Que erro espetacular teria sido, se eu insistisse em deixá-la.

Cinco minutos depois, uma subida na extremidade do cabo, um mergulho para aliviar a tensão, puxei a alavanca para uma soltura fácil.

Havia uma boa corrente térmica perto do aeroporto, cheia de planadores. Estremeci no calor da carlinga. Era um ciclone de planadores. Mas eu era quase o último e não podia passar o dia inteiro procurando por elevação. Mantive-me cauteloso no manche, muito cuidadoso. Olhe ao redor, pensei, tome o máximo cuidado!

Volta fechada. Volta rápida. Peguei o centro da elevação, uma subida rápida até o topo... 150 metros por minuto, 200 metros. Olhe ao redor.

Meu pescoço estava dolorido de virar depressa para a esquerda e direita, olhando, calculando. Um Schweizer deslizou por baixo de mim, virando bruscamente.

Ela tem razão. Eu crio problemas. Tivemos os nossos momentos ruins, mas isso não acontece com todo mundo? Os bons tempos são gloriosos, simplesmente... CUIDADO!

O Cirrus por cima fez uma curva muito fechada, afundou 10 metros em minha direção, a asa uma lâmina de gigante avançando para a minha cabeça. Empurrei o manche para a frente, caí abruptamente, no mesmo instante me desviando do planador por baixo.

Se vai voar assim — balbuciei — terá bastante espaço de mim!

Voltei ao ciclone, levantei os olhos pelo centro do cilindro de quase um quilômetro de aviões subindo. Não são muitos os pilotos, pensei, que podem contemplar uma cena assim.

No momento em que olhei, percebi um súbito movimento estranho por cima. Era um planador — *em parafuso!* — descendo pelo meio dos outros aparelhos. Vi e não pude acreditar... que coisa estúpida e *perigosa*, entrar em PARAFUSO no meio de tantos aparelhos!

Estreitei os olhos contra o sol. O planador não estava em parafuso por esporte, mas sim porque perdera uma asa.

Olhe! Não é só um planador em parafuso... são dois! Dois planadores caindo, descontrolados, mergulhando diretamente para a minha carlinga.

Empurrei o manche para a esquerda, calquei o pedal do leme de direção da esquerda e disparei, saindo de baixo.

Lá no alto, por trás da minha asa direita, os dois aparelhos arrebentados giravam em sua queda. Em suas esteiras flutuava uma nuvem de peças quebradas, indolentes folhas de outono turbilhonando para o solo.

O rádio, que se mantivera numa estática sossegada por minutos, gritou abruptamente:

— PLENO AR! Houve um *pleno ar*!

SALTE! SALTE!

De que adianta isso, pensei, dizer aos homens pelo rádio para saltarem? Quando seu avião está reduzido a destroços, não aflora à mente prontamente a idéia de saltar de pára-quedas?

Uma das partes de planador no meio da nuvem era um corpo de homem, girando. Caiu por um longo tempo, depois o *nylon* se esticou por trás, para o vento. Ele estava vivo: puxara o cordão do pára-quedas. Bom trabalho, companheiro!

O pára-quedas se abriu e flutuou silenciosamente para as rochas.

— Há dois pára-quedas! — disse o rádio. — Controle de Terra, há dois pára-quedas! Descendo cinco quilômetros ao norte. Podem mandar um jipe para lá?

Eu não podia ver o outro pára-quedas. O que eu via murchou quando o piloto tocou no solo.

As partes dos planadores demolidos ainda caíam, um pedaço com metade de uma asa girando interminavelmente em câmara lenta.

Eu nunca vira uma colisão em pleno ar. Vista de longe, era gentil e silenciosa. Podia ser um novo esporte inventado por um piloto entediado, se não fosse pelos fragmentos de avião faiscando. Nenhum piloto inventaria um esporte que destroçasse aviões por diversão. O rádio crepitou.

— Alguém está vendo os pilotos?

— Afirmativo. Tenho os dois à vista.

— Como eles estão? Pode dizer se estão bem?

— Estão, sim. Ambos parecem estar bem. Ambos no solo, acenando.

— Graças a Deus!

— Muito bem, homens, vamos tomar cuidado aqui por cima. Temos uma porção de aviões num pequeno espaço...

Quatro pilotos nesta corrida são mulheres, pensei. Qual a sensação de uma mulher voando aqui por cima e de repente ser chamada de "homem"?

Subitamente, senti um calafrio, com todo calor. *Eu vi isso ontem!* Quais são as chances... a única colisão em pleno ar que eu vira, um dia depois de eu me deitar no chão do *trailer* e contemplá-la de antemão!

Não, eu não observara, fora eu, atingido pela asa! Podia ter sido eu, lá embaixo no deserto, não tão afortunado como os dois embarcando no jipe com histórias emocionantes para contar.

Se Leslie tivesse me deixado ontem à noite, se eu me sentisse cansado e triste hoje, ao invés de descansado e controlado antes da corrida, poderia ter sido eu.

Virei no curso, num céu estranhamente deserto. Depois que começam, os planadores de competição não ficam agrupados por muito tempo, se os líderes puderem evitar.

O nariz apontado para baixo, meu silencioso aparelho avançou a toda velocidade para a crista de uma montanha. Rochas bem próximas lá embaixo, entramos numa nova corrente térmica, subindo rapidamente em espiral.

A visão me salvara?

Estou sendo protegido agora, por um motivo.

Tendo tomado a decisão de amar, eu escolhera a vida em vez da morte?

## trinta e seis

ESTAVA ENROSCADA na areia da trilha de jipe, enroscada e pronta para dar o bote contra a *pick-up*, avançando aos solavancos em sua direção, a 15 quilômetros horários. Parei a *pick-up* pouco antes e peguei o microfone.

— Oi, *wook*. Pode me ouvir?

Houve um momento de silêncio e ela respondeu do rádio do *trailer*:

— Posso. Por que parou?

— Tem uma cobra bloqueando o caminho. Pode pegar o livro de cobras? Farei a descrição.

— Espere um instante.

Virei o volante, pronto para contornar a criatura. A cobra lambeu o ar com sua língua preta. Quando tornei a ligar o motor, o barulho abafou o chocalhar da cauda, um silvo ameaçador: *Estou avisando...*

Que cobra corajosa! Se eu tivesse essa coragem, enfrentaria com os punhos um tanque de três quarteirões de altura e seis de largura, com uma cara amarrada a dizer: Não continue, estou avisando...

— Estou com o livro — informou Leslie, pelo rádio. — Tome cuidado. Fique dentro da *pick-up* e não abra a porta, está bem?

Isso mesmo, disse a cobra. Escute o que ela diz e tome cuidado. Este é o meu deserto. Meta-se comigo e matarei o seu carro. Não quero fazer isso, mas se me forçar não terei alternativa. Os olhos amarelos me fitavam sem piscar, a língua tornou a saborear o ar. Leslie não podia conter a curiosidade.

— Vou sair para dar uma olhada.

— Não! É melhor ficar aí dentro. Pode haver todo um ninho de cobras na areia. Certo?

Silêncio.

— Leslie?

Silêncio.

Pelo espelho retrovisor, divisei um vulto sair do *trailer* e avançar em minha direção. Uma coisa que não se tem com esses relacionamentos homem-mulher modernos, pensei, é obediência.

— Com licença — falei para a cobra. — Voltaremos num instante.

Voltei pela estrada, parei para apanhá-la. Ela embarcou com os livros *Guia dos Répteis e Anfíbios* Norte-*Americanos* e *Guia do Clube* Naturalista *Sierra* — O *Deserto do Sudoeste.*

— Onde está a cobra?

— Esperando por nós. Quero que fique aqui dentro. Não vai sair de jeito nenhum. Entendido?

— Não sairei, se você também não sair.

Havia aventura no ar. A cobra não se mexera, sibilou para fazer a *pick-up* parar.

De volta? Pois não passará daqui, nem um palmo a mais do que na última vez. Leslie inclinou-se por cima de mim para ver.

— Olá! — disse ela, jovial. — Olá, cobrinha! Como tem passado?

Não houve resposta. O que você diz quando é uma astuciosa cobra venenosa do deserto, chocalhando, e uma vozinha bonita de criança lhe faz uma pergunta assim, "Como tem passado?" Você não sabe o que dizer. Pisca rapidamente, mas não diz nada. Leslie recostou-se e abriu o primeiro livro.

— Que cor você diria?

— Cor de areia esverdeada... verde-oliva pálido e empoeirado. Ovais pretos nas costas, verde mais escuro dentro dos ovais, quase brancos no lado de fora. Cabeça triangular larga e achatada, focinho curto.

Páginas viraram.

— Puxa, como tem coisas horríveis aqui! Qual é o tamanho da cobra?

Sorri. Se um de nós se tornava sexista, atualmente, o outro corrigia, sutilmente ou não, conforme a situação. Ela estava sendo sutil.

— Não é uma cobra pequena — respondi. — Toda esticada... daria 1,20m?

— Diria que *as marcas ovais tendem a se estreitar em faixas transversais perto da cauda?*

— Mais ou menos. Faixas pretas e brancas em torno da cauda. Preta estreita, branca larga.

A cobra se desenroscou, foi para a moita à beira da estrada. Pisei no acelerador, ativando o motor; no mesmo instante, a cobra tornou a se enroscar, os olhos ardendo, a cauda balançando. Eu avisei e não estava brincando! Se quer um carro morto, é o que vai ter! Fique longe ou não sei o que pode acontecer...

— *Escamas viradas, em 25 carreiras?* — indagou Leslie. — Ah, aqui está! *Anéis pretos e brancos envolvem a cauda!* Observe isto: *Listra por trás dos olhos se estende para trás, acima do ângulo da boca.*

Vê esta listra por trás dos olhos?, disse a cobra. O que mais tenho de lhe dizer? Deixe as mãos quietas onde eu possa vê-las e recue devagar...

— Está lá! exclamei. — O que ela é?

— *Cascavel do Mojave* — leu Leslie. — *Crotalus scutellatus*. Dê uma olhada na fotografia.

A cobra na fotografia não estava sorrindo. Leslie abriu o *Guia do Naturalista*, virou as páginas.

— O Dr. *Lowe declara que a Mojave tem um veneno "singular", com elementos neurotóxicos para os quais ainda não se desenvolveu qualquer antídoto específico e que sua mordida é potencialmente muito mais grave que a da Cascavel do Oeste, uma espécie com que é às vezes confundida.*

Silêncio. Não havendo Cascavéis do Oeste por perto, aquela cobra não era confundida. Ficamos olhando um para o outro, Leslie e eu, até que finalmente ela murmurou:

— Talvez seja melhor ficarmos aqui dentro.

— Não tenho qualquer impulso forte de sair, se é isso o que a preocupa.

Isso mesmo, sibilou a Mojave, orgulhosa e ameaçadora. Não vai querer fazer nada precipitado...

Leslie observou-a atentamente.

— O que ela está fazendo?

— Está me dizendo que não devo fazer nada precipitado.

Depois de algum tempo, a cobra se desenroscou, fitando-nos nos olhos, pronta para qualquer artimanha de nossa parte. Não houve nenhuma.

Se me mordesse, pensei, eu morreria? Claro que não. Poderia erguer escudos psíquicos, transformar o veneno em água ou cerveja não-alcoólica, recusando-me a dar força à convicção mundial de que as cobras matam. Eu poderia fazer isso, pensei. Mas não há necessidade de me testar neste momento.

Ficamos observando a cobra, admirando-a.

Isso mesmo, suspirei para mim mesmo, eu experimentara a reação estúpida e tediosa previsível: mate-a. E se ela entrar no *trailer* e começar a morder todo mundo? É melhor pegar uma pá e esmagá-la antes que isso possa acontecer. É a cobra mais mortífera do deserto. Pegue uma arma e liquide-a antes que mate Leslie!

Oh, Richard, que desapontamento saber que há uma parte de você que pensa de maneira tão horrível e cruel! *Matar*. Quando evoluirá para um nível em que não haja *medo*?

Eu me acuso de estar errado! O pensamento-matar foi uma sugestão transviada assustada e insana. Não sou responsável pela sugestão, apenas por minha ação, minha opção final. E minha opção final é prezar esta cobra. É uma manifestação de vida tão autêntica e tão falsa quanto esta que se vê como uma douta criatura bípede e semiviolenta, que usa instrumentos-guia de veículos. Naquele momento, eu teria me virado com a pá contra qualquer um que se atrevesse a atacar a nossa brava Cascavel do Mojave.

— Vamos tocar um pouco de música pelo rádio.

Leslie ligou o rádio, encontrou uma emissora de música clássica, no meio de alguma coisa rachmaninovesca, aumentou o volume ao máximo, explicando:

— PARECE QUE AS COBRAS NÃO OUVEM MUITO BEM.

Depois de um momento, a cascavel relaxou. Só restou uma única volta da muralha enroscada. E, poucos minutos depois, ela estendeu a língua para nós por uma última vez. Bem feito. Passou no teste. Parabéns. Sua música está muito alto.

— Lá vai ela, *wook*! Está vendo?

Adeus.

E lá se foi a Madame Cascavel do Mojave, ondulando suavemente para desaparecer na moita.

— Adeus! — gritou Leslie, acenando, quase tristemente.

Soltei o freio, recuei novamente até o *trailer*, desembarquei minha querida passageira e seus livros sobre cobras.

— O que você acha, Leslie? Imaginamos tudo o que ela disse? Não poderia ser um espírito de passagem, assumindo a forma de uma cobra durante uma hora, a fim de descobrir o controle que tínhamos sobre o nosso medo, sobre matar ou não matar? Um anjo vestido de cobra, ali na estrada, verificando-nos?

— Não direi que não — respondeu Leslie. — Mas, de qualquer forma, daqui por diante vamos fazer bastante barulho quando sairmos do *trailer*, a fim de não surpreendê-la. Combinado?

## trinta e sete

MUDAMOS O NOSSO pensamento e o mundo ao redor também muda. O Arizona no verão tornou-se um pouco quente demais para nós, estava na hora de uma paisagem diferente. Não seria melhor alguma coisa para o norte, mais fresca? Que tal Nevada? Não poderíamos levar o *trailer* e o planador para Nevada?

Estava mais fresco, é verdade. Ao invés de 46°C lá fora, havia 43°C. Ao invés de pequenas montanhas no horizonte, havia enormes montanhas.

O gerador pifou, no *trailer*... três dias de problemas, consertando, voltou a funcionar. Assim que o gerador ficou direito, as bombas de água pifaram. Por sorte, a perspectiva de viver sem água no meio de milhares de hectares de areia e ossos de gado ajudou-nos a recuperar as bombas com um canivete e um papelão.

De volta de uma viagem de 100 quilômetros para buscar água e correspondência, Leslie ficou de pé na cozinha e leu em voz alta a carta de Los Angeles. Nossos sentidos haviam mudado com a vida no deserto. Megalópolis se tornara tão irreal que nos era difícil imaginá-la ainda lá, pessoas ainda vivendo em cidades. A carta nos lembrou.

— Prezado Richard: Lamento comunicar que o Serviço da Receita Federal rejeitou a sua oferta e exige o pagamento imediato de um milhão de dólares. Como sabe, o governo tem a penhora de todos os seus bens e o direito legal de confiscar tudo o que quiser. Sugiro que nos encontremos o mais depressa possível. Cordialmente, John Marquart.

— Por que rejeitaram a oferta? — indaguei. — Ofereci-me para pagar tudo!

— Há um mal-entendido em qualquer ponto — comentou Leslie. — É melhor descobrirmos do que se trata.

Atravessamos o deserto até o telefone público de um posto de gasolina, marcamos um encontro para as nove horas da manhã seguinte, pusemos algumas coisas no Meyers e atravessamos o país em alta velocidade, pousando em Los Angeles ao pôr-do-sol.

— O problema não está na oferta — explicou Marquart, na manhã seguinte. — O problema é o fato de você ser famoso.

— Como assim?

— Será difícil para você acreditar e eu próprio nunca tinha ouvido falar nisso antes. Mas a Receita Federal tem agora a política de não aceitar propostas de acordo de pessoas famosas.

— Mas... o que os leva a pensar que sou famoso?

Marquart virou a cadeira.

— Também perguntei isso. O agente me disse que saiu pelo corredor do escritório, perguntando a pessoas ao acaso se já tinham ouvido falar de Richard Bach. Mais pessoas conheciam do que não.

Silêncio total na sala. Eu não podia acreditar no que estava ouvindo.

— Vamos esclarecer isso direito — disse Leslie finalmente. — A Receita Federal; não quer aceitar a proposta de Richard; porque pessoas em algum corredor; ouviram falar dele. Está falando sério?

O advogado abriu os braços, impotente para alterar o que acontecera.

— Eles só aceitam um único pagamento integral. Não admitem o parcelamento para uma pessoa famosa.

— Se ele fosse um executivo — disse Leslie — a Receita Federal aceitaria a proposta, mas não quer fazê-lo porque se trata de Richard Bach?

— Isso mesmo.

— Mas é discriminação!

— Pode fazer essa acusação ao tribunal. Provavelmente ganharia. Ao final de 10 anos de processo.

— Quem é o chefe desse cara? — perguntei. — Tem de haver alguém por lá...

— O homem que está cuidando do seu caso no momento é o chefe. Foi ele quem instituiu a regra das pessoas famosas.

Olhei para Leslie.

— O que podemos fazer agora? — disse ela a Marquart. — Richard conseguiu reunir bastante dinheiro. Vendemos quase tudo o que ele possuía para efetuar o primeiro pagamento. Ele poderia preencher um cheque de quase meio milhão hoje, se aceitassem sem confiscar o que restou. Creio que poderíamos pagar o saldo em um ano, especialmente se Richard pudesse voltar a trabalhar. Mas ele não pode continuar com o filme, não pode sequer escrever, se essas pessoas vão aparecer para arrancar o próprio trabalho de sua mesa...

Uma idéia emergiu do meu ressentimento.

— Outro agente — falei. — Não existe um meio de transferir o caso para outro agente?

Marquart vasculhou os papéis em sua mesa.

— Vamos ver... Você já teve sete: agentes Bulleigh, Paroseit, Ghoone, Saydyst, Blutzucker, Fradequat e Beeste. Nenhum deles quer assumir a responsabilidade, nenhum deles quer cuidar do caso.

A paciência de Leslie se esgotou.

— Eles estão loucos? Não querem o dinheiro? Por acaso compreendem que este homem está tentando pagar... que não pensa em fugir ou fazer um acordo de reduzir pela metade, mas tenciona pagar *tudo*? QUE ESTÚPIDOS IDIOTAS ELES SÃO?

Ela estava gritando, com lágrimas de frustração nos olhos. Marquart permanecera calmo, como se já tivesse participado muitas vezes de uma cena assim.

— Leslie. Leslie? Leslie! Preste atenção. É muito importante que você compreenda. O Serviço da Receita Federal está equipado por algumas das pessoas menos inteligentes, mais assustadas, iníquas e vingativas que já se esconderam por trás de um departamento do governo. Sei disso. Trabalhei lá por três anos. Todo jovem advogado fiscal trabalha primeiro para o governo, a fim de ter conhecimento do inimigo. Se você não trabalhou na Receita Federal, não pode atuar direito no campo fiscal. Não pode acreditar nas coisas que enfrenta.

Senti-me empalidecer, enquanto ele continuava a falar:

— A menos que a Receita Federal pense que você vai escapar do país, não responde as cartas, não atende a telefonemas. Não conseguimos fazer qualquer contato, por meses a fio. Ninguém por lá quer ser responsável por lidar com um caso desse tipo, com essa quantia. Um erro e eles são criticados na imprensa: "Vocês despejam velhinhas de seus casebres, mas deixam Richard Bach escapar impune com pagamentos parcelados!"

— Então por que eles não confiscam logo de uma vez? Por que não tomam tudo o que tenho?

— Isso também poderia ser um erro: "Richard Bach propôs pagar tudo, se lhe dessem tempo. Mas não concordaram, confiscaram seus bens, que não valiam a metade do que poderiam receber..." Não estão entendendo? Nenhuma decisão não é melhor do que uma decisão errada? É por isso que passamos por tantos agentes. Cada novo agente lança a batata quente para o ar, esperando por uma transferência ou que outro agente, ainda mais novo, apareça antes que tenha de tomar alguma decisão.

— Mas certamente lá em cima — disse Leslie — o diretor regional, se fôssemos procurá-lo...

Marquart balançou a cabeça.

— Já trabalhei com ele. A primeira coisa que fiz foi procurá-lo, finalmente consegui entrar em contato. Ele disse que não admite exceções, que você tem de passar pelos canais competentes, de maneira ordenada. Deve tratar com o agente designado para o seu caso, depois com o próximo e o próximo.

Leslie atacou o problema como se fosse uma posição de xadrez:

— Eles não aceitam a proposta, mas Richard não pode pagar um milhão de dólares imediatamente. Se confiscarem os seus bens, ele não pode trabalhar. Se não decidirem, ele também não pode trabalhar, porque podem confiscar tudo no dia seguinte e o trabalho estará perdido. E se ele não pode trabalhar, não pode ganhar o dinheiro para pagar o resto. Já estamos no limbo há quase um ano. Isso vai se arrastar até o fim do mundo?

Pela primeira vez na reunião, o advogado se animou.

— De certa forma, o tempo está do lado de Richard. Se o caso se arrastar por três anos sem solução definitiva, ele terá condições de anular a dívida na falência.

Tive a impressão de que estava tomando chá com o Chapeleiro Maluco.

— Mas se eu quebrar, não poderei pagar coisa alguma! Será que eles não sabem disso?

— Claro que sabem. Mas creio que eles querem esperar esse momento. Preferem a sua falência.

— POR QUÊ? Mas que loucura... eles receberiam um milhão de dólares se me permitissem efetuar os pagamentos parcelados.

Ele me fitou tristemente.

— Está esquecendo de uma coisa, Richard. Se for à falência, não será uma decisão da Receita Federal, mas sim uma decisão sua... *não haverá qualquer culpa para o governo!* Ninguém tem de assumir a responsabilidade. Ninguém pode ser criticado. A dívida será legalmente quitada. A situação não é tão ruim assim. A menos que eles tomem uma decisão sobre seu caso, você está livre para gastar o dinheiro. Por que não faz uma excursão pelo mundo, hospeda-se nos melhores hotéis e me dá um telefonema de vez em quando, de Paris, Roma ou Tóquio?

— Três anos? — repetiu Leslie. — Falência?

Ela olhou para mim, a compaixão em seus olhos por nós dois e depois a determinação:

— Não! Isso não vai acontecer! Vamos acertar esse problema! — Os olhos dela ardiam. — Famoso ou não, aumente o pagamento inicial e apresente outra proposta. E faça-a tão boa que não possa ser recusada. E, pelo amor de Deus, descubra alguém com coragem suficiente para aceitá-la!

Marquart suspirou que não era uma questão de propostas, mas concordou em tentar.

Um contador foi chamado, outros advogados consultados. Mais colunas passaram por calculadoras, mais papéis deslizaram sobre a mesa, planos, propostas e planos rejeitados, novos encontros marcados para o dia seguinte, enquanto procurávamos por uma proposta tão livre de riscos que o governo não poderia recusar.

Fiquei olhando para o céu através da janela enquanto eles trabalhavam. Como o piloto de um avião avariado, eu tinha certeza do desastre, mas não sentia medo. Trataríamos de nos afastar, começaríamos de novo. Seria um alívio.

— Lembre-se da Cascavel do Mojave — comentou Leslie, depois da reunião, quando descíamos no elevador para o estacionamento.

— Claro. *Croandelphilis scootamorphulus*. Não há antídoto conhecido para o veneno. Claro que me lembro. Uma cobra das mais corajosas.

— Faz a gente compreender, depois de dias como este, tentando lidar com aqueles imbecis da Receita Federal, como é bom sentar no deserto e tratar com uma cascavel honesta e objetiva!

Voamos de volta a Nevada, exaustos, e chegamos finalmente ao deserto para encontrar o *trailer* saqueado: porta arrombada, estantes esvaziadas, gavetas sem mais nada. Tudo o que deixáramos em nossa pequena casa-sobre-rodas desaparecera.

# trinta e oito

LESLIE FICOU atordoada. Circulou pelo *trailer* procurando pelos instrumentos amigos com que convivêramos, seus queridos companheiros, como se pudessem aparecer subitamente em seus lugares. Livros, roupas, colheres de madeira da cozinha que significavam o lar para ela, até mesmo suas escovas de cabelo. Tudo sumira.

— Não há problema, *wook* — murmurei, suavemente. — São apenas coisas que perdemos. Enquanto a Receita Federal não tomar uma decisão, haverá bastante dinheiro para gastar. Uma viagem à cidade e compraremos de novo tudo o que levaram.

Ela mal ouviu, levantando os olhos da gaveta vazia da mesa.

— Richard, levaram até o nosso rolo de barbante...

Eu me sentia ansioso em animá-la.

— E pensávamos que éramos os únicos guardadores de barbante do mundo! Pense como fizemos alguém feliz... todo um enorme rolo de barbante! E colheres de madeira queimadas! E pratos lascados!

— Nossos pratos não estavam lascados, Richard. Já esqueceu que os compramos juntos?

— Pois compraremos mais pratos. O que acha de comprarmos desta vez pratos de cerâmica, nas cores laranja e amarelo? E xícaras maiores do que as que tínhamos? Você pode se servir à vontade na livraria e precisaremos também de roupas novas...

— O problema não são as coisas, Richie, mas sim o seu significado. Não se sente magoado porque estranhos arrombaram o nosso lar e levaram coisas que tinham um significado em nossas vidas?

— Só magoa se deixarmos. Não há muito o que possamos fazer agora. Aconteceu e ponto final. Quanto mais cedo deixarmos para trás, melhor será. Se adiantasse alguma coisa me sentir desesperado, eu ficaria desesperado. O que vai ajudar será tirar nossas mentes do que aconteceu, comprar coisas novas e pôr algum tempo entre nós e hoje. Levaram tudo o que havia no *trailer*. E daí? Somos nós o que importa, não é mesmo? Melhor nós dois juntos num deserto e felizes, do que separados em palácios cheios de pratos e barbante!

Ela enxugou uma lágrima.

— Você tem razão, Richard. Mas acho que estou mudando. Eu costumava dizer que se alguém arrombasse a minha casa podia roubar qualquer coisa que quisesse. Nunca correria o risco de fazer mal a alguém para proteger minha propriedade ou a mim mesma. Mas isso acabou. Fui roubada três vezes antes e fomos roubados hoje. Acabei de decidir que já fui roubada todas as vezes que podia suportar. Se vamos viver no deserto, não é justo que você seja o único a nos proteger. Também farei a minha parte. Vou comprar um revólver.

Dois dias depois, havia um medo a menos em sua vida. Subitamente, Leslie, que antes não suportava sequer a visão de armas de fogo, usava agora uma arma carregada com a tranqüilidade de um patrulheiro em serviço.

Ela praticava diligentemente, horas a fio; o deserto parecia a última batalha por El-Alamein. Eu jogava latas pequenas nas moitas e ela acertava-as uma em cada cinco vezes com um revólver Magnum 357, depois três em cinco, depois quatro em cinco.

Enquanto ela carregava o rifle Winchester, arrumei na areia, como alvos, uma fileira de cápsulas vazias, depois recuei e fiquei observando, enquanto Leslie mirava e puxava o gatilho. Ela mal piscava agora com os estampidos, os alvos foram desaparecendo, um a um, da esquerda para a direita, em borrifos reluzentes de chumbo e areia.

Era difícil para mim compreender o que lhe acontecera por causa daquele roubo.

— Está querendo dizer que se alguém arrombar o *trailer* você vai...

— Se alguém tentar roubar qualquer lugar em que eu esteja vai se arrepender! Quem não quiser levar um tiro é melhor não tentar nos roubar! — Ela riu da minha expressão. — Não me olhe assim! Você diz a mesma coisa e sabe disso.

— Não digo, não! Falo de maneira diferente.

— E como é?

— Digo que não é possível para alguém morrer. "Não matarás" não é um mandamento, é uma promessa: Não poderás matar se tentares, porque a vida é indestrutível. Mas estás livre para acreditar em morrer, se insistires. — Fiz uma pausa, antes de acrescentar: — Se tentássemos roubar a casa de alguém com uma arma carregada à espera, estaríamos dizendo a essa pessoa que estamos cansados da convicção de vida nesta convicção de um planeta, estaríamos pedindo que nos fizessem o favor de transferir nossa consciência deste nível para outro diferente, pela cortesia de uma bala em legítima defesa. É isso o que digo. Não acha que é verdade?

Leslie riu, ajeitou um novo cartucho na câmara do rifle.

— Não sei qual de nós tem mais sangue-frio, Richard, se você ou eu.

E, com isso, ela prendeu a respiração, mirou e apertou o gatilho. No deserto, outra cápsula vazia gritou e desapareceu.

Depois do roubo, da pane do gerador, da pane da água, depois que a geladeira quebrou e o tubo de gás da cozinha se partiu, enchendo o *trailer* com o gás explosivo, veio a poeira-do-demônio.

A poeira-do-demônio é um pequeno tornado no deserto. Vagueia durante o verão, fareja uma duna aqui, uma moita ali, levantando por 300 metros pelo céu... a poeira-do-demônio pode ir a qualquer lugar que lhe aprouver e fazer qualquer coisa que desejar.

Com o gerador funcionando outra vez, Leslie terminou de limpar o *trailer*, largou o aspirador e olhou para a janela.

— *Wookie*, venha ver a enorme poeira-do-demônio!

Saí de debaixo do aquecedor de água, que se recusava a esquentar água.

— Puxa, como é grande!

— Pegue a câmara para mim, por favor. Quero tirar uma foto.

— A câmara foi roubada. Sinto muito.

— A pequena câmara nova, na prateleira do fundo. Depressa, antes que vá embora!

Entreguei a câmara e ela tirou uma foto pela janela do *trailer*.

— Está ficando maior!

— Não está realmente maior — comentei. — Apenas parece maior porque está chegando mais perto.

— Vai nos atingir?

— Leslie, a possibilidade da poeira-do-demônio, que tem todo o deserto do Nevada para circular, atingir este pequeno *trailer*, estacionado no meio do nada, está na ordem de uma em vários milhares...

E nesse instante o mundo tremeu, o sol se apagou, nosso toldo foi arrancado das escoras e arremessado violentamente contra o teto, a porta se abriu bruscamente, as janelas uivaram. Areia, uma poeira fina como num desmoronamento de mina, turbilhonou pelo *trailer*. A casa balançou, pronta para voar. Era familiar, um desastre de avião sem a visão. E logo o sol tornou a cintilar, o uivo cessou, o toldo caiu informe, pelo lado do *trailer*.

— ... de isso acontecer... — balbuciei — ... a possibilidade... de nos atingir... é da ordem... de duas para uma... a favor!

Leslie não achou graça.

— E eu tinha acabado de limpar tudo!

Se ela pudesse pôr as mãos no pescoço daquele tornado, certamente lhe ensinaria a ter bons modos.

A poeira-do-demônio tivera 10 segundos inteiros para trabalhar no *trailer*, lançando 20 quilos de areia pelas telas, janelas e portas. Era tanta terra num espaço tão pequeno... podíamos até plantar batatas na pia da cozinha.

— *Wookie* — disse Leslie, desolada — já teve o pressentimento de que não fomos feitos para viver aqui? Não seria o momento de seguirmos adiante?

Larguei a chave inglesa que ficara apertando durante toda a tempestade de areia, o coração transbordando de uma efusiva concordância.

— Eu ia lhe fazer a mesma pergunta. Estou cansado de viver num caixote sobre rodas. Já tem mais de um ano! Não podemos parar? Não podemos encontrar uma casa, uma casa de verdade, em algum lugar, que não seja feita de plástico?

Ela me fitou de uma maneira estranha.

— Estou mesmo ouvindo Richard Bach falar em assentar, em ter um lugar permanente?

— Está, sim.

Leslie limpou a areia de uma cadeira e se sentou.

— Não — disse ela — não quero empenhar meu coração em encontrar uma casa, começar a arrumá-la e depois parar no meio, se você descobrir que se sente irrequieto e a experiência não deu certo. Se você ainda se acha convencido de que o tédio nos envolverá, mais cedo ou mais tarde, então não estamos prontos para uma casa, não é mesmo?

Pensei a respeito por um momento.

— Não sei.

Leslie pensava que estávamos descobrindo horizontes interiores, fronteiras da mente; sabia que nos encontrávamos a caminho de descobrir prazeres que nenhum dos dois poderia ter sozinho. Ela estava certa ou apenas esperançosa?

Nosso casamento durava há mais de um ano, com ou sem cerimônia. Eu ainda me curvo aos velhos medos? Vendi meu biplano e saí em busca de uma alma-irmã para aprender como ter medo? Não mudei pelo que fizemos juntos? Não aprendi alguma coisa?

Ela continuou sentada, imóvel, pensando, absorvida em seus próprios pensamentos.

Lembrei dos dias na Flórida, quando olhara para a minha vida e estava morta no rio... uma porção de dinheiro, aviões e mulheres, mas zero no progresso de viver. Agora não há muito dinheiro e antes que se passe muito tempo pode não haver nenhum. Quase todos os aviões foram vendidos. Há uma mulher, apenas uma. E minha vida se movimenta tão depressa quanto uma lancha de corrida, de tanto que mudei e cresci com ela.

A companhia um do outro como único aprendizado e diversão, nossa vida em comum crescera como as nuvens do verão. Perguntem a uma mulher e um homem velejando em seu próprio barco pelos oceanos: Não se sentem entediados? Como passam o tempo? Eles sorriem. Não há horas suficientes no ano para se fazer o que é necessário!

O mesmo acontece conosco. Temos nos deliciado, rindo às vezes até não agüentar mais, assustados de vez em quando, ternos, desesperados, alegres, descobridores, ardentes... mas nunca, sequer por um segundo, entediados.

Que história isso daria! Quantos homens e mulheres passam pelos mesmos rios, ameaçados pelos mesmos clichês perigosos, pelos mesmos riscos com que nos defrontamos! Se essa idéia resistir, pensei, valeria a pena abrir a máquina de escrever! Como Richard-anos-antes teria querido saber: O que acontece quando partimos em busca de uma alma-irmã que não existe *e a encontramos*?

— Não sei não é a resposta certa, *wook* — acrescentei, depois de algum tempo. — Claro que sei. Quero uma casa em que possamos ficar quietos e a sós por um longo tempo.

Ela virou-se para mim outra vez.

— Está falando de um compromisso?

— Exatamente.

Leslie saiu da cadeira, sentou-se comigo no palmo de deserto que se assentara em nosso chão, beijou-me suavemente. E murmurou, depois de algum tempo:

— Tem em mente algum lugar em particular?

Acenei com a cabeça.

— A menos que você queira muito o contrário, *wook*, espero que possamos encontrar um lugar com muito mais água e muito menos areia.

# trinta e nove

FORAM NECESSÁRIOS três meses se encharcando numa torrente de catálogos de corretores, mapas e jornais locais; semanas de vôo, olhando do Meyers à procura do lugar perfeito para viver, em cidades com nomes como Doce Lar, Campo Feliz e Rododendro. Mas chegou finalmente o dia em que as janelas do *trailer*, antes emoldurando moitas ressequidas, pedras e uma crosta crestada de deserto, davam agora para uma campina engalanada com as cores da primavera, repleta de flores, verdes florestas e um rio de água.

Little Applegate Valley, Oregon. Do alto de nossa colina, podíamos contemplar 30 quilômetros ao redor, praticamente sem outra casa à vista. As casas estavam ali, ocultas por árvores e encostas, mas nos sentíamos sozinhos e abençoadamente serenos. Ali construiríamos o nosso lar.

Seria inicialmente uma casa pequena, um cômodo e uma galeria, enquanto continuavam as negociações com a Receita Federal. Depois, com esse problema resolvido, faríamos a casa definitiva ao lado e chamaríamos a pequena de casa de hóspedes.

A Receita Federal resmungava para si mesma, tentando desenredar minha nova proposta, enquanto os meses se convertiam em anos. Era uma oferta que uma criança poderia fazer, em que nada era negado. Eu me sentia como um visitante numa terra estranha, em que não conhecia o dinheiro. Devia uma conta, não sabia como pagar, apresentava tudo o que possuía e pedia à Receita Federal para pegar tudo o que quisesse.

Minha proposta passou para a mesa de mais outro agente de Los Angeles, que pediu outro extrato financeiro atualizado. Recebeu-o. Não tivemos qualquer notícia por meses. O caso foi transferido. O novo agente pediu uma nova posição financeira. Recebeu-a. Mais alguns meses transcorreram. Outro agente, outra posição financeira. Agentes passavam como as folhas de um calendário, virando.

No *trailer* Leslie levantou os olhos tristemente do último pedido de uma nova posição financeira. E ouvi a mesma vozinha que escutara dois anos antes pelo telefone, em Madri:

— Oh, Richie, se eu o tivesse conhecido antes de se meter nessa confusão! Não aconteceria...

— Nós nos conhecemos tão cedo quanto poderíamos. Antes disso... eu a teria destruído ou fugido de você. Ou então você não teria tanta paciência e me deixaria, com bons motivos. Nunca teria dado certo. Tive de aprender o meu caminho através dessa confusão. Nunca faria isso outra vez, mas também não sou mais a pessoa que era antes.

— Graças ao Criador. Pois estou aqui agora. Se sobrevivermos a isso, prometo que o nosso futuro não terá nada igual ao passado.

O relógio continuava a bater; a Receita Federal não notava nem se importava que nossas vidas estivessem bloqueadas.

A falência, o advogado dissera. Talvez a teoria bizarra de John Marquart estivesse certa, no final das contas. Não era um final dos mais agradáveis, pensei, mas era melhor do que o impasse em que nos encontrávamos, melhor do que fazer os mesmos movimentos interminavelmente, pela eternidade afora.

Tentamos avaliar essa possibilidade, mas ao final não pudemos. Falência. Uma coisa desesperada demais. Nunca!

Ao invés de uma excursão por Paris, Roma e Tóquio, iniciamos a construção no alto da colina.

No dia seguinte à colocação das fundações, fazendo compras na cidade, tive a atenção atraída por uma nova loja no centro comercial: COMPUTADORES.

Entrei.

— Leslie, sei que você vai me chamar de tolo — falei, quando voltei ao *trailer*.

Ela estava coberta de terra, de encher as valas abertas para os canos de água no alto da colina, de trabalhar a terra no preparo dos jardins, de dispensar cuidado e amor ao lugar que escolhêramos para viver.

Tão linda, pensei, como se o departamento de maquilagem tivesse espalhado a terra para ressaltar as faces. Ela não estava se importando. Mas, de qualquer forma, ia tomar um banho de chuveiro.

— Sei que fui à cidade para comprar pão, Leslie, além do leite, alface e tomates, se encontrasse bons tomates. Mas sabe o que comprei, em vez disso?

Ela se sentou antes de falar.

— Oh, não, Richard! Não vai me dizer que comprou... feijões mágicos?

— Um presente para a minha querida!

— Richard, por favor! O que você trouxe? Não temos *espaço*! Dá para devolver?

— Podemos devolver, se você não gostar. Mas vai gostar. Vai adorar. Prevejo: SUA mente e ESTA máquina...

— Comprou uma máquina? Na mercearia? Qual é o tamanho?

— É um Apple.

— Foi muito gentil ao se lembrar de mim, Richard, mas tem certeza de que preciso... de mais alguma coisa... neste momento?

— Quando sair do chuveiro, *wook*, verá um milagre, bem aqui em nosso *trailer*. Prometo.

— Já temos muito o que fazer e não há espaço suficiente... É grande?

Mas eu não disse mais nada. Leslie acabou rindo e foi para o chuveiro. Levei as caixas pela passagem estreita, tirei a máquina de escrever da prateleira convertida em escrivaninha, pus livros no chão. Tirei o computador da embalagem de espuma e coloquei no lugar em que estivera a máquina de escrever. Pus a torradeira e o liquidificador no armário das vassouras, a fim de dar espaço para a impressora no balcão da cozinha. Em minutos, tudo foi ligado e a tela do vídeo brilhou suavemente.

Um programa de processamento de palavras inserido num disco, acionei a máquina. O disco zumbiu, sussurrou por um minuto, depois se calou. Bati uma mensagem, retirei-a da tela, deixando apenas um quadrado de luz a piscar.

Leslie saiu do banheiro viçosa e limpa, os cabelos sob uma toalha-turbante para secar.

— Não posso mais suportar o *suspense*, Richie. Onde está?

Puxei a toalha de prata, mostrando o computador.

— *Presto!*

— O que é isso, Richard?

— O seu próprio... COMPUTADOR!

Ela ficou me olhando, muda.

— Sente-se aqui, Leslie, depois aperte a tecla marcada "Controle". Ao mesmo tempo, aperte o "B". É o chamado "Controle-B".

— Assim?

O quadrado de luz desapareceu e em seu lugar a tela se encheu de palavras:

BOA TARDE, LESLIE!

EU SOU O SEU NOVO COMPUTADOR.

ESTOU DELICIADO POR ESTA OPORTUNIDADE DE CONHECÊ-LA E SERVI-LA.

ACHO QUE VOCÊ VAI ME AMAR.

SEU NOVO,

APPLE.

NÃO QUER TENTAR ESCREVER ALGUMA COISA NO ESPAÇO QUE SE SEGUE?

— Mas que coisa maravilhosa! — exclamou Leslie.

Ela bateu uma frase experimental: AGORA É O MOMENTO PARA TODAS AS PESSOAS DE BOA VONTADE SE VIREM

— Errei.

— Desloque o cursor para a direita do erro e depois aperte esta tecla.

Leslie assim fez e o erro desapareceu.

— Tem instruções?

— O próprio computador ensina tudo. Aperte esta tecla duas vezes e depois o M algumas vezes, siga as instruções que aparecerem na tela.

Foi a última vez que falei com Leslie pelas 10 horas subseqüentes. Ela ficou sentada diante da máquina, fascinada, aprendendo o sistema. Depois bateu fichas de coisas-a-lembrar, programações de construção, listas de idéias, cuidou da correspondência.

O computador não usava papel até que toda a escrita estivesse concluída e tudo ficasse pronto para a impressão; nenhuma árvore tinha de morrer para se tornar papel jogado fora por erros de datilografia.

— Tenho de lhe pedir desculpas, *wookie* — disse ela, depois de meia-noite. — Sinto muito.

— Não há problema. Mas está se desculpando por quê?

— Pensei que você estava sendo um tolo, que era uma coisa absurda, um enorme brinquedinho elétrico no *trailer* para nos deixar na chuva. Mas não falei nada porque era um presente de coração. Mas como eu estava enganada! Isto é tão... — Ela levantou os olhos para mim, procurando a palavra: — ... *organizado*! Vai mudar a nossa vida!

Ela ficou tão encantada com os poderes do computador que por mais de uma vez, nos dias que se seguiram, tive de lhe perguntar cortesmente se não era possível me conceder alguns minutos no teclado. Eu também queria aprender.

— Pobre querido... — murmurava ela, distraidamente, enquanto batia nas teclas. — Claro que você quer aprender. Só mais alguns minutos...

Os minutos se transformaram em horas, em dias; eu me recusava a interrompê-la. Não demorou muito para que eu voltasse da loja com um segundo computador. Tivemos de arrumar uma prancheta para acomodar o segundo no canto menos apinhado do *trailer*, tornando-o o canto mais apinhado.

Os computadores eram curiosidades, mas eram também bússolas através de uma floresta de idéias, programas e estratégias que exigiam atenção. Além disso, podiam emitir extratos financeiros mais depressa do que a Receita Federal era capaz de pedir; apertando uma tecla, podíamos soterrá-los sob extratos financeiros.

Quando a pequena casa ficou pronta, éramos ambos peritos na condução de nossas pequenas máquinas. Nós as ajustamos a nossos desígnios pessoais, os controles ajeitados de uma maneira determinada, bancos de memória extras instalados, acessórios eletrônicos para ligá-las por telefone a gigantescos computadores a longa distância.

Uma semana depois de nos mudarmos para o alto da colina, os computadores estavam em funcionamento seis horas por dia, lado a lado, em sua mesa no canto do cômodo que servia de escritório.

Nosso vocabulário mudou.

— Bati num impasse, *wookie*! — Ela me mostrou uma tela cheia de linhas pontilhadas. — Isso já aconteceu alguma vez com você?

Acenei com a cabeça.

— Já, sim. É seu disco ou seu impulso. Não. É o seu quadro de caráter-80. Reajuste o controle, se puder. Ou acione no meu disco. Se funcionar, então não é o seu disco, mas sim o quadro. Talvez seu impulso esteja desregulado e comeu o disco. Espero que não seja isso; mas se for, podemos dar um jeito.

— Não seria o disco ou eu teria um erro I/O — comentou Leslie, o rosto franzido. — Tenho de tomar muito cuidado com as coisas que fazem o programa todo explodir ou meu computador entrará num processo de autodestruição. Como tocar, por exemplo...

E foi nesse instante que ouvimos um barulho impossível, o ranger de pneus no cascalho lá fora. Subindo pelo caminho íngreme e intimidativo, passando por cinco cartazes de *Proibida a Passagem Mantenha-se a Distância em Qualquer Circunstância O Aviso É Para Você*, um carro chegara até nós.

Uma mulher desembarcou, segurando um maço de papéis, atrevendo-se a invadir a nossa preciosa privacidade.

Larguei furioso meu computador e saí pela porta, encontrando-a antes que ela desse cinco passos.

— Bom dia — disse a mulher, polidamente, com um sotaque britânico. — Espero não estar incomodando...

— Está, sim! — gritei. — Por acaso não viu os cartazes? Os avisos de PROIBIDA A PASSAGEM?

Ela ficou paralisada como uma corça olhando para o cano de um rifle de caça.

— Eu só queria lhe dizer... *eles vão cortar todas as árvores, que nunca mais crescerão!*

Ela disparou para a segurança de seu carro. Leslie veio correndo da casa para evitar que a mulher fosse embora.

— Eles vão... quem são eles? — disse ela. — Quem vai cortar todas as árvores?

— O governo — respondeu a mulher, olhando nervosamente para mim por cima do ombro de Leslie. — O Departamento de Administração da Terra. É ilegal, mas vão fazer isso porque ninguém pode impedi-los.

— Entre — disse-lhe Leslie, acenando com a cabeça para mim, na base do *Quieto, King*, como se eu fosse o cão de guarda da família. — Por favor, entre e vamos conversar a respeito.

Foi assim, com os cabelos da nuca arrepiados, que entrei em contato com a Ação Comunitária — um encontro a que eu resistia praticamente desde o momento em que aprendera a andar.

# quarenta

DENISE FINDLAYSON nos deixou com uma pilha de documentos, uma nuvem minguante de poeira pelo caminho e uma sombria sensação opressiva. Será que já não bastavam os problemas com o governo e agora ainda tinha de destruir a própria terra ao nosso redor?

Ajeitei travesseiros na cama, li as primeiras páginas do Relatório de Avaliação do Meio Ambiente sobre a venda de madeira e suspirei.

— Isto parece muito oficial, *wookie*. Ao que tudo indica, escolhemos o lugar errado para construir uma casa. O que acha de vendermos e nos mudarmos mais para o norte? Talvez Idaho? Ou Montana?

— Não é em Idaho que estão fazendo a mineração de carvão a céu aberto? — disse Leslie, sem levantar os olhos do documento em suas mãos. — Não é em Montana que existem as minas de urânio e as flores silvestres radioativas?

— Sinto que você está tentando me dizer alguma coisa. Por que não pomos as cartas aqui na cama e revelamos logo o que estamos pensando?

Ela baixou a cópia do documento governamental.

— Não vamos fugir, a menos que haja necessidade absoluta, antes de descobrirmos o que está acontecendo. Nunca considerou a possibilidade de lutar contra a injustiça?

— Nunca! E você sabe disso. Não acredito na injustiça. Nós provocamos cada evento, cada incidente... não concorda?

— Talvez. Mas por que você provocou este... o governo cortar a floresta um dia depois que nos mudamos? Para ter alguma coisa de que fugir? Ou para ter alguma coisa de que aprender?

Uma amante que é muito esperta, pensei, é uma alegria e às vezes uma chatice.

— O que há para aprender?

— Se quisermos, podemos mudar as coisas, podemos ser muito fortes, podemos fazer muita coisa boa juntos.

Minha mente se desesperou. Ela estava disposta a morrer a fim de mudar as coisas, terminar uma guerra, corrigir os erros que testemunhava ao seu redor. E o que tinha decidido mudar, mudara.

— Você não acabou com o Ativismo Social? Não disse *Nunca mais*?

— Disse, sim. Acho que paguei a minha dívida com a sociedade pelas próximas 10 vidas. E depois que tomaram a KVST, jurei que permaneceria fora de qualquer causa pelo resto desta vida. Mas há momentos...

Senti que ela não queria dizer o que estava dizendo, que procurava por palavras para sugerir o que antes era inadmissível.

— Posso partilhar com você o que aprendi, Richard, mas não o que sei. Se você quiser descobrir o seu poder para o bem, ao invés de bater em retirada, posso sair da aposentadoria. Não tenho a menor dúvida: se quisermos impedir o governo de cortar as árvores que nunca mais crescerão, poderemos impedir. Se é ilegal, podemos impedir. Se não for ilegal, sempre podemos nos mudar para Idaho.

Nada era menos interessante para mim do que convencer um governo a mudar. Pessoas esbanjam suas vidas tentando. Ao final, se vencemos, o que conseguimos é que a burocracia não faça alguma coisa que nem deveria ter tentado, para começar. Não há coisas mais positivas para se fazer do que manter as autoridades dentro da lei?

— Antes de mudarmos, Leslie, talvez valha a pena verificar rapidamente se eles estão fazendo as coisas certas. Solte os computadores em cima. Mas, minha pequena corça, tenho certeza de que não descobriremos o governo dos Estados Unidos violando suas próprias leis.

O sorriso de Leslie era doce ou amargo?

— Também acho.

Naquela tarde, nossos computadores no bosque transmitiram perguntas, tão depressa quanto a luz, para um computador em Ohio, que as transmitiu para um computador em San Francisco, que disparou as respostas para as nossas telas: *Lei federal proíbe a venda e derrubada de madeira não-renovável de terras públicas.* Seguiram-se sumários de 82 casos relacionados.

Mudamo-nos para a frágil floresta do sul de Oregon, estávamos diante de um ataque de estupro e assassinato?

Olhei para Leslie, concordei com a sua conclusão silenciosa. Não havia como ignorar o crime que estava prestes a acontecer.

Quando você tiver um minuto — falei, no dia seguinte, enquanto observávamos nossas telas iluminadas.

Era o nosso código de operador de computador: solicitar atenção e ao mesmo tempo dizer por favor não responda se um movimento errado puder afetar seu trabalho de toda a manhã. Um momento depois, ela levantou os olhos de sua tela e disse:

— Muito bem.

— Acha que foi a própria floresta que nos chamou até aqui? Acha que estava gritando psiquicamente por ajuda, os espíritos das árvores e os guias dos animais selvagens mudando uma centena de coincidências para nos trazer aqui, a fim de lutar por eles?

— É muito poético e provavelmente verdadeiro.

Leslie voltou a se concentrar em seu trabalho. Uma hora depois, eu não podia mais continuar quieto.

— Quando você tiver um minuto...

Poucos segundos depois, o disco do computador de Leslie zumbiu e ela virou-se para mim.

— Muito bem.

— Como eles podem fazer uma coisa assim? O governo está destruindo a própria terra que é obrigado a proteger por lei. É como... *ele está assassinando as árvores*!

— Há uma coisa que terá de aprender, *wookie*. Os governos possuem uma visão quase zero e uma capacidade quase infinita para a estupidez, violência e destruição. Não totalmente, mas uma capacidade quase infinita. O não-tanto ocorre quando as pessoas ficam furiosas o bastante para se colocarem na frente.

— Não é isso o que quero aprender. Por favor, quero descobrir que o governo é sábio e maravilhoso, que os cidadãos não precisam usar os seus tempos pessoais para se defenderem dos líderes eleitos.

— Não queremos... — A mente de Leslie já avançara muito pela estrada, longe de mim. Depois, ela virou-se para me confrontar. — Não será fácil. O que temos aqui não é simplesmente uma floresta, mas o dinheiro grande, o poder.

Ela pôs um documento federal em minha mesa.

— A Agência de Administração das Terras Públicas recebe uma grande parte do seu dinheiro das companhias madeireiras. É paga para *vender* as árvores, não para salvá-las. Portanto, não pense que basta entrar no gabinete do diretor distrital, mostrar as leis violadas, porque ele dirá: "Puxa, lamentamos muito e não faremos mais isso!" Será uma luta longa e árdua. Dias de 16 horas e semanas de sete dias... é isso o que teremos, se quisermos vencer. Mas não vamos iniciar qualquer ação que não tencionemos vencer. Se quer deixar, então que seja agora.

— Não podemos mesmo perder — declarei, pondo um novo disco na minha máquina. — Enquanto a Receita Federal puder confiscar o primeiro esboço de qualquer original saído do meu computador, não há sentido em escrevê-lo. Mas sempre posso escrever um tremendo protesto contra a venda da madeira! O governo não precisará confiscar o que eu escrever... mandaremos pelo correio. O *Conflito das Repartições:* antes que a Receita Federal possa decidir se me arranca todo o dinheiro que tenho, eu o gastarei lutando contra a Administração de Terras Públicas!

Leslie riu.

— Às vezes acredito em você. Talvez não haja mesmo a coisa que chamamos de injustiça.

Nossas prioridades mudaram. Outro trabalho cessou, enquanto estudávamos. Em nossas mesas, no balcão da cozinha, empilhadas em nossas camas, havia milhares de páginas sobre administração de floresta, solos erosíveis, terras de difícil regeneração, proteção de vertentes de água, evolução climática, espécies em perigo de extinção, a sócio-economia da indústria madeireira contra os benefícios da pesca anádroma em locais marginais, proteção de zonas ribeirinhas, coeficientes de transmissão de calor em solos graníticos e leis, leis, leis. Livros de leis. A Lei de Proteção Nacional do Meio Ambiente, a Lei de Política e Administração das Terras Federais, a Lei das Espécies em Extinção, NHPA, FWPCA, AA, CWA, DOI 516M. Leis saltavam das páginas, passavam por nossos dedos, entravam nos computadores; escritas em eléctrons, codificadas e com remissão recíproca, arquivadas em disco após disco, duplicadas em cofres no banco, para o caso de nos acontecer alguma coisa ou à casa em que trabalhávamos.

Quando havia informações suficientes para troca de idéias, começamos a nos reunir com vizinhos. Juntos com Denise Findlayson e Chant Thomas, que haviam lutado praticamente sozinhos antes de chegarmos, pressionamos os outros a ajudarem.

A maioria das pessoas do vale relutava em se envolver... e como eu compreendia o seu pensamento!

Ninguém jamais conseguiu impedir uma venda de madeira do governo — argumentavam. — Não há qualquer meio de evitar uma derrubada, se o governo assim quer.

Contudo, quando as pessoas tomavam conhecimento do que aprendêramos, que transformar florestas em desertos era violar a lei, ficamos com um movimento de Salvem-a-Floresta contando com mais de 700 associados. Nosso refúgio íntimo no meio do mato converteu-se num quartel-general, nossa pequena montanha transformou-se num formigueiro, companheiros entrando e saindo em todas as horas para despejar suas descobertas nos computadores.

Conheci uma Leslie que nunca vira antes: concentração total no problema; sem sorrisos, sem apartes pessoais, um foco obstinado e abrangente. Ela nos dizia, incessantemente:

— Os apelos emocionais não adiantam: "Por favor, não cortem as lindas árvores, não estraguem a paisagem, não deixem os animais morrerem." Isso nada significa para os homens do governo. E a violência também não adianta: "Defenderemos as árvores até o fim, atiraremos em vocês se tentarem destruir a floresta." Isso só servirá para que o exército seja acionado, a fim de proteger a derrubada. Só a ação legal poderá deter o governo. Quando conhecermos a lei melhor do que eles, quando souberem que podemos levá-los aos tribunais e ganhar, quando pudermos provar que estão violando os regulamentos federais, então a derrubada será impedida.

Tentamos negociar com a Agência de Administração da Terra. Leslie disse:

— Não esperem cooperação. Esperem palavras dúbias, defensivismo, não-fazemos-mais-assim. Mas conversar com eles é uma providência que não podemos deixar de tomar.

Ela estava certa, até a última palavra.

— Leslie, não posso acreditar nesta transcrição! Já leu? O diretor da agência em Medford ficou sentado ali e nos disse tudo, em conversa gravada! Escute só!

RICHARD: — Está querendo nos dizer que precisa que uma porção de pessoas se reúnam para fazer o maior clamor contra a derrubada ou não fará a menor diferença o que as pessoas pensam?

DIRETOR: — Se está me fazendo uma pergunta pessoal, posso responder que é isso mesmo.

RICHARD: — Quer receber 400 assinaturas ou quatro mil...

DIRETOR: — Recebemos muitas petições assim. Não faria qualquer diferença.

RICHARD: — Se houvesse 40 mil assinaturas, se toda a população de Medford, Oregon, protestasse contra a venda, isso faria alguma diferença?

DIRETOR: — Não para mim.

RICHARD: — Se fôssemos guardas florestais protestando, daria atenção?

DIRETOR: — Não. Não estou preocupado com o clamor público.

RICHARD: — Gostaríamos de compreender o que o deixa tão certo de que vale a pena continuar com isso, apesar de tanto clamor público.

DIRETOR: — Estamos continuando.

RICHARD: — Alguma vez suspendeu uma venda de madeira por causa de um protesto do povo?

DIRETOR: — Não. Nunca.

Leslie mal piscou, observando a sua tela de computador.

— Ótimo. Ponha isso sob *Falta de Boa Fé*. É o disco 22, depois de *Venda Viola Lei de Proteção Nacional do Meio Ambiente*.

Raramente ela demonstrava raiva contra o nosso adversário. Documentava provas, arquivava-as, preparava o caso para levar aos tribunais.

— E se fôssemos psíquicos e soubéssemos quando e como o diretor morrerá? — eu disse a ela um dia. — Se soubéssemos que ele só tem mais dois dias para viver... que depois de amanhã uma tonelada de troncos rolaria de um caminhão e o esmagaria? Isso faz alguma diferença... a maneira como pensamos a seu respeito neste momento?

— Não.

O dinheiro que a Receita Federal se recusava a aceitar transformou-se em estudos encomendados: *Uma Pesquisa Preliminar da Qualidade da Água do Córrego Grouse, Ravina das Águas, Córrego Mule e Ravina Hanley, Integrando os Sistemas de Vertentes do Rio Little Apple e do Córrego Beaver, no Condado de Jackson, Estado do Oregon; Relatório Sobre os Efeitos Previstos das Atividades de Derrubada de Árvores Dentro da Área Proposta de Venda de Madeira no Córrego Grouse, Zona de Pesca Anádroma; Levantamento Econômico da Venda de Madeira no Córrego Grouse.* E mais oito outros, com títulos igualmente capciosos.

De vez em quando ficávamos parados no alto de nossa colina, contemplando a floresta. Impossível de matar, pensávamos antes. Agora, compreendíamos que era uma frágil família de plantas e animais, vivendo juntos em harmonia, equilibrando-se na lâmina de uma serra, inclinando-se para a extinção pela derrubada absurda.

— Resistam, árvores! — gritávamos para a floresta. — Resistam! E não se preocupem! Prometemos que vamos detê-los!

Em outras ocasiões, quando as coisas eram difíceis, simplesmente levantávamos os olhos de nossos computadores, olhávamos pela janela e murmurávamos:

— Estamos fazendo o melhor possível, árvores.

Os Apples eram para nós como Colts para pistoleiros. A Agência de Administração de Terras concede ao público 30 dias para organizar um protesto contra a venda de madeira, antes que as engrenagens entrem em ação e a floresta seja destruída. Espera receber entre duas e dez páginas veementes de cidadãos, suplicando por misericórdia ambiental. De nós, de nossa organização e seus computadores domésticos, recebeu 600 páginas de fatos documentados, incidentes e exemplos como provas, encadernados em três volumes. Foram enviadas cópias a senadores, deputados e imprensa.

Foi uma batalha constante, em tempo integral, por 20 meses, uma luta encarniçada contra a Agência de Administração de Terras.

Todos os meus aviões foram vendidos. Pela primeira vez em minha vida adulta, semanas passaram e depois meses sem um único vôo de avião, sem que eu deixasse o solo sequer uma vez. Ao invés de olhar para baixo das maravilhosas máquinas livres, eu erguia os olhos para contemplá-las, recordando o quanto voar significara para mim. Então é essa a sensação de ser um animal que não desgruda da terra, pensei. Que coisa horrível!

E de repente, numa quarta-feira, para a certeza sombria de Leslie e o meu espanto total, o governo suspendeu a venda de madeira.

— A venda envolve impropriedades nas regras e procedimentos da agência que não podem ser legalmente sanadas — declarou à imprensa o diretor estadual para o Oregon. — Por causa disso, não tivemos alternativa que não cancelar a venda e rejeitar todas as propostas.

O diretor local da agência não foi mortalmente esmagado por uma tonelada de troncos. Ele e seu gerente de área foram transferidos para outro estado, para outros setores da burocracia.

Nossa comemoração de vitória consistiu de duas frases.

— Por favor, não se esqueça disso — disse-me Leslie, seu computador esfriando pela primeira vez desde que a luta começara. — *Não se pode lutar contra o governo* é propaganda governamental. Quando as pessoas resolvem lutar contra o governo, apenas umas poucas pessoas contra algo gigantesco que está errado, não há nada... *absolutamente nada!*... que possa impedi-las de vencer!

E, depois, ela caiu na cama e dormiu por três dias.

# quarenta e um

EM ALGUM momento, no meio da luta contra a Agência de Administração de Terras, o relógio da Receita Federal bateu meia-noite, sem ser ouvido. A Receita Federal definhara por quase quatro anos sem uma decisão, um ano além do prazo que eu dispunha para dissolver a dívida de um milhão de dólares na falência.

Enquanto a batalha contra a agência se desenvolvia, não podíamos dispensar um minuto sequer para pensar na falência; agora que terminara, não podíamos pensar praticamente em outra coisa.

— Seria divertido, pequena *wook* — comentei, empenhado bravamente na quarta tentativa de preparar uma torta de limão como a mãe de Leslie fazia. — Perderia tudo. E começaria do nada.

Ela pôs a mesa para o jantar.

— Não seria bem assim. A lei de falência diz que você tem permissão para ficar com "as ferramentas necessárias ao seu ofício". E há um mínimo que pode conservar, a fim de não morrer de fome muito depressa.

— É mesmo? Poderíamos ficar com a casa? Um lugar para viver? Deixei a massa bem fina, espalhei sobre a fôrma, pedindo ao espírito-da-massa-de-torta para me ajudar.

— Não com a casa. Nem mesmo com o *trailer*.

— Poderíamos viver nas árvores.

— Não teríamos de chegar a esse ponto. Não se esqueça que a grande estrela do cinema tem as suas economias. Ela não faliria. Mas como você se sentiria... perderia até os direitos a seus *livros*! Como se sentiria se alguém comprasse esses direitos e não desse a menor importância... se alguém permitisse que se produzissem filmes porcarias de seus lindos livros?

Meti a massa no forno.

— Eu sobreviveria.

— Não respondeu à minha pergunta. Mas não precisa se dar ao trabalho. Não importa o que diga, sei como se sentiria. Teríamos de viver frugalmente, poupando cada moeda, na esperança de podermos comprar de volta os direitos.

A perda dos direitos autorais nos assustava, como oferecer nossos filhos em leilão pelo lance mais alto. Mas nós os perderíamos, haveria o leilão, se eu entrasse com o pedido de falência.

— Se eu pedir falência, o governo recebe 30 ou 40 *cents* de cada dólar que eu possuísse, quando poderia receber a dívida integralmente. A Agência de Administração de Terras, tentando efetuar uma venda de madeira ilegal e não conseguindo, custou outra fortuna ao governo. Se isso acontecesse conosco, *wookie*, se testemunhamos apenas uma pequena parte, quantos milhões estão sendo desperdiçados por toda parte? Como o governo pode ser bem-sucedido se faz tanta coisa errada?

— Também tenho pensado nisso, há muito tempo. E finalmente encontrei a única resposta possível.

— E qual é?

— A resistência... incansável e incessante.

Voamos para Los Angeles, tivemos reuniões com advogados e contadores, numa última tentativa de acordo.

— Sinto muito, mas não conseguimos passar além dos computadores deles — disse John Marquart. — Não podemos fazer com que um único ser humano responda às cartas ou atenda a nossos telefonemas. O computador envia formulários. Não faz muito tempo recebemos a comunicação de que uma nova agente foi designada para o caso, uma certa Sra. Faumpire. É a 12ª pessoa a entrar no processo. Querem apostar como ela pedirá uma declaração da situação financeira?

É bastante claro, pensei. Eles estão me forçando à falência. Mesmo assim, tenho certeza de que não existe a injustiça; sei que as vidas são para o nosso aprendizado e entretenimento. Causamos os nossos problemas para testar os nossos poderes... se não tivéssemos estes problemas, haveria outros igualmente desafiadores. Ninguém passa pela escola sem testes. Mas os testes freqüentemente têm respostas inesperadas e de vez em quando uma resposta radical é a única opção certa.

— Eu trabalhava para a Receita Federal, em Washington, quando a lei que você quer usar, dissolvendo as dívidas fiscais federais na falência, foi votada pelo Congresso — comentou um dos consultores, franzindo o rosto. — A Receita Federal detestava o projeto. E quando a lei foi promulgada, juramos que faríamos com que qualquer pessoa que a usasse se arrependesse amargamente.

— Mas se é a lei — disse Leslie — como eles podem impedir as pessoas de usar...

O homem sacudiu a cabeça.

— Estou avisando. Com lei ou sem lei, a Receita Federal cairá em cima de vocês. E vai pressionar por todos os meios possíveis.

— Mas eles *querem* me levar à falência! — protestei. — Só para que nenhum deles tenha de arcar com qualquer responsabilidade!

— Isso provavelmente é verdade.

Olhei para Leslie, percebi a tensão transparecendo em seu rosto. E exclamei:

— Ao diabo com a Receita Federal!

Ela assentiu.

— Quatro anos desperdiçados já são demais. Vamos recuperar as nossas vidas.

Levamos a lista de tudo o que eu possuía ao advogado especializado em falência: casa, *pick-up* e *trailer*, contas bancárias, computador, roupas, carro, os direitos autorais de todos os livros que eu escrevera. Eu perderia tudo. O advogado leu a relação em silêncio e depois disse:

— O tribunal não se interessará em saber quantas meias ele tem, Leslie.

— O livro de falência dizia para relacionar tudo — respondeu ela.

— Não se referia à relação de meias.

Arremessados no limbo pelo Ciclope enorme da Receita Federal por um lado, atacados pela Agência de Administração de Terras do outro, lutáramos incessantemente contra um monstro ou ambos-ao-mesmo-tempo durante os últimos quatro anos.

Nada de contos, romances, roteiros para o cinema, filmes, televisão, representação, produção... nada da vida que levávamos antes que a batalha contra o governo se tornasse a nossa ocupação em tempo integral.

Através de tudo isso, através dos momentos mais difíceis e atribulados que já conhecêramos, o fato mais estranho... é que continuamos mais felizes do que nunca um com o outro.

Tendo sobrevivido ao teste do *trailer*, vivíamos facilmente juntos na pequena casa que construíramos na colina. Nunca nos separávamos por mais que o tempo necessário para fazer compras na cidade.

Eu sabia que ela sabia, mas me descobri a lhe dizer mais e mais que a amava. Caminhávamos de braços dados como namorados pelas calçadas da cidade, de mãos dadas pela floresta. Eu teria acreditado, anos antes, que me sentiria infeliz se andasse a seu lado sem tocá-la?

Era como se o nosso casamento estivesse funcionando ao inverso — ao invés de nos tornarmos mais frios e mais distantes, éramos cada vez mais chegados e apaixonados.

— Você garantia o tédio — ela comentava de vez em quando, provocante.

— Onde está a minha falta de respeito?

— O tédio predominará em breve — dizíamos um ao outro.

O que antes eram medos solenes se transformaram em piadas bobas, que nos faziam rir.

A cada dia, conhecíamos um ao outro sempre mais, nosso espanto e alegria por estarmos juntos aumentava.

Estávamos moralmente casados, já que nossa experiência de exclusividade começara quatro anos antes, quando apostáramos que éramos almas-irmãs.

Legalmente, no entanto, éramos adultos solteiros. Nada de casamento legal enquanto não estiver definido o problema com a Receita Federal, advertira-nos Marquart. Nada de casamento, por favor. Mantenha Leslie ao largo ou ela será apanhada com você na areia movediça.

A falência solicitada, a Receita Federal cortada, estávamos livres por fim para casar legalmente.

Descobri o endereço do cartório de casamento na lista telefônica e o evento foi incluído na lista de Coisas a Fazer para uma tarde de sábado, em Los Angeles.

9:00 — Fazer as malas e deixar o hotel

10:00 — *Drugstore*: óculos escuros, blocos, lápis

10:30 — Casamento

Numa sala modesta, dando para a rua, respondemos às perguntas da juíza de paz. Quando ouviu o nome de Leslie, ela levantou o rosto, olhou atentamente.

— Leslie Parrish... É um nome familiar. Você é alguém importante?

— Não.

A mulher deu de ombros, datilografou o nome no formulário.

No carro da máquina de escrever manual estava preso um pequeno cartaz: *Os cristãos não são perfeitos, apenas perdoados*. Havia outro cartaz pregado na parede: ESTA É UMA ÁREA DE FUMANTES. A sala recendia a cigarros, havia cinzas derramadas pela mesa e pelo chão.

Olhei para Leslie, depois rapidamente para o teto e suspirei. Não havia qualquer aviso na lista telefônica, eu disse a ela, sem usar palavras, de que o lugar seria tão miserável.

— Temos a certidão de casamento comum que custa três dólares — informou a mulher. — Temos a especial, com letras douradas, a seis dólares. E há ainda o modelo de luxo, com letras douradas e cintilantes, ao preço de 12 dólares. Qual vão querer?

Havia uma amostra de cada certidão pregada num quadro de cortiça na parede. Olhamos um para o outro; ao invés de nos dobrarmos de rir, acenamos com a cabeça solenemente. Aquele era um passo legalmente importante que estávamos dando.

Formulamos a palavra um para o outro ao mesmo tempo: SIMPLES. E murmurei:

— A certidão simples está boa.

A mulher não se importou. Pôs a humilde certidão na máquina de escrever, martelou as teclas, assinou, gritou através da sala para chamar tèstemunhas, virou-se para nós.

— Agora, se vocês dois assinarem aqui...

Assinamos.

— O fotógrafo custará 15 dólares.

— Não se preocupe com isso — respondi. — Não precisamos de fotografias.

— O custo da capela é 15 dólares...

— Preferimos não ter cerimônia. De qualquer espécie.

— Sem cerimônia? — A mulher nos fitou com uma porção de perguntas, que não respondi. Ela deu de ombros e acrescentou: — Muito bem. Eu os declaro marido e mulher.

Ela somou as cifras, murmurando:

— Custo das testemunhas... taxa do condado... taxa de registro... o total é 38 dólares, Sr. Bach. E aqui está um envelope para qualquer donativo que queira fazer.

Leslie tirou o dinheiro da bolsa, 38 dólares pelo casamento e mais cinco para o envelope. Deu-me o dinheiro e eu o entreguei à mulher. Tudo assinado, a certidão na mão, minha esposa e eu saímos de lá o mais depressa possível.

No meio do tráfego da cidade, entregamos um ao outro as alianças, abrimos as janelas do carro para soprar a fumaça de nossas roupas. Houve riso durante o primeiro minuto e meio de nossa vida de casados formal. As primeiras palavras de Leslie, como minha esposa legal, foram as seguintes:

— Você certamente sabe como deixar uma mulher emocionada!

— Olhe por outro ângulo, Sra. Parrish-Bach. Não acha que foi memorável? Poderemos esquecer o dia do nosso casamento?

— Infelizmente, não — respondeu Leslie, rindo. — Oh, Richard, como você é romântico...

— A verdade é que 43 dólares não compram romance, minha cara. O romance só se consegue com o modelo de luxo, com aquelas letras douradas cintilantes pelas quais se tem de pagar um extra. E você sabe que temos de ser econômicos.

Fitei-a por um segundo, enquanto guiava.

— Por acaso se sente diferente agora? Sente-se mais casada?

— Não. E você?

— Um pouco. Alguma coisa está diferente. O que fizemos naquele defumador é o que a nossa sociedade reconhece como a Coisa de Verdade. Tudo o que fizemos até agora não faz a menor diferença, as alegrias e lágrimas juntos... o que importa é assinar o papel! Talvez me pareça que há menos uma área em que o governo pode se intrometer com a gente. Quer saber de uma coisa, *wook*? Quanto mais aprendo, menos gosto de governos. Ou acontece apenas com o nosso governo?

— Entre para o clube, meu querido. Eu costumava ficar com lágrimas nos olhos ao contemplar a Bandeira, de tanto que amava o meu país. Tenho sorte de viver aqui, pensava, não devo considerar algo certo, preciso fazer alguma coisa... trabalhar nas eleições, participar do processo democrático!

"Estudei muito e pouco a pouco comecei a compreender que as

coisas não eram exatamente como aprendíamos na escola: os americanos nem sempre eram os mocinhos, nosso governo nem sempre estava no lado da liberdade e da justiça!

"A Guerra do Vietnam estava esquentando. E quanto mais eu estudava... não podia acreditar... Os Estados Unidos suprimindo eleições no país de outros porque sabíamos que não gostaríamos do resultado; a América sustentando um ditador títere; um presidente americano declarando oficialmente que não estávamos lá porque queríamos justiça no Vietnam, mas sim porque queríamos seu *estanho e tungstênio*!

"Sou livre para protestar, pensei. Juntei-me a uma marcha pela paz, uma manifestação legal, não-violenta. Não éramos fanáticos, não éramos saqueadores jogando bombas incendiárias, mas sim os superquadrados de Los Angeles: advogados, médicos, pais, professores, executivos.

"A polícia caiu em cima de nós como se fôssemos cães danados, espancaram-nos até arrancar sangue. Vi guardas baterem em mães com crianças no colo, vi quando derrubaram um homem de uma cadeira de rodas com seus cassetetes, o sangue escorrendo pela calçada! E esta é a cidade de Los Angeles!

"Fiquei pensando: isto não pode estar acontecendo! Somos *americanos* e estamos sendo atacados por *nossa própria* polícia! Eu estava fugindo quando me acertaram e não me lembro praticamente de mais nada. Alguns amigos levaram-me para casa,

Sinto-me contente porque não estava lá, pensei. O eu violento, tão cuidadosamente reprimido, teria ficado cego de fúria.

— Sempre que eu via nos jornais a fotografia de alguém sendo espancado pela polícia — acrescentou Leslie — eu pensava que devia ter feito alguma coisa terrível para merecer aquilo. Naquela noite aprendi que, mesmo aqui, a única coisa terrível que se precisa fazer é discordar do governo. Eles queriam a guerra, nós não queríamos. E por isso nos espancaram!

Eu estava tenso e trêmulo, podia senti-lo nas mãos que seguravam o volante.

— Vocês representavam uma tremenda ameaça para eles, Leslie, milhares de cidadãos respeitadores da lei dizendo não a uma guerra.

— Guerra... Gastamos tanto dinheiro em matança e destruição! Justificamos ao chamar de Defesa, incutindo o medo e o ódio a outros povos, a países de que não gostamos. E se tentam um governo que não aprovamos, se são bastante fracos, nós os esmagamos. A autodeterminação só serve para nós, não para eles. Que tipo de exemplo é esse? Quanto de gentileza e compreensão oferecemos a outros povos? Quanto gastamos com a paz?

— Metade do que gastamos com a guerra?

— Bem que eu gostaria! É a nossa hipócrita mentalidade Deus-e-Pátria que atrapalha. É esse o obstáculo à paz mundial. Joga os povos uns contra os outros. Deus-e-Pátria, Lei-e-Ordem... isso é que nos espancou! Se houvesse algum outro país do mundo para onde pudesse ir, eu costumava pensar, não hesitaria em partir. Mas, por mais arrogante que possa parecer, por mais assustador que seja, este é o melhor país que conheço. E decidi ficar, a fim de tentar ajudá-lo a crescer.

E você o ama ainda por cima, senti vontade de dizer.

— Sabe do que eu mais sinto falta, Richie?

— Do que é?

— De olhar para a bandeira e me sentir orgulhosa.

Ela deslizou no assento do carro para perto de mim, determinada a mudar de assunto.

— Agora que temos o governo fora do caminho, sobre o que mais quer falar no dia do casamento, Sr. Bach?

— Qualquer coisa. Quero mesmo é estar com você.

Mas parte de mim jamais esqueceria. Eles haviam *agredido* aquela mulher maravilhosa *quando ela estava fugindo*!

O casamento legal foi outro passo comprido para longe da pessoa que eu era antes. O Richard que detestava obrigações tinha agora uma obrigação legal. O Richard que desprezava os vínculos do matrimônio estava agora legalmente vinculado.

Experimentei esses rótulos em mim, rótulos que há quatro anos se ajustariam como um colar de espinhos e um chapéu de cinzas. Você é um *Marido*, Richard. Você está *Casado*. Passará o resto de sua vida com uma única mulher, esta que se encontra a seu lado. Não pode mais levar a sua vida exatamente como lhe aprouver. Renunciou à sua independência. Renunciou à sua liberdade. Está legalmente Casado. Como se sente?

Qualquer uma dessas coisas seria uma estaca cravada em meu coração, uma flecha de aço disparada através de minha armadura. A partir daquele dia, eram verdadeiras, todas elas, parecia um ataque suave de creme.

Fomos para a casa de meus pais, numa comunidade suburbana, o lugar em que eu vivera desde garoto até o dia em que saíra para voar. Parei o carro no único caminho que era familiar ao eu-então, até onde podia me lembrar.

Lá estava a mesma nuvem verde-crepúsculo de eucaliptos por cima, lá estava o gramado que eu aparava tão pouco quanto era humanamente possível. Lá estava a garagem de teto plano onde eu apontara para a lua a minha primeira luneta de fabricação própria, lá estava a hera no muro em torno do quintal, lá estava o mesmo portão branco, com suas aberturas para um cachorro há tanto tempo morto.

— Como eles ficarão surpresos!

Leslie estendeu a mão, os dedos tocaram o portão. Fiquei paralisado nesse instante, o tempo parou. A mão dela na madeira, a aliança nova reluzindo dourada, a cena explodiu em minha mente, fazendo desaparecer 30 anos num piscar de olhos.

O garoto adivinhara tudo! O garoto que era eu parara naquele portão e soubera que a mulher que ele nascera para amar estaria um dia ali. Não era um portão no espaço, naquele momento, a madeira branca era um portão no tempo. Pela fração de um segundo eu o vi, parado no escuro daquele passado distante, olhando boquiaberto para a visão de Leslie radiante ao sol. O garoto sabia!

Minha esposa abriu o portão, correu para abraçar meu pai e minha madrasta.

O garoto se tornou transparente e desapareceu, os olhos esbugalhados de espanto, a boca ainda aberta. O momento se foi.

Não esqueça!, gritei silencioso, através das décadas. *Jamais esqueça este momento!*

# quarenta e dois

ENQUANTO NOS despíamos, naquela noite, no quarto do hotel, falei a Leslie do portão, como minha vida fora abalada tantos anos antes pelo contato mais leve com a madeira. Ela escutou, ajeitando e alisando a blusa, impecavelmente, num cabide.

— Por que teve de me manter a distância por tanto tempo? — perguntou ela. — De que tinha medo?

Larguei a camisa na cadeira por um momento, quase esquecendo de ser tão meticuloso quanto ela, depois peguei um cabide.

— Tinha medo de mudar, é claro. Estava protegendo meu conhecido, minha rotina quase-certa.

— E daí a armadura?

— As defesas. Isso mesmo.

— Defesas... Quase todos os homens que conheci se achavam enterrados em defesas. E por isso até os mais bonitos eram desprovidos de atrativos!

— Eles a afastaram. Eu também.

— Você, não. — Quando protestei com fatos, ela admitiu: — Você quase me repeliu. Mas eu sabia que a coisa fria na minha frente não era você.

Puxei-a para a cama, respirei seus cabelos dourados.

— Que corpo maravilhoso! Você é tão... impossivelmente adorável e é minha *esposa*! Como essas coisas podem combinar?

Beijei-a no canto da boca, de leve.

— Adeus, hipótese!

— Adeus?

— Eu tinha uma hipótese, quase uma teoria, já bem adiantada, antes que você interrompesse a minha pesquisa: *mulheres lindas não se interessam muito por sexo.*

Ela riu de surpresa.

— Oh, Richard, não pode estar falando sério! Jura?

— Juro.

Eu me encontrava no meio de pressões contrárias. Queria conversar com ela e ao mesmo tempo queria tocá-la. Há tempo para as duas coisas, pensei, tempo para as duas coisas.

— Sabe o que está errado em sua hipótese, Richard?

— Acho que nada. Há exceções e você é uma delas, graças ao Criador. Mas geralmente é verdade: as mulheres lindas ficam tão cansadas de serem encaradas como objetos sexuais, quando sabem que importam muito mais do que isso, que se desligam.

— Uma boa hipótese, mas não é nada disso.

— Por que não?

— Não passa de uma bobagem machista. Vire ao contrário. "Tenho uma teoria, Richard: os homens bonitos não se interessam muito por sexo."

— Mas que absurdo! Onde está querendo chegar?

— Preste atenção: "Sou defendida como uma fortaleza contra os homens bonitos, sou fria com eles, mantenho-os a distância, não deixo que se tornem parte da minha vida e parece sempre que eles não *gostam* tanto de sexo quanto me agradaria..."

— Não é de admirar! — Numa explosão de conjeturas estilhaçadas, compreendi o que ela estava dizendo. — Não é de admirar! Se não fosse tão fria com eles, *wook*, se se abrisse um pouco, deixasse que os homens soubessem como se sente, o que pensa... nenhum de nós, homens realmente bonitos, quer ser tratado como uma máquina sexual, no final das contas! Mas se uma mulher mostra um pouco de calor, há uma história diferente!

Ela chegou o corpo para mais perto do meu.

— Qual é a moral desta história, Richard?

— *Onde a intimidade não existe, não se tem o melhor sexo.* É essa a moral, professora?

— Mas que sábio filósofo você está se tornando!

— E se alguém aprendeu isso, se encontrou uma pessoa a quem amou, admirou e respeitou, por quem passou a vida procurando, pode desfrutar a mais ardente de todas as camas? E mesmo que a pessoa encontrada seja uma mulher muito bonita, descobriria que ela pode gostar intensamente de sexo, apreciar os doces prazeres carnais tanto quanto ele?

— Tanto quanto! — Leslie riu. — Ou mais até!

— Oh, não, professora!

— Se você pudesse ser uma mulher, garanto que ficaria surpreso.

Nós, recém-casados, nos acariciamos e conversamos através de uma noite que fez o desmoronar de muralhas, ruir impérios, confrontar com o governo e mergulhar na falência... que fez tudo isso parecer insignificante. Uma noite entre muitas, erguendo-se do passado, transpondo o presente, projetando-se para o futuro.

O que importa mais em cada vida que escolhemos?, pensei. Pode ser tão simples quanto a intimidade com a pessoa que amamos?

Exceto pelas horas quando estivéramos furiosos um com o outro no deserto ou desabando de fadiga sobre os computadores, havia uma aura de sexo pairando sobre tudo o que fazíamos. O relance de um olhar, um rápido sorriso, um contato de passagem, todas essas coisas eram eventos bem acolhidos entre nós durante o dia inteiro.

Um motivo pelo qual eu sempre procurava começos, anos atrás, era que detestava os finais, detestava o desvanecimento das sutis cargas elétricas do sexo. Para minha satisfação, as voltagens não se reduziam com aquela mulher. Minha esposa tornava-se cada vez mais bonita, cada vez mais adorável de ver e tocar.

— Não acha que é tudo subjetivo? — murmurei, perdido em curvas e luz dourada.

— É, sim — respondeu ela, sabendo o que eu pensava.

Não havia técnica para a nossa telepatia, simplesmente acontecia, com freqüência, de conhecermos o pensamento um do outro.

— Outra pessoa poderia nos olhar e dizer que não mudamos, Richard, que ainda somos os mesmos. Mas há alguma coisa em você que se torna mais e mais atraente para mim!

Exatamente, pensei. Se não estivéssemos mudando, um para o outro, ficaríamos entediados!

— Já terminamos o nosso começo, Leslie? Ou continuará assim para sempre?

— Lembra o que disse a gaivota em seu livro? Talvez seja onde você se encontra: *Agora você está pronto para voar e começar a compreender o significado da bondade e do amor.*

— Ele não disse isso. Disseram a ele.

Leslie sorriu.

— E agora está sendo dito a você.

## quarenta e três

O TRIBUNAL DE falência permitiu-nos ficar em nossa pequena casa, como zeladores, por algum tempo, enquanto procurávamos uma residência para alugar. Algum lugar mais ao norte, algum lugar barato. E veio o momento de deixarmos o Vale Little Applegate.

Juntos nos despedimos. Adeus mesa e adeus protesto contra a venda de madeira. Adeus cama sob a clarabóia, onde contemplávamos as estrelas antes de dormirmos. Adeus lareira com as pedras que carregáramos, uma a uma. Adeus casinha aconchegante. Adeus jardins que Leslie imaginara numa realidade florida, preparara, cavara, plantara e protegera. Adeus florestas e animais que amamos e lutamos para salvar. Adeus, murmuramos.

Quando chegou o momento de partir, ela enterrou o rosto em meu peito, a coragem se dissolvendo em lágrimas.

— Nosso jardim! — soluçou ela. — Eu amo nosso jardim! E amo nossa casinha, nossas árvores, nossa família de cervos e o sol subindo sobre a floresta...

Leslie chorava como se nunca mais fosse parar. Abracei-a, afagando seus cabelos.

— Está tudo bem, *wookie*, está tudo bem... É apenas uma casa. O lar somos nós. Onde quer que estejamos... algum dia construiremos outra casa, melhor do que esta, seus jardins estarão por toda parte, árvores frutíferas, tomateiros e flores, muito mais do que sonhamos aqui. E encontraremos outras árvores e animais para viverem ao nosso redor. Prometo que o lugar para onde vamos será ainda mais bonito!

— Mas eu adoro *este* lugar, Richie!

Ela soluçava mais e mais fundo dentro de si, até que a ajudei a entrar no carro e fomos embora. O vale em que vivêramos ficou para trás, sumiu de vista.

Não chorei, pois tínhamos um acordo tácito — somente um dos dois se descontrolava de cada vez, um dos dois se entregava à exaustão ou doença, um dos dois se tornava desesperado e dependente. Guiei o carro em silêncio e finalmente, depois de tanto chorar, Leslie adormeceu em meu ombro.

Estamos finalmente livres, pensei, virando para o norte, na Interestadual. Podemos começar de novo e não será do nada. Começaremos sabendo de tudo o que aprendemos pelo caminho! Princípios de amor, orientação, apoio e cura estão trabalhando para nós, mesmo agora.

A falência, perda dos direitos autorais, todas essas coisas podem parecer um desastre injusto, Richard. Mas sabemos que é melhor não acreditar nas aparências, não é mesmo? Esta é a nossa oportunidade de nos apegarmos fortemente ao que é, apesar do que parece.

Ficha limpa, sem vínculos, sem âncoras — eu acabara de receber a oportunidade de provar o poder do meu tão confiado Invisível! É a Lei Cósmica, pensei, indissolúvel: A *vida nunca abandona a vida.*

Levantar-se das ruínas da riqueza é como elevar-se de uma masmorra num balão. Paredes escuras e inóspitas caíram ao nosso redor; os anos mais difíceis, atribulados e desafiadores ficavam para trás. Contudo, dentro daquelas paredes crescera a resposta luminosa para a minha busca... eu encontrara a única pessoa que importava mais para mim do que qualquer outra no mundo, a procura inquieta de décadas finalmente chegara ao fim.

Este é o momento, enquanto as colinas do Oregon desaparecem no crepúsculo, em que qualquer escritor sussurraria:

— Fim.

## quarenta e quatro

FOMOS MAIS para o norte, começando numa casa alugada com o dinheiro de Leslie, que ela insistia agora em dizer que era o nosso dinheiro. Como era estranho não ter um único *cent* meu!

Ela era tão prudente e cuidadosa quanto eu fora pródigo. Prudência, parcimônia — qualidades que não constavam da minha lista de requisitos para uma alma-irmã. Contudo, é a previsão que espero do universo: uma pessoa de um par encantado deve sempre fornecer aquilo de que a outra possa carecer.

O que me fizera falta, desde o momento do primeiro ataque de um rendimento peso-pesado, fora a simplicidade. A menos que a pessoa esteja preparada de antemão para o choque, a riqueza súbita a enterra num emaranhado de confusões múltiplas entrelaçadas e opressivas. A simplicidade, como mercúrio, desaparece quando é espremida. Agora, a simplicidade timidamente bateu na soleira onde antes existia a porta.

"Oi, Richard. Não pude deixar de notar que seu dinheiro se foi. Tem contemplado o céu recentemente? Olhe só para aquelas nuvens! Observe o que acontece quando Leslie planta flores, mesmo num jardim alugado! E não é lindo contemplar sua esposa a trabalhar no computador dela?"

Era mesmo lindo. Nos dias quentes, Leslie vestia as roupas mais simples: uma calça branca de lonita, uma blusa de gaze, para trabalhar ao meu lado, em nosso pequeno escritório. Era um prazer lúbrico o simples ato de me virar para ela e perguntar como se escrevia alguma palavra. Como eu adorava a simplicidade!

Mas nem todas as pressões haviam desaparecido. Chegou finalmente o momento em que o síndico da massa falida, incumbido de liquidar todos os meus bens anteriores, enviou o comunicado de que estava pronto para receber lances pelos direitos autorais dos meus livros. Eram sete que estavam à venda. Como qualquer outra pessoa, poderíamos fazer um lance, se assim quiséssemos.

Nossos papéis se inverteram. Eu estava cauteloso; Leslie se mostrava subitamente perdulária, depois de meses de espera.

— Não vamos oferecer muita coisa — sugeri. — Três dos livros estão fora de catálogo. Quem pode oferecer um bom dinheiro por eles?

— Não sei. Mas não quero correr riscos. Acho que devemos oferecer todo o dinheiro que possuímos.

Prendi a respiração.

— Todo? E como pagaremos o aluguel, como continuaremos a viver?

— Meus pais disseram que nos emprestariam dinheiro, até nos recuperarmos.

Leslie demonstrava uma determinação inabalável.

— Não vamos tomar dinheiro emprestado, por favor. Posso voltar a trabalhar. Acho que tenho um novo livro a escrever.

Leslie sorriu.

— Também acho. Lembra quando disse que sua missão estava concluída? Lembra quando me falou que podia morrer a qualquer momento porque já dissera tudo aquilo que nascera para dizer?

— Eu estava sendo um tolo. Mas não tinha então qualquer outra coisa por que viver.

— E tem agora?

— Claro.

— Pois não se esqueça disso. Se você morrer, haverá dois corpos no chão! Não continuarei por aqui se você for embora.

— Pois haverá dois corpos esticados bem depressa se você insistir em gastar o dinheiro da comida com direitos autorais!

— Daremos um jeito. O que não podemos permitir é a perda de sete livros seus sem qualquer tentativa de salvá-los.

Chegamos a um acordo por volta de meia-noite. Ofereceríamos todo o nosso dinheiro e tomaríamos emprestado dos pais de Leslie para continuarmos a viver. E na manhã seguinte, antes que eu pudesse convencê-la de que era demais, Leslie encaminhou a proposta ao síndico.

O síndico enviou avisos a outros possíveis concorrentes: Podem oferecer mais do que esta proposta pelos direitos autorais?

O *suspense*, em nossa casa alugada, podia ser cortado com um machado.

Semanas depois, um telefonema. Leslie subiu correndo para atender. E, depois, gritou:

— *Wookie*! Conseguimos! Conseguimos! Os livros são nossos outra vez!

Abracei-a, apertando até deixá-la sem fôlego, gritamos, pulamos e rimos. Eu não imaginara que era tão importante para mim que nossos filhos de papel voltassem para casa.

— Qual foi o lance mais próximo, Leslie?

Ela se mostrou contrafeita.

— Não houve outros lances.

— Ninguém mais apresentou uma proposta?

— Ninguém.

— Nem mesmo perto? Hurra!

— Não há motivo para hurras.

— Não?

— Você estava certo. Não deveríamos ter oferecido um lance tão alto. Esbanjei o nosso dinheiro de comida pelos próximos 100 anos.

Tornei a abraçá-la.

— Não foi bem assim, pequena *wookie*. O que aconteceu é que sua proposta foi tão intimidativa que ninguém mais se atreveu a dar um lance. Se você oferecesse menos, os outros entrariam na disputa e ganhariam por um níquel a mais.

Leslie prontamente se animou e uma estranha luz se projetou sobre o nosso futuro.

## quarenta e cinco

DURANTE AQUELES meses, a aviação se encontrava em efervescência com a revolução da aeronave de baixo custo. A primeira história que escrevi em minha tábua limpa proporcionou dinheiro suficiente para comprarmos comida e um *kit* de ultraleve, uma máquina voadora de uma companhia chamada Pterodáctilo Ltda. Assim que eu soube do nome, gostei da companhia. Além do mais, a Pterodáctilo fabricava o melhor ultraleve para o que eu queria: Voar de novo sobre campos e pastagens, olhando para as nuvens por baixo do ar aberto, pelo puro prazer.

Que satisfação trabalhar outra vez com as mãos, construindo aquela máquina! Tubo de alumínio e cabo de aço, parafusos e rebites, um motor que era um quarto do tamanho do velho Kinner do Fleet. Terminei em um mês, lendo o livro de instruções, passo a passo, acompanhando as fotos e desenhos na caixa da fábrica.

— Mas que coisinha linda! — comentara Leslie, quando vira pela primeira vez as fotografias do Pterodáctilo.

Ela repetiu, em letras maiores, quando o nosso ficou pronto na relva, uma edição gigantesca de um avião de modelo de criança, balançando como uma libélula de seda e metal.

É tão simples!, pensei. Por que esta máquina não foi inventada há

40 anos? Não tinha importância. Fora inventada agora, bem a tempo para pessoas com pouco dinheiro e muita vontade de alçar vôo outra vez.

Com o maior respeito pela coisa desconhecida, depois de muita prática de taxiar, de muitos vôos de 10 segundos num pasto emprestado, finalmente dei todo o empuxo e a pipa a motor elevou-se da relva, cores como um Espírito do Vôo chama-e-sol, seguindo para casa. O presidente da companhia deu-me um macacão para acompanhar o aparelho... e naquela época do ano, sem uma carlinga, fazia mesmo muito frio.

Lá no céu, o ar! Vento e calmaria, montanhas e vales, relva, terra, chuva, ar doce gelado, passando por mim novamente! Eu parara de contar as horas de vôo em oito mil, parara de manter o registro dos tipos de avião em que voara ao chegar a 125. Contudo, aquele me proporcionava um prazer maior de estar no ar do que qualquer outro que já voara.

Exigia cautelas especiais — não se podia absolutamente voar com tempo ruim, por exemplo — mas com tempo bom não havia nada que se pudesse comparar em termos de satisfação. Encerrado o vôo do dia, o Pterodáctilo dobrava as asas, entrava numa bolsa comprida, ajeitada no teto do carro, voltava para casa e dormia no quintal.

A única coisa errada com o aparelho era que só transportava uma pessoa; eu não podia partilhar o vôo com Leslie.

— Não se preocupe — disse ela. — Também estou lá em cima quando você voa. Posso olhar para baixo e me ver acenando quando você passa por cima!

Ela sentou no ultraleve, ligou o motor, meteu os cabelos no capacete, taxiou a pipa motorizada pelo pasto para se divertir, prometendo voá-la quando tivesse tempo.

Deve ter sido a exultação do vôo daquele primeiro mês, mas uma noite, não muito depois, tive um sonho insólito:

*Voei o Pterodáctilo, que tinha dois lugares ao invés de apenas um, por cima de uma ponte prateada enevoada, indo pousar numa encosta de campina verde, junto a algum enorme local de reunião, um auditório ao ar livre. Entrei, ainda usando o macacão colorido, sentei-me e esperei, o queixo sobre os joelhos. Nunca tivera um sonho, pensei, em que apareço cedo para alguma coisa que ainda não se encontra pronta para acontecer. Um ou dois minutos depois, houve um som atrás de mim.*

*Virei-me e o reconheci imediatamente. Reconheci-me. Um eu anterior,* parecendo perdido, um eu de cinco anos passados, protegido com anseios convertidos em escudos, especulando que lugar poderia ser aquele.

Experimentando um estranho prazer por ver o homem, fui logo dominado com um amor por ele. Contudo, senti pena dele no mesmo instante; o homem se encontrava desesperadamente sozinho e deixava transparecer. Queria muito perguntar e se atrevia a conhecer muito pouco. Levantei-me e sorri para ele, lembrando. Ele era um terror em questões de horário, nunca se atrasava.

— Oi, Richard — falei, tão jovialmente quanto podia. — Não apenas pontual, mas até um pouco cedo, não é mesmo?

Ele estava contrafeito, tentando me situar. Se não tem certeza, pensei, por que não pergunta?

Levei-o para fora, sabendo que ele se sentiria mais à vontade perto do aeroplano.

Eu tinha as respostas a todas as suas perguntas, respostas para sua angústia e isolamento, correções para os seus erros. Contudo, as ferramentas que operavam maravilhas em minhas mãos seriam ferros em brasa nas dele. O que eu podia dizer?

Mostrei-lhe o aeroplano, falei sobre os controles. Engraçado, pensei. Falo a ele sobre voar, quando sou eu quem não voou qualquer coisa além do ultraleve em anos. Ele pode ser solitário, mas é um piloto de avião muito melhor do que eu.

Depois que ele se acomodou em seu assento, gritei cuidado com a hélice e liguei o motor. Era tão quieto e diferente que ele esqueceu por que resolvera me encontrar, esqueceu que o aeroplano era o cenário e não o foco do nosso sonho.

— Pronto? — perguntei, antes da decolagem.

— Vamos.

Como eu poderia descrevê-lo? Ânimo, pensei. O homem está passando pela tortura enganosa do dinheiro súbito, o que faz a um inocente e seus amigos. Agora, tudo está explodindo ao seu redor, seu mundo desmorona. Contudo, neste momento, ele é um garoto com um brinquedo, gosta muito de aeroplanos. Como é fácil ter compaixão, pensei, quando é a nós mesmos que vemos em dificuldades.

A 300 metros de altitude, tirei as mãos dos controles e disse a ele:

— Pode assumir.

Ele voou com facilidade, cauteloso, num aparelho como nunca imaginara.

Eu sabia que era de certa forma o meu espetáculo, aquele sonho, que ele esperava por mim para dizer-lhe alguma coisa. Ainda assim, o homem estava tão certo de que aprendera tudo o que tinha para aprender! Eu podia senti-lo todo tenso, pronto para rejeitar o próprio conhecimento que o libertaria.

— Podemos desligar o motor? — ele perguntou, acima do vento.

Como resposta, apertei o botão no manete. A hélice diminuiu a velocidade e parou, o aparelho se transformando num planador.

Ele não resistia a aeroplanos novos.

— Mas que aparelho perfeito! — exclamou. — Como posso conseguir um?

Uns poucos minutos de vôo e ele já se mostrava disposto a sair correndo para comprar um Pterodáctilo. Tinha o dinheiro para isso; podia comprar uma centena de Pterodáctilos, exceto pelo fato de que no seu tempo ainda era uma idéia invisível, não chegava a ser sequer um desenho no papel.

Comprar não seria a maneira como ele obteria aquele; e esse era o meu caminho, minha abertura para falar através de suas defesas contra a mudança.

Pedi que me dissesse o que sabia, o que era aquele aeroplano e quem era o sujeito de macacão que o pilotava. Não fiquei surpreso quando ele me disse, precisava apenas que lhe fosse perguntado.

Depois de algum tempo, absorvido no vôo, eu lhe disse claramente que tinha as respostas que ele procurava, mas sabia que ele não escutaria.

— Tem certeza que não escutarei?

— Escutará?

— Em quem posso confiar mais do que em você?

Em Leslie, pensei. Mas ele riria ao ouvir isso, não chegaríamos a parte alguma.

— É o que você veio aqui para aprender. É o que vai fazer. A resposta que procura é renunciar à sua Liberdade e à sua Independência e casar com Leslie Parrish. O que encontrará em troca é um tipo diferente de liberdade, tão maravilhosa que nem pode imaginar...

Ele não ouviu mais nada depois que falei no casamento com Leslie; quase caiu do aparelho, de tão espantado.

Ainda lhe resta um longo caminho a percorrer, pensei, enquanto ele engasgava e ofegava. E o fará em apenas cinco anos. Um filho da puta teimoso e fechado, mas basicamente gosto dele. E vai realmente conseguir, pensei... ou será que não? Este pode se tornar a voz do desastre do planador ou da fuga para Montana? Este se encontra diante de um futuro que falhou?

Sua própria solidão, tão bem defendida, era a minha esperança. Quando falei sobre Leslie, ele escutou atentamente, até que engoliu e aceitou um pouco da verdade sobre o seu futuro. Saber a respeito dela pode tornar a *sobrevivência mais fácil para ele, pensei, mesmo que esqueça as palavras e as cenas. Virei o aparelho para o norte.*

*Ela estava esperando quando pousamos, vestida como se mostrava para os dias íntimos em casa. Ele teve um sobressalto ao contemplá-la; a visão de Leslie dissolveu uma tonelada de ferro em menos de um segundo. Que força tem a beleza!*

*Leslie tinha alguma coisa pessoal para dizer a ele. Por isso, remexi-me no sono, desvaneci e despertei anos depois do que ele despertaria do mesmo sonho.*

Assim que abri os olhos, a história se evaporou, dissipou-se como vapor no ar. Um sonho aéreo, pensei. Como sou afortunado por ter tantos sonhos aéreos! Alguma coisa especial naquele, porém... o que era? Eu investia em diamantes brutos, voava para algum lugar com uma caixa de diamantes, sementes ou algo parecido, quase deixava caírem do avião? Um sonho de investimento. Alguma parte do meu subconsciente pensa que ainda tem dinheiro? Talvez ainda de alguma coisa que ignoro.

Escrevi num bloco de anotações: *Por que não sonhos auto-induzidos para viajar, ver e aprender qualquer coisa que desejemos aprender?*

Fiquei quieto, observando Leslie dormir, o amanhecer luzindo naqueles cabelos dourados, espalhados descuidados pelo travesseiro. Por um momento, ela ficou tão imóvel... *e se estivesse morta*? Ela respira tão ligeiramente, não dá para dizer. Está mesmo respirando? *Não, não está!*

Eu sabia que estava brincando comigo mesmo, mas que alívio, que súbita alegria, quando ela se mexeu suavemente no sono, naquele instante, exibindo o mais tênue dos sorrisos de sonho!

Eu passara minha vida procurando por aquela mulher, pensei. Disse a mim mesmo que aquela era a minha missão, ficar junto dela novamente.

Eu estava enganado. Encontrá-la não era o objetivo da minha vida, mas um incidente imperativo. Encontrá-la permitia que minha vida começasse.

O objetivo é: Agora O QUÊ? O que vocês dois aprenderão sobre o amor? Já mudei muito, pensei, e ainda mal começou.

As verdadeiras histórias de amor nunca têm finais. A única maneira de descobrir o que acontece em felizes-para-sempre com uma companheira perfeita é vivermos pessoalmente. Há romance, é claro, o prazer sensual de desejo virando amor.

E depois o quê?

Depois dias e meses de conversa incessante, recuperando o tempo perdido depois de séculos de separação — o que você então, o que pensou, o que aprendeu, como está mudando?

E depois o quê?

Quais são os seus mais íntimos sonhos esperanças desejos, seus mais desesperados se-ao-menos convertidos em realidade? Qual a vida mais impossivelmente bela que você pode imaginar e aqui está a minha, as duas se ajustam como sol e lua em nosso céu e juntos podemos fazer com que se tornem realidade!

E depois o quê?

Tanta coisa a aprender juntos! Tanta coisa a partilhar! Línguas e representação, poesia e teatro, programação de computador, física e metafísica, parapsicologia, eletrônica, jardinagem, falência, mitologia, geografia, cozinhar, história, pintura, economia, escultura em madeira, música e história da música, voar, velejar e a história da vela, ação política, geologia, conforto, árvores e animais nativos, morrer e morte, arqueologia e paleontologia, astronomia e cosmologia, escrever, metalurgia, tiro ao alvo, fotografia, construção de casa, investimento, impressão, dar e receber, *windsurf*, amizade com crianças, envelhecimento, poupar os recursos da terra, acabar com as guerras, cura espiritual e cura psíquica, intercâmbio cultural e produção cinematográfica, células fotovoltaicas, microscopia e energia alternativa, como jogar, como discutir e maquilar, como surpreender, deliciar, vestir, chorar, tocar piano, flauta, guitarra, ver além da aparência, lembrar outras vidas, passadas e futuras, descobrir respostas, pesquisar e estudar, coletar, analisar e sintetizar, servir e contribuir, falar e escutar, ver e tocar, viajar pelo tempo e encontrar outros nós, criar mundos de sonhos e ali habitar, mudar.

Leslie, em seu sonho, sorriu.

E depois o quê?, pensei. E depois mais, sempre mais para aprender. Aprender, praticar, devolver a outros porcos-vida, lembrá-los de que não estamos sós.

E depois o que, depois que vivemos nossos sonhos, quando estamos cansados do tempo?

E depois... Vida, É!

Lembrar? Lembrar EU SOU! E VOCÊ É! E AMAR; É TUDO; QUE IMPORTA!

Isso e-depois-o-quê!

É por isso que as histórias de amor não têm finais! Não têm finais porque o amor nunca termina!

E depois, na manhã, de uma vez só, pelo espaço de uma centena de segundos, descobri como simplesmente Tudo-Que-É se reúne. Peguei bloco de anotações na mesinha-de-cabeceira, escoei esses segundos pela ponta preta de feltro, letras enormes e excitadas:

A *única realidade é* Vida!

Vida *aciona consciência livre para escolher não-forma ou infinitos múltiplos de trilhões de formas, qualquer forma que possa imaginar.*

A mão tremia e disparava, as palavras derramavam-se sobre a folha pautada em linhas azuis.

A *percepção pode perdoar a si mesma, se quer esquecer. Pode inventar limites, começar ficções; pode simular galáxias, universos e multiversos, buracos-negros buracos-brancos grandes-explosões e estados-firmes, sóis e planetas, planos astrais e físicos. Qualquer coisa que imagina, vê: guerra e paz, doença e saúde, crueldade e bondade.*

A percepção pode moldar-se tridimensional numa garçonete transformada em profeta de Deus; pode ser uma margarida, um espírito-guia, um biplano numa campina; pode ser um aviador que acaba de despertar de um sonho, amando o sorriso de sua esposa adormecida; pode ser a gata Dolly em pleno pulo para a cama impaciente onde POR FAVOR está a comida esta manhã?

E *a qualquer instante que queira, pode lembrar quem é, pode lembrar a realidade, pode lembrar o* Amor. *Naquele instante, tudo muda...*

Dolly agachada, olhos azuis invisíveis por trás da máscara cor de chocolate, saltou, esbarrou na linha de tinta da minha caneta, derrubou-a da folha.

— Dolly, não! — sussurrei, furioso.

Não vai me dar a comida de gato? Pois comerei a sua caneta...

— Dolly, não! Saia! Saia!

Não a sua caneta? Então comerei sua MÃO!

— *Dolly!*

— O que está acontecendo com vocês dois?

Leslie, desperta para o tumulto, moveu os dedos sob o cobertor. Um centésimo de segundo e a pequena criatura virou-se para atacar, 20 garras afiadas em fogo rápido sobre a nova ameaça aos filhotes.

— Dolly A Filhoteira está sugerindo que iniciemos o dia — comentei, suspirando, por cima da tempestade da batalha.

A maior parte do que eu sabia subitamente estava segura em tinta.

— Já está bem desperta, *wook*? — indaguei. — Acabei de ter uma idéia extraordinária e se está bem desperta quero lhe contar...

— Pode contar.

Ela afofou um travesseiro sob a cabeça, evitando uma investida de Dolly, no puro acaso de Angel a Outra Gata entrar inocente no quarto naquele momento, um novo alvo para Dolly ameaçar e atacar.

Li as anotações como acabara de escrever, as frases ricocheteando umas sobre as outras, gazelas saltando por cercas altas. Terminei em um minuto e levantei os olhos.

— Anos atrás, tentei escrever uma carta para um eu mais jovem, *Coisas Que Eu Gostaria de Saber Quando Era Você*. Ah, se pudéssemos transmitir ISTO aos garotos que fomos!

— Não seria divertido sentar numa nuvem e observá-los encontrar um caderninho de anotações nosso, com tudo o que aprendemos?

— Seria triste, de certa forma.

— Por que triste?

— Tanta coisa boa, esperando para acontecer, e eles não podem encontrar um ao outro até agora ou até cinco anos atrás...

— Pois então vamos lhes dizer! Escreva aí: "Agora, Dick, você liga para Leslie Maria Parrish, que acaba de se mudar para Los Angeles, sob contrato com a Twentieth Century-Fox, seu telefone é CRestview seis-dois-nove-nove-três..."

— E que mais? — murmurei. — Mando ele dizer "É a sua alma-irmã que está ligando?" Leslie já era uma pequena estrela! Os homens viam seus filmes e se apaixonavam por ela! Leslie vai convidá-lo para almoçar, um garoto prestes a fugir de seu único ano na universidade?

— Se ela for esperta, dirá: vamos sair de Hollywood depressa!

Suspirei.

— Nunca daria certo. Ele tem de entrar na Força Aérea, pilotar caças, casar e divorciar, desenvolver quem está começando a ser e o que começa a conhecer. Ela tem de fazer e acabar com seu próprio casamento, aprender por si mesma sobre negócios, política e poder.

— Pois então deixemos uma carta para ela. "Cara Leslie, você receberá um chamado de Dick Bach, que é sua alma-irmã. Assim, trate-o bem, ame-o sempre..."

— "Sempre", *wook*? Sempre é...

Imagens de sonhos esquecidos, fragmentos de vidas perdidas em passados e futuros brilharam como *slides* coloridos por trás de meus olhos, clique, clique, clique...

A mulher na cama neste momento, esta pessoa para quem posso agora estender a mão, tocar em seu rosto, é a mesma que foi morta comigo no massacre na Pensilvânia colonial, *a mesma mulher*, a querida mortal para quem fui espírito-guia uma dúzia de vezes e que tem sido guia para mim; é a árvore salgueiro cujos galhos se entrelaçaram com os meus; ela o raposo e eu a raposa, presas à mostra, atacando em inferioridade numérica, salvando os filhotes dos lobos; ela a gaivota que me levou mais alto; ela a luz viva no caminho de Alexandria; a navegadora da nave estelar que eu amaria em meu futuro distante; o espírito-da-flor do meu passado distante.

clique e clique e clique; imagem e imagem e imagem

Por que minha fraqueza por, minha alegria pelo jeito singular desta única mente, a curva singular do rosto e seio, o singular brilho jovial em seus olhos quando ri?

Porque essas singulares curvas e centelhas, Richard, *nós as levamos conosco, de uma vida para outra, são nossas marcas registradas*, gravadas fundo no que cada um de nós acredita e sem saber *nós as lembramos*! quando tornamos a nos encontrar!

Ela observa meu rosto atentamente, alarmada.

— O que há de errado, Richard? O que houve?

— Está tudo bem — balbuciei, atordoado.

Peguei o bloco, anotei apressadamente as palavras. Que manhã!

Vezes sem conta nos atraíramos um para o outro, porque tínhamos muito para aprender juntos, aprendizados árduos e também felizes.

Como é possível que eu saiba, por que estou tão absolutamente convencido de que morrer não nos separa da pessoa que amamos?

*Porque esta pessoa que eu amo hoje... porque ela e eu já morremos um milhão de vezes antes e estamos este segundo, minuto hora vida juntos novamente!* Não estamos mais separados pela morte do que pela vida! No fundo, cada um conhece as leis e uma das leis é a seguinte: voltaremos eternamente aos braços daqueles que amamos, quer a separação seja pela noite ou pela morte.

— Só um momento, *wook*. Tenho de anotar isto...

A *única coisa que dura é o amor!*

As palavras saíam tão depressa quanto a tinta podia riscar.

*No começo do universo... Antes da Grande Explosão, havia nós!*

Antes de todas as Grandes Explosões em todos os tempos e depois que o último eco morre, há nós. Nós, sob todas as formas, refletidos por toda parte, somos a razão para o espaço, os construtores do tempo.

*Somos a ponte através da eternidade, arqueando acima do mar, aventurando para nosso prazer, vivendo mistérios pela diversão, escolhendo desastres triunfos desafios diferenças impossíveis, testando-nos interminavelmente, aprendendo amor e amor e* AMOR!

Levantei a pena, sentei-me na cama para recuperar o fôlego, olhando para minha esposa.

— Você está viva!

Os olhos de Leslie faiscaram.

— Estamos vivos juntos.

Houve silêncio por algum tempo, até que ela voltou a falar:

— Eu tinha parado de procurá-lo. Estava feliz sozinha em Los Angeles, com meu jardim e minha música, minhas causas e meus amigos. Gostava de viver sozinha. E pensava que assim faria pelo resto da minha vida.

— E eu teria me estrangulado feliz com a minha liberdade. Não seria tão ruim assim, pois era o melhor que cada um de nós conhecia. Como podíamos sentir falta do que nunca tivemos?

— Mas nós sentíamos falta, Richie! Volta e meia, quando estava sozinho, quer houvesse ou não pessoas ao redor, nunca se sentiu tão triste que podia chorar, como se fosse o único de sua espécie no mundo? — Ela estendeu a mão para tocar em meu rosto e acrescentou: — Jamais sentiu a falta de alguém que nunca conhecera?

## quarenta e seis

FICÁRAMOS ACORDADOS até tarde. Leslie se achava absorvida na página 300 e alguma coisa de O *Livro da Energia Solar Passiva: Edição Profissional Ampliada.*

Fechei *Uma História do Revólver Colt*, pus na pilha de Acabados e peguei o volume de cima na pilha de Próximos-A-Ler.

Como nossos livros nos descrevem, pensei. Na mesinha-de-cabeceira de Leslie: *Poemas Completos de* E.E. *Cummings*, O *Relatório Global 2000 ao Presidente*, A *Busca da Frugalidade*, *Abraham Lincoln de Carl Sandburg*, *Unicórnios Que Eu Conheci*, *Os Anos Difíceis*, *Baryshnikov em Ação*, *Diretores do Cinema Americano*, *2081.*

Na minha: *Os Mestres da Dança Wu Li*, *Os Contos de Ray Bradbury*, *Odisséia do Aviador*, A *Conspiração de Aquário*, A *Interpretação Muitos-Mundos da Mecânica Quantum*, *Plantas Silvestres Comestíveis do Oeste*, O *Fator Trimbat.* Quando quero compreender alguém rapidamente, só preciso olhar para os seus livros.

O barulho da mudança de livro pegou Leslie ao final de um cálculo.

— Como foi Mister Colt? — indagou ela, deslocando as suas cartas solares para uma luz melhor.

— Muito bem. Sabia que sem o Revólver Colt haveria hoje neste país 46 estados ao invés de 50?

— Roubamos quatro estados sob a mira de um revólver?

— Isso é um absurdo, Leslie. Não roubamos. Defendemos alguns, libertamos outros. E não fomos nós. Você e eu nada tivemos a ver com isso. Mas há cento e tantos anos, para as pessoas de então, o Colt era uma arma terrível. Um revólver de repetição mais rápido do que qualquer rifle e mais certeiro do que a maioria. Eu sempre quis ter um Navy Colt 1851. Uma besteira, não é mesmo? Os originais são muito caros, mas a Colt produz uma réplica.

— Para que gostaria de ter algo assim?

Ela não tinha a menor intenção de ser sensual naquele momento, mas nem mesmo uma camisola de inverno podia ocultar os seus contornos maravilhosos. Quando superarei minha fascinação obcecada pela forma que ela por acaso escolhera para seu corpo? Nunca, pensei.

— Algo assim o quê? — murmurei, distraído.

— Animal — resmungou ela. — Para que você quer um velho revólver?

— Ah, sim, o Colt... Uma coisa esquisita, por tanto tempo quanto posso me lembrar. Quando penso que não tenho nenhum, sinto-me meio despido, vulnerável. É um hábito ter um ao alcance da mão. Mas nunca toquei num Colt. Não é estranho?

— Se quer um, podemos começar a economizar para comprar. Se é tão importante para você.

Com quanta freqüência somos levados de volta a nossos outros passados por fragmentos de ferramentas, velhas máquinas, prédios, terras que amamos intensamente ou odiamos furiosamente, sem saber a causa. Existe alguém vivo que não tenha experimentado anseios magnéticos por outros lugares, uma sensação de estar inteiramente à vontade com outros tempos? Eu sabia que um dos meus passados continha um Colt. Seria divertido descobri-lo algum dia.

— Acho que não, *wookie*. Foi apenas um pensamento tolo.

— O que vai ler agora? — perguntou Leslie, virando o seu livro de lado, a fim de estudar a carta seguinte.

— Chama-se *Vida na Morte*. Parece uma pesquisa cuidadosa, entrevistas com pessoas que quase morreram, o que sentiram, o que viram. Como está indo seu livro?

Angel T. Cat pulou na cama, três quilos de compridos pêlos brancos persas, avançando pesadamente como seis toneladas para Leslie, arriando nas páginas diante dela, a ronronar.

— Muito bem. Este capítulo é especialmente interessante. Diz pêlo pêlo pêlo OLHOS FOCINHO OLHOS pêlo pêlo garras e rabo. Angel, as palavras *você está me atrapalhando* lhe dizem alguma coisa? E as palavras *você está sentado no meu livro?*

O gato fitou-a sonolento a responder não; ronronou mais alto.

Leslie deslocou o peso peludo para o ombro e lemos em silêncio por algum tempo.

— Boa noite, pequena *wook* — murmurei finalmente, apagando a minha lâmpada de leitura. — Eu a encontrarei na esquina da Rua da Nuvem com a Avenida do Adeus Sonolento...

— Não vou demorar, querido. Boa noite.

Ajeitei o travesseiro e me enrosquei numa bola de dormir. Eu vinha praticando sonhos induzidos há algum tempo, com um mínimo de sucesso. Mas naquela noite me sentia muito cansado para o exercício. E resvalei para o sono.

*Era uma casa de vidro arejada o que víamos, no alto de uma ilha de floresta verde. Flores se espalhando por toda parte, um fluxo de cor pelos cômodos, sobre os deques e além, derramando-se pela encosta abaixo para uma campina plana. Um Lake anfíbio nas sombras do sol nascente, estacionado na relva. Ao longe, pelas águas profundas, outras ilhas se exibiam, verdejantes na neblina azul.*

*Havia árvores dentro da casa, além de fora, árvores e plantas penduradas sob um enorme telhado quadrado, deslocado para dar passagem ao sol e ao ar. Cadeiras e um sofá estofado em tecido limão-baunilha. Prateleiras com livros de alcance fácil, o glorioso Concerto para Orquestra de Bartók no ar. O lugar nos dava a sensação de lar pela música e as plantas, o avião lá fora e a vista distante, como voar. Era exatamente o que queríamos para nós algum dia.*

*— Sejam bem-vindos! Vocês conseguiram!*

*Os dois que nos receberam eram familiares. Riram e nos abraçaram alegremente.*

*Esquecemos em vigília, mas dormindo podemos lembrar sonhos de anos passados. O homem era o mesmo que primeiro me voou no Pterodáctilo; era eu mesmo dentro de 10 ou 20 anos, mas crescido e mais jovem. A mulher era Leslie-do-avião, mais bela ainda com o saber.*

*— Sentem-se, por favor — disse ela. — Não dispomos de muito tempo.*

*O homem nos serviu sidra quente, numa mesa de madeira que viera dar à praia.*

— Então este é o nosso futuro — disse Leslie. — Vocês fizeram um grande trabalho!

— Este é um dos seus futuros — disse a outra Leslie. — Foram vocês que fizeram o bom trabalho.

— Vocês mostraram o caminho — comentou o homem. — Deram-nos as chances que não teríamos, sem vocês.

— Não foi nada, não é mesmo, wook? — murmurei, sorrindo para minha esposa.

— Não foi nada? — protestou ela. — Foi um bocado de coisa!

— A única maneira pela qual podíamos agradecer a vocês era convidá-los a casa — disse o Richard-a-ser.— Seu projeto, Leslie.

Funciona perfeitamente.

— Quase perfeitamente — corrigiu sua esposa. — As fotovoltaicas são melhores do que você imaginava. Mas tenho algumas sugestões a fazer sobre a massa térmica...

As duas Leslies estavam prestes a se lançarem numa conversa profundamente técnica sobre engenharia solar híbrida e superisolamento quando compreendi...

— Com licença — interrompi. — Estamos sonhando! Cada um de nós, não é mesmo? Isto não é um sonho?

— Correto — disse o futuro Richard. — Esta é a primeira vez que conseguimos fazer contato com vocês dois. Estamos praticando, intermitentemente, há anos... e ficando cada vez melhores!

Pisquei, aturdido.

— Estão tentando há anos e é a primeira vez que conseguem fazer contato?

— Compreenderá quando o fizer. Por um longo tempo, só encontrará pessoas que não viu... futuros vocês, alternativos vocês, amigos que morreram. Aprenderá por muito tempo, antes de passar a ensinar. Com 20 anos de prática, o prazo que vai precisar, poderá perfeitamente dar orientação a seu estado de sonho, quando quiser. Passará então a circular, agradecendo a seus ancestrais.

— Ancestrais? — disse Leslie. — Somos tão antigos assim?

— Desculpe — disse ele. — Uma escolha errada das palavras. Seu futuro é nosso passado. Mas nosso futuro é seu passado também. Compreenderá assim que se livrar desta convicção de tempo e prosseguir em sua prática de sonho. Enquanto acreditamos em tempo contínuo, nós nos vemos tornando, ao invés de sermos. Além do tempo, somos todos um.

*— Fico contente que não seja complicado — disse Leslie.*

*Não pude deixar de interromper.*

*— Com licença. O novo livro. Você me conhece e a títulos de livros. Já encontrei um título? O livro já foi escrito e impresso, mas não consigo... já encontrei um título?*

*O futuro Richard não tinha muita paciência com as minhas dúvidas.*

*— Este sonho não é para lhe dizer isso. Mas encontrou um título, o livro foi publicado.*

*— Isso é tudo o que eu queria saber. — Depois, humildemente, acrescentei: — Qual é o título?*

*— Este sonho é para lhe contar outra coisa — disse ele. — Temos uma... vamos chamar de uma carta... de nós muito à frente em nosso futuro. Suas idéias sobre alcançarem os jovens Dick e Leslie desencadearam alguma coisa. Agora, uns poucos de nós se transformaram numa espécie de correspondentes psíquicos. Tudo o que vocês pensaram para seus eus mais jovens foi transmitido. Pequenas mudanças, subconscientes, mas são pessoas alternativas, podem não passar pelos tempos difíceis que nós enfrentamos. Alguns tempos difíceis, é claro. Mas há uma possibilidade remota de que aprender a amar não será uma delas.*

*— A carta que recebemos dizia: "Tudo o que vocês sabem é verdade!" — informou a Leslie futura, já se desvanecendo, a cena faiscando. — Há mais. Prestem atenção: "Nunca duvidem do que sabem." Não foi apenas um bom título de livro, somos pontes...*

E depois o sonho se espatifou, dissolveu-se em valises cheias de bolinhos de milho, uma perseguição de carro, um vapor sobre rodas.

Não acordei Leslie, mas escrevi páginas e mais páginas no bloco, ao lado do travesseiro, lembrando no escuro o que acontecera antes dos bolinhos.

Quando Leslie acordou, na manhã seguinte, fui logo dizendo:

— Deixe-me falar sobre o seu sonho.

— Que sonho?

— Aquele em que nos encontramos na casa que você projetou.

— Richard! Estou lembrada! Deixe-me falar a respeito! Era um lugar glorioso, corças na campina, o lago um espelho para um campo de flores, como tínhamos no Oregon. O projeto... a casa solar... vai dar certo! Havia música no interior, livros, árvores... aberto e claro! Era um dia maravilhoso, de cores brilhantes, lá estavam Dolly e Angel nos olhando, ronronando para dormir, gatos velhos e gordos. E vi o livro novo, nosso livro, na estante!

— É mesmo? E qual era o título? Diga logo!

Ela fez um esforço para lembrar.

— Sinto muito, *wookie*! Sumiu...

— Não precisa se incomodar. Era apenas uma tola curiosidade. Não acha que foi um sonho e tanto?

— Era alguma coisa sobre eternidade.

# quarenta e sete

TERMINEI DE LER *Recordações da Morte* uma noite, pouco depois que ela começara *Vida Depois da Vida*. Quanto mais pensava, mais precisava conversar com ela.

— Quando tiver um minuto — murmurei. — Um minuto comprido.

Ela continuou a ler até o final do parágrafo e puxou a sobrecapa para marcar a página.

— Muito bem.

— Nunca lhe pareceu errado que morrer é quase sempre uma espécie de inconveniência, para a maioria das pessoas, uma coisa que salta em cima da gente talvez no momento mesmo em que encontramos a única pessoa no mundo que amamos, de que nunca queremos nos separar por um dia sequer, e a morte diz não estou interessada nisso e vou acabar com você?

— Isso já me ocorreu algumas vezes.

— Por que morrer tem de ser assim? Por que deveríamos dar o nosso consentimento a uma morte tão fora de controle?

— Talvez porque a única outra opção seja o suicídio.

— Ah! — exclamou. — O suicídio é mesmo a única opção? Não existe um meio melhor de partir do que o costume aleatório de morrer à força no último momento, que predomina neste planeta?

— Deixe-me adivinhar, Richie. Você tem um plano que está prestes a propor? Primeiro, porém, deve saber que não me sinto absolutamente infeliz e morrer no último minuto enquanto você estiver aqui.

— Espere até ouvir o que tenho a dizer. Porque vai atrair o seu senso de ordem. Ao invés da morte de surpresa, por que as pessoas não chegam a um momento em que decidem: "Pronto! Concluímos tudo que viemos fazer, não há montanhas que não tenhamos escalado, nada por aprender do que queríamos aprender, levamos uma boa vida", e depois, em saúde perfeita, por que as pessoas simplesmente não sentam, duas pessoas, sob uma árvore ou uma estrela, e saem de seus corpos, para nunca mais voltar?

— Como nos livros que estamos lendo, Richard. Que idéia sensacional! Mas nós não... não fazemos isso porque não sabemos como.

— Leslie! — exclamei, excitado com o meu plano. — *Eu sei como!*

— Ainda não, por favor, Richard. Temos de construir nossa casa, pensar nos gatos e guaxinins, o leite na geladeira vai azedar e precisamos responder à correspondência. Mal estamos recomeçando.

— Está certo, ainda não. Mas ocorreu-me, lendo as experiências de quase-morte, que são a mesma coisa que as experiências de sair do corpo nos livros de viagem astral! Morrer não é mais do que uma saída do corpo da qual não voltamos! E as saídas do corpo podem ser *aprendidas*!

— Espere um pouco. Está sugerindo que escolhamos um lindo pôr-do-sol, saímos dos nossos corpos e não nos damos ao trabalho de voltar?

— Algum dia, sim.

Ela me fitou com uma expressão inquisitiva.

— Quanto disso é sério?

— Cem por cento. Juro! Não é melhor do que ser atropelado por um ônibus? Não é melhor do que ficarmos separados, perder um dia ou dois, talvez um século ou dois, sem estarmos juntos?

— A parte dos juntos me agrada. Porque também falo sério: se você morrer, não vou mais querer viver.

— Sei disso, Leslie. Portanto, tudo o que temos a fazer é aprender a viagem de saída do corpo, como os versados espirituais e os lobos.

— Lobos?

— Li num livro sobre lobos. O pessoal de um jardim zoológico capturou um par de lobos. Um casal. Era uma armadilha humana, que não os machucava absolutamente. Puseram os lobos numa jaula grande, na traseira de uma *pick-up*, levaram para o jardim zoológico. Quando chegaram lá, tiraram a jaula, os dois lobos... estavam mortos. Não havia doença, ferimento, absolutamente nada. Os lobos não queriam ser separados, não queriam viver numa jaula. Livraram-se da vontade de viver e morreram juntos. Não havia explicação médica. Simplesmente se deixaram morrer.

— Isso é verdade?

— Está no livro sobre lobos, que não é de ficção. Eu faria a mesma coisa, se estivesse no lugar deles. Você também não faria? Não acha que é uma maneira inteligente e civilizada de deixar o planeta? Se o planeta inteiro, se todo o espaço-tempo é um sonho, por que não despertar gentil e feliz em algum outro lugar, ao invés de clamar que não queremos sair daqui?

— Acha realmente que podíamos fazer isso?

A perspectiva atraía o senso de ordem de Leslie. A pergunta ainda não se desvanecera e eu já estava de volta à cama com uma dúzia de livros de nossas estantes. *Estudo e Prática da Projeção Astral, Viagens Fora do Corpo, A Suprema Aventura, Guia Prático da Projeção Astral, Mente Além do Corpo.* O peso dos livros criou uma cratera rasa no colchão.

— Estas pessoas dizem que se pode aprender. Não é fácil e exige muita prática, mas pode-se conseguir. A pergunta é só uma: Vale a pena?

Leslie franziu o rosto.

— Neste momento, eu diria que não. Mas se você fosse morrer amanhã, eu lamentaria muito não ter aprendido.

— Façamos um acordo. Aprenderemos a parte de sair do corpo e deixaremos a parte de não voltar para muito mais tarde. Já saímos do corpo antes, nós dois, sabemos assim que podemos conseguir. Agora, é uma questão de fazermos quando quisermos... e fazermos juntos. Não deve ser tão difícil assim.

Eu estava enganado. Era mesmo difícil. O problema era dormir sem dormir, sem perder a percepção de nós mesmos separados de nossos corpos. Muito fácil de se imaginar quando se está desperto. Mas permanecer consciente, com um manto de sono mais pesado do que chumbo a nos arrastar para baixo... não é uma tarefa simples.

Noite após noite, líamos os livros de viagem astral, prometendo nos encontrar no ar por cima de nossos corpos adormecidos, apenas um vislumbre um do outro, a recordar quando despertássemos. Não tivemos sorte. Semanas transcorreram. Meses. Tornou-se um hábito que perdurou muito tempo depois que os livros foram lidos.

— Lembrar de lembrar... — murmurávamos, apagando a luz.

Caíamos no sono programados para nos encontrar lá em cima; ela iria para a Pensilvânia e eu ficaria empoleirado num telhado em Pequim. Ou eu apareceria num futuro calidoscópico e ela estaria no século XIX, dando concertos.

Cinco meses depois de iniciada a prática, acordei abruptamente, deviam ser três horas da madrugada.

*Eu tentava mexer a cabeça no travesseiro, mudar de posição, quando compreendi que não podia fazê-lo porque o travesseiro estava lá embaixo na cama, enquanto eu flutuava no ar, de costas, um metro acima.*

*Completamente desperto. Flutuando. O quarto estava dominado por uma claridade escura cinzenta-prateada. Luar, eu diria, só que não havia lua. Ali estavam as paredes, o aparelho de som; ali estavam a cama, os livros impecavelmente empilhados no lado de Leslie, uma pilha desarrumada no meu lado. E ali estavam os nossos corpos, adormecidos!*

*Um sobressalto de puro espanto percorreu-me o corpo e depois uma explosão de alegria. Aquele era o meu corpo, lá embaixo; aquela coisa curiosa na cama era eu, olhos fechados, profundamente adormecido! Não tanto eu, é claro... eu era aquele que olhava para baixo.*

*Tudo o que pensei, naquela primeira noite, foram frases sublinhadas e pontos de exclamação.*

*Funciona! É tão fácil! Isto é... liberdade!* HURRA!

*Os livros estavam certos. Pense em se mexer; e eu me mexi, deslizando pelo ar como um trenó no gelo. Não tinha exatamente um corpo, mas também não estava desprovido. Possuía um senso de corpo — vago, nebuloso, um corpo de fantasma. Depois de toda a nossa prática determinada, como podia ser tão fácil? Percepção extrema. Em comparação com este conhecimento borbulhante e aguçado, a consciência cotidiana é sonambulismo!*

*Virei-me no ar e olhei para trás. O mais tênue fio de luz reluzente se estendia de mim ao meu vulto adormecido. É o cordão sobre o qual lemos, o cordão prateado, que liga um fantasma vivo a seu corpo. Cortado esse cordão, pelo que dizem, e você se vai irremediavelmente.*

*E nesse momento uma aura ondulou por trás de mim, o movimento diminuindo ao pairar em torno de Leslie na cama, desvanecendo em seu corpo. Um segundo depois ela se mexeu, virou-se sob as cobertas; a mão tocou em meu ombro. Experimentei a sensação de estar sendo agarrado por trás e fui projetado abruptamente para a vigília.*

Meus olhos se abriram num quarto mais escuro do que a meia-noite... tão escuro que não fazia a menor diferença se os olhos estavam abertos ou fechados. Estendi a mão para o abajur na mesinha-de-cabeceira, o coração disparado.

— *Wookie!* — exclamei. — Meu bem, você está acordada?

— Hã... estou agora. O que houve? Alguma coisa errada?

— Nada de errado! Deu certo! Nós conseguimos!

— Nós?

— Saímos de nossos corpos!

— É mesmo, Richie? Não me lembro...

— Não lembra? Qual é a última coisa em que pode pensar, antes de agora?

Ela afastou os cabelos dourados dos olhos e sorriu com uma expressão sonhadora.

— Eu estava voando. Um lindo sonho. Voando sobre campos...

— Então é verdade! Lembramos das noites de saída do corpo como sonhos de vôo!

— Como sabe que saí do corpo?

— *Porque eu a vi!*

Isso despertou-a por completo. Contei tudo o que acontecera, tudo o que eu vira.

— Mas "ver" não é exatamente a palavra para a visão fora do corpo, wook. *Não é tanto ver e sim saber, saber em detalhes, com uma nitidez maior do que a proporcionada pela visão.* — *Apaguei a luz.* — *Estava escuro assim e eu podia ver tudo. O aparelho de som, as estantes, a cama, você e eu...*

*No escuro, era impressivo falar em ver. Leslie acendeu a luz do seu lado, sentou-se na cama, o rosto franzido.*

— *Não me lembro!*

— *Você passou por mim como um* OVNI, *parou no ar e fundiu-se em seu corpo. Depois se mexeu, me tocou e* Pam!, *eu estava desperto. Se não me tocasse naquele momento, eu não teria lembrado.*

*Outro mês transcorreu antes que tornasse a acontecer; e ocorreu então quase ao inverso. Leslie esperou até a manhã para me contar.*

— O *mesmo que você,* wook! *Eu me senti como uma nuvem no céu, leve como o ar.* E *feliz! Virei-me, olhei para a cama e lá estávamos nós adormecidos, com Amber, a pequena e querida Amber, enroscada junto ao meu ombro, como costumava dormir! Eu gritei* "AMBER!" *e ela abriu os olhos, fitou-me como se nunca tivesse partido. Depois* se levantou e começou a andar em minha direção. E isso foi o final. Acordei na cama.

— Sentiu que tinha de permanecer no quarto?

— Não, não! Podia ir a qualquer lugar no universo, a qualquer lugar que quisesse, ver qualquer pessoa. É como se eu tivesse um corpo mágico...

A energia pulsava suavemente no quarto.

— Conseguimos! — exclamou Leslie, tão excitada quanto eu ficara. — Estamos fazendo!

— Outro mês e talvez possamos fazer de novo!

Aconteceu na noite seguinte.

Desta vez eu estava sentado no ar quando despertei por cima da cama. O que me atraiu a atenção foi uma forma radiante a flutuar, impecável prata e ouro faiscando, a menos de um metro de distância, amor vivo e intenso.

Puxa vida!, pensei. A Leslie que tenho visto com os meus olhos é a parte mínima de quem ela é! Ela é corpo dentro de corpo, vida dentro de vida; desdobrando, desdobrando, desdobrando... algum dia poderei conhecê-la por completo?

Sem necessidade de palavras, eu sabia qualquer coisa que ela quisesse que eu soubesse.

— Você estava dormindo e eu me encontrava aqui, persuadi-o a sair, Richie, por favor saia... e você saiu —

— Oi querida, oi, oi!

Estendi-me para ela e quando as duas luzes entraram em contato houve a sensação que experimentamos quando ficamos de mãos dadas, só que muitas vezes mais chegados, um suave regozijo.

— Para cima — pensei para ela. — Devagar. Vamos tentar subir —

Como dois balões aquecidos, levantamos juntos através do teto, como se fosse o ar frio.

E o teto da casa ficou para trás, telhas de madeira cobertas por agulhas de pinheiros caídas, chaminé de tijolos, antena de televisão apontando para a civilização. Lá embaixo, flores adormecidas em canteiros.

Lá estávamos acima das árvores, deslizando com cuidado por cima da água, numa noite de nuvens tênues e espalhadas, um céu estrelado — cirros dispersos, visibilidade ilimitada, vento do sul a dois nós. Não havia qualquer temperatura.

Se isto é vida, pensei, é infinitamente mais bela do que qualquer coisa que já conheci...

— Sim — ouvi Leslie pensando — Sim —

— Guarde isto na sua horrível memória, eu disse a ela. — Não vá esquecer quando acordarmos! —

— E você também não... —

Como pilotos estudantes em nosso primeiro solo, fomos nos deslocando juntos, lentamente, sem movimentos rápidos. Não sentíamos o menor medo da altura, assim como duas nuvens não tinham medo de cair e dois peixes não temiam se afogar. O que quer que fossem aqueles corpos, não tinham peso, não tinham massa. Podíamos plantar através do ferro, através do centro do sol, se assim sentíssemos vontade.

— Está vendo o cordão? —

Quando ela disse isso, eu me lembrei e olhei. Duas teias de aranha reluzentes estendendo-se para longe de nós, na direção da casa.

— Somos pipas-espíritos, em linhas — pensei. — Pronta para voltar?

— Suavemente, devagar. —

— Não precisamos voltar... —

— Mas queremos, Richie! —

Suavemente, devagar, flutuamos de volta sobre a água até a casa, passamos pela parede oeste do quarto.

Paramos junto da estante.

— Ali! — pensou Leslie. — Está vendo? É Amber! —

Uma forma-luz peluda flutuou na direção de Leslie.

— Oi, Amber! Oi, pequena Amber! —

Houve um sentimento-de-oi, um sentimento-amor da luz. Deixei-as lentamente, deslocando-me através do quarto. E se quiséssemos falar com mais alguém? Se Leslie quisesse ver o irmão que morrera quando ela tinha 19 anos, se eu quisesse falar com minha mãe, com meu pai que acabara de morrer, o que aconteceria?

Em qualquer estado que seja este, fora do corpo, as perguntas surgem com as respostas. Se quisermos falar com eles, podemos. Podemos estar com qualquer um com quem tenhamos algum vínculo e que deseje estar conosco.

Virei-me e olhei para as duas, a mulher e a gata. Notei pela primeira vez um cordão prateado se projetando da gata. Descia pela escuridão para um cesto no chão, uma forma branca adormecida. Se eu tivesse um coração, teria tido um sobressalto.

— Leslie! Amber... Amber é Angel T. Cat! —

Como se fosse uma deixa para uma peça que não conhecíamos, naquele *momento a nossa outra gata, Dolly, surgiu a toda velocidade do corredor e saltou, uma motocicleta de quatro patas, para a cama.*

*E no instante seguinte fomos sacudidos, despertados abruptamente, esquecendo tudo.*

— DOLLY — gritei.

Mas ela já pulara da cama para a parede e tornara a desaparecer pelo corredor. Era a sua maneira de se divertir.

— Desculpe, *wook* — murmurei. — Lamento tê-la acordado.

Leslie acendeu a luz.

— Como soube que era Dolly? — perguntou ela, sonolenta.

— Era mesmo Dolly. Eu a vi.

— No escuro? Viu Dolly, que é uma gata marrom-e-preta, correndo a toda velocidade, no escuro?

Ambos nos lembramos, no mesmo segundo.

— Tínhamos saído, não é mesmo? — disse Leslie. — Oh, *wookie*, estávamos juntos e lá em cima, entre as nuvens!

Peguei o bloco de anotações, tateei à procura de uma caneta.

— Depressa! Imediatamente! Conte tudo o que lembra!

Daquela noite em diante, a prática tornou-se gradativamente menos difícil, cada sucesso facilitando o caminho para o seguinte.

Depois do primeiro ano, podíamos nos encontrar juntos, fora do corpo, várias vezes por mês; a suspeita de que éramos visitantes no planeta foi aumentando, até que podíamos sorrir um para o outro, observadores interessados, no meio do noticiário noturno.

Por causa da prática, a morte-e-tragédia que assistíamos no Canal Cinco não eram morte e tragédia; eram as idas e vindas, as aventuras de espíritos de poder infinito. O noticiário noturno passou do horror sombrio para uma divulgação de cursos, de testes a serem realizados, de oportunidades de investimento social, desafios lançados.

— Boa noite, América. Sou Nancy Noticiosa. Aqui está a lista desta noite dos horrores no mundo. Aventureiros espirituais, vocês querem o progresso-através-da-salvação. Pois prestem atenção: no Oriente Médio hoje... — Ela lê, na esperança de que os salvadores estejam sintonizados. — Em seguida, temos a nossa lista de Fracassos do Governo! Alguém por aí gosta de reparar desastres burocráticos? Depois de um breve intervalo comercial, abriremos uma caixa de Problemas Graves Sortidos. Se vocês têm soluções, não deixem de assistir!

Esperávamos, com a prática de sair do corpo, aprender a sermos mestres e não vítimas do corpo e sua morte. Não adivinhávamos que junto com a lição viria uma perspectiva que mudaria tudo o mais — quando passamos de vítima a mestre, o que fazemos com o nosso poder?

Uma noite, depois de escrever, quando eu servia comida de gato e pequenos pedaços de *marshmallow* numa tigela, para a visita noturna de Racquel Guaxinim, Leslie aproximou-se para supervisionar. Deixara cedo o seu computador, a fim de sintonizar com a situação do mundo.

— Viu alguma coisa no noticiário em que gostaria de se aplicar? — perguntei.

— Acabar com as bombas atômicas, acabar com a guerra, como sempre. Talvez colônias espaciais; salvar o meio ambiente, é claro, as baleias, os animais em perigo.

A tigela de comida parecia deliciosa, quando a fitei através de olhos de guaxinim.

— Tem *marshmallows* demais — comentou Leslie, retirando alguns da pilha. — Estamos alimentando Racquel e não Porco.

— Achei que ela poderia gostar de extras esta noite. Quanto mais *marshmallows* ela tiver, menos vai querer comer passarinhos e outras coisas.

Sem uma palavra, Leslie devolveu os *marshmallows* extras à tigela e foi aprontar o sofá para nós.

Levei a comida de guaxinim para fora, depois me enrosquei ao lado de minha esposa, na sala de estar.

— Creio que a melhor oportunidade é o progresso individual — comentei. — Você e eu, aprendendo... eis uma coisa que podemos controlar!

— Notou que sair do corpo não significa a passagem para outros níveis? Será que ainda não estamos prontos para nos despedir do nosso pequeno planeta?

— Ainda não estamos inteiramente prontos, Leslie. Agora, é suficiente saber que podemos partir, quando quisermos. Podemos ser estrangeiros na Terra, *wookie*, mas precisamos de antigüidade! Anos de educação na maneira de usar o corpo, a civilização, idéias, a língua. Como mudar as coisas. Ainda não estamos prontos para largar tudo isso. E sinto-me contente por não ter-me matado há muito tempo, antes de encontrá-la.

Ela me fitou com uma expressão curiosa.

— Sabia que estava tentando se matar?

— Conscientemente, acho que não. Mas também não creio que os momentos por um triz fossem acidentais. A solidão era então um terrível problema. Eu não me importaria de morrer, pois seria uma nova aventura.

— Qual seria a sensação de se matar e depois descobrir que sua alma-irmã ainda se encontrava na Terra, à sua espera?

As palavras congelaram no ar. Eu teria chegado mais perto do que sabia? Continuamos sentados juntos no sofá alugado, o crepúsculo se transformando em noite fechada lá fora.

— Argh! — exclamei. — Que pensamento!

Suicídio, como assassinato — *aniquilação*! Qualquer pessoa desesperada o bastante para cometer suicídio, pensei, deve se encontrar igualmente desesperada para se lançar a extremos criativos a fim de resolver problemas: fugir de casa à meia-noite, embarcar como clandestino no navio para a Nova Zelândia, começar de novo, fazendo tudo o que sempre quiseram fazer, mas tinham medo. Peguei a mão de Leslie, no escuro.

— Que pensamento! — repeti. — Lá estou, acabando de me matar, separando-me do corpo morto e depois compreendendo, tarde demais... eu a teria encontrado, por coincidência, no caminho através de Los Angeles para a Nova Zelândia, só que acabara de me matar! "Oh, não!", eu diria. "Que idiota eu fui"!

— Pobre idiota... Mas você sempre poderia recomeçar, em outra vida.

— Tem razão. E seria 40 anos mais moço do que você.

— E desde quando começamos a contar idades?

Ela estava rindo da minha campanha antianiversário.

— Não é a idade, mas sim o fato de estarmos fora de sincronia. Você falaria alguma coisa sobre marchas da paz ou Banthas, eu ficaria impassível como uma pedra e diria "Como?" E outra vida seria tão inconveniente! Pode se imaginar a virar um bebê novamente? Aprendendo... a andar? Como uma adolescente? Já é um espanto, em primeiro lugar, como sobrevivemos à adolescência. Mas ter outra vez 18 ou 24 anos? É mais sacrifício do que estou disposto a assumir, pelo menos nos próximos mil anos. E mais provavelmente nunca, obrigado, prefiro ser uma foca.

— Eu serei uma foca junto com você, Richie. Mas se esta é a nossa última vida na Terra por séculos, devemos tirar o melhor proveito possível. O que importam outras vidas? As coisas que fizemos nesta vida...

Hollywood, viver no *trailer*, lutar para salvar a floresta... que importância terão dentro de mil anos? Que importância tem esta noite, exceto o que aprendemos? O que aprendemos é tudo! Creio que desta vez temos um bom começo. Não vamos ser focas, por enquanto. — Ela se remexeu, estremeceu. — Gostaria de um cobertor? Ou de um fogo?

Eu pensava no que ela acabara de dizer e murmurei:

— Qualquer dos dois serve. Quer que eu cuide disso?

— Não. Só precisa de um fósforo...

A claridade se projetou quente da estufa de lenha para os seus olhos, seus cabelos.

— Neste momento, Richie, se pudesse fazer qualquer coisa que quisesse, o que faria?

— EU POSSO fazer qualquer coisa que quiser.

— Mas o que seria? — insistiu Leslie, tornando a se aconchegar a meu lado, olhando para o fogo.

— Eu gostaria de contar o que aprendemos.

Minhas palavras fizeram-me piscar, aturdido. Não é estranho?, pensei. Não mais encontrar respostas, mas dá-las! Por que não, quando descobrimos o nosso amor, quando sabemos finalmente como o universo funciona? Ou como pensamos que funciona!. Ela desviou os olhos do fogo para me fitar.

— O que aprendemos é a única coisa que nos resta. Quer entregar isso? — Ela tornou a se virar para o fogo e sorriu, provocando-me. — Não se esqueça de que foi você quem escreveu que tudo o que diz pode estar errado.

— Podia estar errado, Leslie. Mas quando escutamos as respostas de alguém, não estamos realmente escutando a esse alguém, não é mesmo? Escutamos a nós mesmos enquanto os outros falam; somos nós mesmos quem dizemos esta parte é verdade, esta é absurda, esta é novamente verdade. Essa é a diversão de escutar. A diversão de dizer é ser tão pouco errado quanto soubermos.

— Então está pensando em fazer conferências outra vez.

— Talvez. Você subiria no palco comigo para contarmos o que descobrimos juntos? Não teria receio em falar sobre os momentos difíceis e os belos? Falar aos que estão procurando, dizer como éramos, proporcionar a esperança de que o felizes-para-sempre pode realmente acontecer? Como eu gostaria que pudéssemos ter ouvido isso, anos atrás!

Leslie respondeu suavemente:

— Não creio que eu pudesse fazer isso com você. Posso tomar todas as providências, organizar as coisas para você. Mas não quero subir ao palco.

Alguma coisa estava muito errada.

— Não quer? Há coisas que podemos falar juntos que nenhum dos dois é capaz de dizer sozinho. Não posso dizer tão bem quanto você o que estava passando. O único jeito é fazermos juntos!

— Não penso assim.

— Por que não?

— Quando eu falava contra a guerra, Richie, as multidões eram tão hostis que eu sentia pavor. Tinha de fazê-lo, mesmo assim. Mas prometi a mim mesma que, quando terminasse, nunca mais tornaria a falar em público. Jamais. Por qualquer motivo. Não creio que eu pudesse fazê-lo.

— Está sendo tola, Leslie. A guerra acabou. E não estamos falando sobre guerra agora, mas sim sobre o amor!

Os olhos dela ficaram marejados de lágrimas.

— Oh, Richie! Era sobre amor que eu falava naquele tempo!

# quarenta e oito

— DE ONDE TIROU essas idéias malucas? — indagou o cavalheiro, lá pela vigésima fila, a primeira pergunta, na segunda hora de conferência.

Houve um murmúrio baixo de riso das duas mil pessoas no Auditório Cívico... ele não era o único curioso em relação a isso.

Leslie estava sentada no banco alto ao lado do meu, no palco, parecendo calma e à vontade. No momento, eu me aproximara da beira do palco, com um microfone sem fio, escolhendo entre as mãos levantadas, repetindo a pergunta para que o pessoal no balcão pudesse ouvir e assim ganhando um pouco de tempo para pensar na resposta.

— De onde tirei as minhas idéias malucas? — repeti.

Em meio segundo, a resposta se materializou, depois as palavras que eu precisava para dizê-la.

— Do mesmo lugar de onde tirei as idéias razoáveis. As idéias vêm da fada-do-sono, da fada-da-vigília e, quando estou irremediavelmente molhado e incapaz de escrever anotações, da fada-do-chuveiro. O que sempre pedi é *Por favor, dêem-me idéias que não constituam uma violência para a minha intuição.*

"Sei intuitivamente, por exemplo, que somos criaturas de luz e vida, não de morte cega. Sei que não estamos imobilizados juntos fora do espaço e tempo, sujeitos a um milhão de mudanças aquis e agoras, boas e más. A idéia de que somos seres físicos derivou das células primevas em sopas nutrientes e representa uma violência para a minha intuição, calça tudo com chuteiras.

"A idéia de que descendemos de um Deus ciumento, que nos formou do barro para escolher entre ajoelhar-e-rezar ou o fogo-da-danação me incomoda ainda mais. Nenhuma fada-do-sono jamais me trouxe essas idéias. Todo o conceito de *descida* está errado, para mim.

"Contudo, não pude encontrar qualquer pessoa, em qualquer lugar, que tivesse as minhas respostas, exceto o eu interior. E eu tinha medo de confiar nesse eu interior. Precisei nadar através da vida como uma baleia, absorvendo em enormes quantidades o que outros escreviam, pensavam e diziam, saboreando e mantendo fragmentos de conhecimento do tamanho de plânctons, ajustando-se ao que eu queria acreditar. Qualquer coisa para explicar o que eu sabia era verdadeira... era isso o que eu procurava.

"Deste escritor aqui, a baleia que era eu não conseguia reter sequer um microcamarão, por mais que lesse os seus livros. De outro ali, nada compreendia, além de uma coisa: '*Não somos o que parecemos.*' Hurra! Isso, intuitivamente, eu sei que é VERDADE! O resto de um livro podia ser apenas água no mar, mas a baleia guarda essa frase.

"Pouco a pouco, creio que desenvolvemos uma compreensão consciente do que nascemos já sabendo: o que o nós interior mais elevado quer acreditar é verdade. Nossa mente consciente, porém, não se sente feliz até que possa explicar em palavras.

"Antes de eu perceber, em umas poucas décadas, tinha um sistema de pensamento que me oferece respostas quando pergunto.

Olhei rapidamente para Leslie, que acenou discretamente, para dizer que ainda se encontrava ali.

— Qual era a pergunta? — continuei. — Ah, sim... de onde tiro as minhas idéias malucas? Resposta: da fada-do-sono, da fada-da-vigília, da fada-do-chuveiro. E da fada-do-livro. E, nestes últimos anos, de minha esposa. Agora, quando tenho perguntas, apresento a ela, que me dá as respostas. Se vocês ainda não têm, sugiro que encontrem a sua alma-irmã, o mais depressa que puderem. Próxima pergunta?

Tanta coisa para dizer, pensei, e apenas um dia para dizer em cada cidade que nos convida para falar. Oito horas não são suficientes. Como oradores podem dizer às pessoas tudo o que precisam em apenas uma hora? Durante a primeira hora, mal conseguíamos delinear a maneira como encaramos o mundo.

"A senhora ali, lá no fundo, lado direito..."

— Minha pergunta é para Leslie. Como saber que se encontrou a alma-irmã?

Minha esposa fitou-me por uma fração de segundo de terror, levantou seu microfone.

— Como saber que se encontrou a alma-irmã? — repetiu ela, calma como se sempre tivesse feito aquilo. — Eu não sabia, quando encontrei a minha. Foi num elevador. "Está subindo?", perguntei. "Está, sim", respondeu ele. Nenhum dos dois sabia o que essas palavras significariam para as pessoas que somos agora.

"Quatro anos depois nos conhecemos e subitamente éramos os melhores amigos. Quanto mais eu o conhecia, mais o admirava, mais pensava que ele é realmente uma pessoa maravilhosa!

"Essa é uma chave. Procurem por uma paixão que se torne melhor com o tempo, a admiração aumentando, a confiança crescendo através das tempestades.

"Com esse homem, descobri que a intimidade e alegria profundas eram possíveis para mim. Eu pensava que essas eram as minhas necessidades especiais, meus sinais pessoais de uma alma-irmã. Penso agora que podem ser de todos, mas que desesperamos em encontrar e tentamos resolver por menos. Como querer intimidade e alegria quando um amante sem entusiasmo e uma felicidade branda são o melhor que podemos encontrar?

"Contudo, no fundo de nossos corações, sabemos que uma paixão morna se tornará fria, a felicidade branda se tornará uma espécie de tristeza indefinida, com perguntas nos atormentando: Este é o amor da minha vida, é tudo o que existe, é para isto que estou aqui? No fundo de nossos corações, sabemos que deve haver mais e ansiamos por alguém que jamais encontramos.

"Com bastante freqüência, a metade de um casal está tentando se elevar, enquanto a outra puxa para baixo. Um caminha para a frente, o outro cuida para que, a cada dois passos à frente, haja três para trás. É melhor aprender a felicidade sozinha, eu pensava, amar meus amigos e minha gata, é melhor esperar por uma alma-irmã que jamais surge do que fazer essa concessão insípida.

"Uma alma-irmã é alguém que tem fechaduras que se ajustam às nossas chaves e chaves que se ajustam às nossas fechaduras. Quando nos sentimos bastante seguros para abrir as fechaduras, nossos verdadeiros eus emergem e podemos ser total e honestamente quem somos; podemos ser amados por quem somos e não por quem fingimos ser. Cada um revela a melhor parte do outro. Não importa o que mais saia errado ao nosso redor, com essa pessoa estamos seguros, em nosso próprio paraíso. A alma-irmã é alguém que partilha nossos anseios mais profundos, nosso senso de direção. Quando somos dois balões e a direção comum é para cima, é perfeitamente possível que encontremos a pessoa certa. Nossa alma-irmã é alguém que faz a vida se tornar vida.

Para surpresa de Leslie, a multidão abafou-a em aplausos. Eu quase acreditara no que ela me dissera, que podia ser menos do que perfeita no palco. Mas não foi o que aconteceu.

— Pensa do mesmo modo que ele, concorda com tudo? — indagou outra pessoa no auditório.

— Concordamos em tudo — respondeu Leslie. — Na maioria da ocasiões. Ele liga o rádio e descubro que é a única outra pessoa que já conheci que fica encantada com gaita de foles. E é a única outra pessoa que pode cantar "Sozinho Estou", de *Tubby the Tuba*, acompanhando-me palavra por palavra, da memória da infância.

"Em outras ocasiões, constato que não poderíamos ter começado mais separados... Eu era uma manifestante contra a guerra, Richard era piloto da Força Aérea; um homem de cada vez para mim, a única mulher de Richard era muitas mulheres ao mesmo tempo. Ele estava errado nas duas ocasiões e por isso, é claro, mudou.

"Mas, ao final, não importa se concordamos ou não, quem está certo. O que importa é o que se passa entre nós dois... estamos sempre mudando, estamos crescendo e nos amando um ao outro ainda mais? Isso é o que importa.

— Posso acrescentar uma palavra? — falei.

— Claro.

— As coisas ao nosso redor... casas, empregos, carros... são acessórios, cenários para o nosso amor. As coisas que possuímos, os lugares em que vivemos, os eventos de nossas vidas: cenários vazios. Como é fácil mudar os cenários, esquecer diamantes! A única coisa que importa, ao final de uma estada na Terra, é quão bem amamos, *qual foi a qualidade do nosso amor?*

No primeiro intervalo, a maioria das pessoas se levantou e espreguiçou. Algumas se adiantaram com livros, querendo autógrafos. Outras se reuniram e conversaram, sem qualquer apresentação formal, no espaço perto do palco que lhes reserváramos.

Enquanto as pessoas voltavam a seus lugares, para a quinta hora da conferência, toquei no ombro de Leslie e disse:

— Como está indo, pequena *wook*? Tudo bem?

— Tudo ótimo! É completamente diferente de antes! Isto é maravilhoso!

— Como você é inteligente! E sábia e adorável. Poderia escolher qualquer homem que quisesse.

Ela apertou-me o braço.

— Escolhi este, obrigada. Está na hora de recomeçar?

Assenti e liguei meu microfone.

— Pronto, vamos continuar. Qualquer pergunta já formulada, desde o amanhecer da humanidade, prometemos que podemos respondê-la, para nossa completa satisfação!

Muito do que dizíamos parecia incrível, mas nada era falso... como dois físicos teóricos no palco a dizer que ficamos mais jovens quando viajamos quase à velocidade da luz do que nos não-viajantes; que um quilômetro de espaço próximo do Sol é diferente de um quilômetro de espaço próximo da Terra, porque o espaço do quilômetro do Sol é mais curvo que o espaço do quilômetro da Terra.

Idéias disparatadas, valem o preço do ingresso em sorrisos, mas são verdadeiras. A física de alta energia é interessante por ser verdadeira ou por parecer absurda?

— Madame — falei, acenando para uma mulher de pé no meio da audiência, imaginando para onde ela nos levaria.

— Você tenciona morrer?

Pergunta fácil; uma resposta a ser dividida entre os dois.

Partimos naquele dia com o vento do saber, que mudara e nos ensinara, através de um mar de indagações:

*Por que temos problemas?*

*A morte pode nos separar? Como dirão que não pode, de que forma é possível entrar em contato com amigos que já morreram?*

*Não existe uma coisa como o mal?*

*Como é ser casado com uma atriz?*

*Aceitaram o Senhor Jesus Cristo como seu Salvador Pessoal?*
*Para que serve uma nação?*
*Já ficaram doentes alguma vez?*
*Quem está nos OVNIs?*
*O amor de vocês é diferente agora do que era há um ano?*
*Quanto dinheiro vocês possuem?*
*Hollywood é mesmo um lugar fascinante?*
*Se eu já vivi antes, por que esqueci?*
*Ela é de fato tão maravilhosa quanto você sabe? O que não gostam um no outro?*
*Estão mudando?*
*Podem ver seu próprio futuro?*
*Que diferença faz qualquer coisa que digam?*
*Como se tornou uma estrela do cinema?*
*Alguma vez já mudaram seu passado?*
*Por que a música nos afeta tanto?*
*Façam alguma coisa psíquica, por favor.*
*O que os deixa tão certos de que somos imortais?*
*Como sabem quando um casamento está acabado?*
*Quantas outras pessoas vêem este mundo como vocês?*
*Onde podemos ir a fim de encontrar alguém para amar?*

Velejamos através de um dia que durou um momento demais, como se fôssemos viajantes na velocidade da luz.

E logo chegou a hora em que fechamos a porta do quarto de hotel e caímos juntos na cama.

— Não foi um dia dos piores — comentei. — Cansada?

— Não. Há muita energia, muito amor no ar, nesses encontros. A alegria surge e envolve a todos nós!

— Vamos praticar ver auras na próxima vez. Dizem que, num bom espetáculo, há luz dourada sobre a audiência, sobre o palco. Todos estão eletrizados.

Olhei para a sua blusa.

— Permissão para tocar?

Ela me considerou por um instante.

— O que isso significa?

— É um costume do cadete de avião. Nunca toque em outra pessoa sem permissão.

— Não precisa permissão, Sr. Bach.

— Apenas pensei, antes de lhe arrancar as roupas, que devia ser cortês e pedir.

— Animal... Quando aquele homem perguntou se ainda existiam dragões, eu deveria apontar para você.

Virei de costas, olhando para o teto indefinido, fechei os olhos.

— Sou um dragão. E sou também um anjo, não esqueça. Não possuímos cada um de nós o nosso mistério, a nossa aventura, percorrendo o milhão de caminhos pelo tempo, simultaneamente? O que estamos fazendo, nos outros tempos? Não sei. Mas posso apostar uma coisa estranha, querida. Posso apostar no que estamos fazendo agora...

— ... está preso por fitas de luz ao que estamos fazendo então! — disse Leslie.

Despertei inteiramente, com um sobressalto, quando ela arrematou a minha frase.

Ela estava deitada de lado na cama, os olhos azuis fixados nos meus, conhecendo-me, conhecendo tanta coisa.

Falei tão gentilmente quanto podia para a vida que faiscava e dançava por trás daqueles olhos, sussurrando:

— Olá, mistério.

— Olá, aventura.

— Para onde iremos daqui? — falei, consciente da energia ao nosso redor. — Como mudaremos o mundo?

— Vi a nossa casa hoje, Richie. Quando a mulher perguntou se conhecemos nosso futuro. Lembra-se do nosso sonho? Aquela casa. Vi a floresta na ilha e a campina. Vi onde vamos construir a casa que visitamos no sonho.

Um canto de sua boca se contraiu num sorriso.

— Acha que eles se importariam, todas aquelas centenas de nós por toda parte, no mesmo momento, além do tempo e espaço? Considerando tudo por que passamos, acha que eles se importariam se construíssemos nossa casa primeiro e depois mudássemos o mundo?

# quarenta e nove

A PEQUENA escavadeira passou ruidosamente pela colina, avistou-me junto à campina, desceu ao meu encontro, a caçamba de aço meio cheia de terra para o jardim.

— Oi, querido! — gritou Leslie, por cima do barulho do motor.

Um dia de trabalho, ela usava um macacão branco, os cabelos metidos sob um gorro amarelo de tratorista, as mãos desaparecendo em grossas luvas de couro nos controles da máquina. Ela dominava agora a escavadeira, feliz em trabalhar finalmente na casa que construíra há tanto tempo em sua mente. Desligou o motor e perguntou:

— Como está indo meu querido artesão das palavras?

— Muito bem. Não sei o que as pessoas pensarão deste livro. Dirão que é muito comprido e sensual demais para alguém como eu escrever. Mas eu adoro. E hoje descobri o título!

Leslie empurrou o gorro para cima, tocou na testa com as costas de uma luva.

— Finalmente! Qual é o título?

— Já existe, durante todo o tempo. Se você o encontrar também, será como chamaremos o livro. Combinado?

— É o momento para eu ler agora todo o original?

— Isso mesmo. Só falta um capítulo e estará pronto.

— Só mais um capítulo? Parabéns!

Olhei encosta abaixo para a campina, olhei além da água para as ilhas flutuando no horizonte.

— Um lindo lugar, não é mesmo?

— O paraíso! E tem de ver a casa, Richie. A primeira das fotovoltaicas entrou em funcionamento hoje. Suba a bordo e o levarei até lá em cima para mostrar.

Entrei na caçamba, junto com a terra. Leslie deu a partida.

O motor rugiu e, por um momento, eu seria capaz de jurar que o barulho súbito era o som do meu velho biplano, ligado na campina.

Se fechasse parcialmente os olhos, poderia ver...

*... uma miragem, um fantasma de anos passados, movendo-se na campina. Richard ligou o motor do Fleet pela última vez e acomodou-se na carlinga, tocando no manete, prestes a decolar em busca de sua alma-irmã.*

*O biplano arrastou-se para a frente.*

*O que eu faria se a visse agora, pensou ele, se a visse andando através do campo e me dizendo para esperar?*

*Num tolo impulso, ele virou-se e olhou.*

*Havia um clarão do sol no campo. E aproximando-se do avião, longos cabelos dourados esvoaçando e faiscando, corria uma mulher, corria a mais linda... Leslie Parrish! Mas ela...?*

*Ele parou o motor imediatamente, aturdido ao vê-la.*

*— Leslie! É você?*

*— Richard! — gritou ela. — Vai subir?*

*Ela parou, ofegante, à beira da carlinga.*

*— Richard... você teria tempo para voar comigo?*

*— Teria... — disse ele, sem fôlego também, de repente. — Você quer?*

Virei-me para a minha esposa, tão surpresa quanto o piloto pelo que acabara de ver. Suja de terra, gloriosa, ela sorriu-me, com uma extraordinária radiância.

— Richie, eles vão tentar! *Deseje-lhes todo amor!*

* * *

Se você gostou deste livro e
deseja tomar conhecimento de outros [illegible]
mentos [illegible] Editora
Record, escreva para RP Record,
Caixa Postal, 23052 — Rio de Janeiro, RJ,
CEP 20922 e receba [illegible]
mente gratuitamente o jornal NOTÍCIAS
DA RECORD.
Uma publicação da Editora Record com
todas as informações e notícias [illegible]
[illegible] lançamentos e best-sellers.
Entrevistas com autores nacionais e estrangeiros,
livros que fazem sucesso em todo o mundo,
notícias das seções [illegible], quadrinhos
e opinião.